To my Korean readers:
If ever a cold wind
blows through my life,
I am sure you will
light the fire of
friendship for me !

Paulo Coelho

한국에 있는 나의 독자들에게

언젠가 내 삶에 찬바람이 불어오면,
나를 위해 우정의 불을 지펴주리라 믿습니다.

파울로 코엘료

알레프

ALEPH
by Paulo Coelho

Copyright ⓒ 2010 by Paulo Coelho
Korean Translation Copyright ⓒ 2011 by Munhakdongne Publishing Corp.

This Korean edition is published by arrangement with
Sant Jordi Asociados, Agencia Literaria S.L.U., Barcelona, SPAIN
www.santjordi-asociados.com
through Sibylle Books Literary Agency, Seoul, KOREA.
All rights reserved.
www.paulocoelho.com

이 도서의 국립중앙도서관 출판시도서목록(CIP)은
e-CIP 홈페이지(http://www.nl.go.kr/ecip)와
국가자료공동목록시스템(http://www.nl.go.kr/kolisnet)에서 이용하실 수 있습니다.
(CIP제어번호: CIP2011003811)

알레프

파울로 코엘료 장편소설

오진영 옮김

문학동네

원죄 없이 잉태하신 마리아님,
당신께 간청하는 저희를 위해 기도해주소서.
아멘.

한 귀족이 왕위를 받아오려고 먼 길을 떠나게 되었다.
루가복음 19장 12절

나를 계속 앞으로 나아가게 하는 J.에게,
언제나 나를 보호해주는 S.J.에게,
노보시비르스크의 교회에서 나를 용서해준 힐랄에게

알레프는 지름이 이삼 센티미터쯤 될 듯했다.
그럼에도 온 우주가 조금도 줄어들지 않은 채 그 안에 있었다.
각각의 사물 하나하나는…… 무한히 많은 사물에 다름 아니었다.
우주의 모든 지점들로부터 내가 그것을 또렷이 볼 수 있기 때문이었다.

호르헤 루이스 보르헤스, 「알레프」

당신은 모든 것을 알고 있지만, 나는 보지 못합니다.
그럼에도 나의 생은 무의미하지 않을 것이니,
우리가 어느 신성한 영원 안에서
다시 만날 것을 알기 때문입니다.

오스카 와일드

차례

내 왕국의 왕

이건 아니다!

또다시 의식을 행하라고? 보이지 않는 힘을 또다시 불러와 보이는 세상에 드러내라고? 이런 의식이 오늘날 우리가 사는 세상과 도대체 무슨 상관이란 말인가? 젊은이들은 대학을 졸업하고도 일자리를 구하지 못한다. 나이든 사람들은 무일푼으로 정년을 맞는다. 어른들은 꿈꿀 시간도 없이, 가족을 먹여 살리고 아이들의 학비를 대고 우리 모두가 '냉혹한 현실'이라고 부르는 것에 맞서느라 아침부터 저녁까지 고군분투한다.

세계가 이렇게 분열된 적은 일찍이 없었다. 종교전쟁, 인종청소, 지구 환경에 대한 무관심, 경제위기, 불경기, 빈곤. 모든 사람이 세계가 안고 있는 이런 문제들 중 적어도 일부라도, 혹은 개인의 삶에 존재하는 최소한의 문제라도 해결해줄 즉각적인 대책을 원하고 있다. 하지만 미래를 향해 나아갈수록 상황은 암담하게만 보인다.

그런데 나는 현재 이 순간의 그 모든 시련과는 동떨어진 아득한 과거에 뿌리를 두고 있는 영적 전승 안에서 정진하기를 원하고 있다니.

* * *

지금 나는 J.와 함께, 오백 년 이상 한자리에 우뚝 서서 인류의 고뇌를 무심히 응시하고 있는 신성한 떡갈나무를 향해 걸어가고 있다. 나무의 유일한 걱정이라고는 겨울이면 잎을 떨구고 봄이 오면 다시 새잎을 틔우는 것이다. J.는 내가 마스터라고 부르는 이다. 비록 요즘 들어 그에게 의구심을 품고 있지만.

나를 전승의 길로 이끌어주는 J.와의 관계에 대해서는 더이상 쓰는 것이 지겨울 정도다. 우리의 대화를 기록한, 그러나 다시 펼쳐본 적조차 없는 일기장이 수십 권에 이른다. 1982년 암스테르담에서 처음 그를 만난 이래, 나는 수백 번이나 삶에 대해 배우고 그 배움을 잊기를 반복했다. J.가 내게 새로운 무언가를 가르쳐줄 때마다, 나는 그것이 산 정상에 이르는 마지막 한 발짝,

교향곡을 완성시킬 마지막 음표, 한 권의 책을 요약해줄 단 하나의 단어일지도 모른다고 생각한다. 하지만 그런 희열의 시간도 얼마 후면 조금씩 희미해져간다. 몇 가지는 언제까지고 남지만, 대부분의 수련과 연습과 가르침은 블랙홀 속으로 사라져버리는 것으로 끝난다. 혹은, 적어도 그렇게 보인다.

* * *

땅이 젖어 있다. 이틀 전에 그렇게 정성스레 운동화를 빨았건만, 아무리 조심한다 해도 몇 걸음 안에 다시 진흙투성이가 되고 말 거라는 생각이 든다. 지혜와 영혼의 평화, 그리고 보이는 현실과 보이지 않는 현실을 깨닫기 위한 나의 탐색은 어느덧 타성에 젖어버렸고 아무런 결과에도 이르지 못하고 있다. 스물두 살 때 나는 마법에 입문했다. 여러 유파의 수련을 거쳤고, 여러 해동안 심연의 가장자리를 따라 걷고 미끄러지고 넘어지고 포기하고 처음부터 다시 시작했다. 당시 나는 쉰아홉 살이 될 때쯤에는 불교 승려의 미소에서 볼 수 있는 절대 고요와 천국에 거의 도달해 있으리라고 상상했다.

그러나 지금 나는 그 어느 때보다도 내가 추구하는 것들로부터 먼 곳에 있다. 내 마음은 평온하지 못하다. 그러기는커녕, 몇 달째 심각한 내적 갈등에 사로잡혀 있다. 마법의 현실을 감지하고 거기 푹 잠겨드는 순간은 겨우 몇 초 정도에 불과하다. 다른 세계가 존재한다는 것을 알기에 충분한 시간이고, 내가 배운 모든 것을 완벽하게 습득할 수 없으리라고 좌절하기에도 충분한 시간이다.

도착했다.

의식이 끝나고 나면 그와 진지한 대화를 나눌 것이다.

우리 두 사람 모두 신성한 떡갈나무의 몸통에 손을 얹는다.

* * *

J.가 수피* 기도문을 읊는다.

"신이시여, 짐승들의 울음소리와 나무들이 내는 소리와 시냇물의 속삭임과 새들의 지저귐과 바람의 휘파람 소리와 요란한 천둥소리에 귀 기울일 때, 저는 그 안에서 당신 조화의 증거를 보나이다. 당신께서 지고의 권능이자, 전지全知이자, 최고 지혜이며, 절대적 정의임을 느끼나이다.

신이시여, 지금 겪고 있는 시련 속에서 저는 당신을 발견하나

---

* 일부 이슬람교도가 신봉하는 신비주의 사상.

이다. 당신 흡족함이 제 흡족함이 되게 하소서. 아비에게 아들이 기쁨이듯, 제가 당신 기쁨이 되게 하소서. 제가 당신을 사랑한다고 말하기 힘들 때조차 고요하고 확신에 찬 마음으로 당신을 기억하게 하소서."

보통 이런 순간이면 나는 태양과 지구를 움직이고 별들을 제자리에 있게 하는 '유일한 존재'를 느낀다. 찰나에 불과한 시간이지만 충분하다. 그러나 오늘은 우주와 이야기하고 싶지 않다. 지금 내 옆에 있는 사람이 내가 필요로 하는 답을 주기만을 바랄 뿐.

* * *

J.가 나무에서 손을 떼고, 나도 그렇게 한다. 그가 나를 향해 미소를 짓고, 나도 마주 미소를 지어 보인다. 우리는 침묵 속에 천천히 걸어 나의 집으로 돌아와, 테라스에 앉아 여전히 한 마디 말 없이 커피를 마신다.

나는 정원 한가운데 있는 커다란 나무를 바라본다. 어느 날 내가 꿈을 꾼 후 몸통에 리본을 둘러놓은 나무다. 이곳은 프랑스 피레네 지방에 있는 생마르탱 마을, 지금은 산 것을 후회하는 내 집이다. 결국 이 집은 나를 소유하게 되었다. 집이 살아 있는 기운을 유지하기 위해서는 항상 누군가 돌봐줘야 하는데, 그러기 위해서는 가능한 한 내가 집에 머물러야 하기 때문이다.

"나는 더 발전할 수가 없어요." 언제나처럼 먼저 입을 여는 함정에 빠지는 쪽은 나다. "이제는 한계에 다다른 것 같아요."

"재미있군. 나는 언제나 내 한계를 알고자 했지만 아직까지도 알아내지 못했는데. 하지만 나의 우주는 별 도움이 되지 못할 것이, 계속해서 성장하는 중이고 나조차 그 전체를 파악하지 못하고 있거든." J.가 도발적으로 말한다.

그는 비꼬고 있다. 하지만 나는 모르는 척 계속 말한다.

"오늘 여기 왜 오신 거죠? 언제나 그랬듯 내가 틀렸다고 설득하러 오신 거겠죠. 무슨 말을 해도 좋습니다만 말로는 아무것도 바꿀 수 없다는 건 알아두시기 바랍니다. 저는 요즘 별로 잘 지내지 못하고 있어요."

"바로 그래서 오늘 내가 여기 온 걸세. 무슨 일이 벌어지고 있는지 간파한 지는 꽤 됐네. 하지만 언제나 행동에 들어가야 할 때는 따로 있는 법." J.가 탁자에서 배를 하나 집어 손안에서 돌리면서 못 박듯이 말한다. "만약 우리가 좀더 일찍 이런 대화를 나눴다면 자네는 아직 설익은 상태였겠지. 좀더 늦었다면 이미 썩어버린 뒤일 테고." 그는 과일을 한 입 베어물고 맛을 음미한다. "완벽해. 딱 지금이야."

"내 안에 의심이 너무 많아요. 그중 가장 심각한 것은 내 신앙에 대한 의심이에요." 나는 하고 싶은 말을 계속한다.

"훌륭해. 의심은 인간을 앞으로 나아가게 하지."

언제나처럼 좋은 대답이고 근사한 비유지만 오늘만큼은 통하지 않는다.

"자네가 지금 어떤 기분일지 말해주지." J.가 말을 잇는다. "자네가 지금껏 배운 모든 것이 뿌리내리지 못했다고, 그래서 마법의 세계에 뛰어들 수는 있어도 그 안에 푹 잠기지는 못하고 있다고 생각하는 거지. 그래서 이 모든 것이 결국 죽음에 대한 두려움으로부터 도망치기 위해 인간이 만들어낸 거대한 환상에 불과한 것이 아닌가 하고 의심하는 걸세."

나의 의문들은 좀더 근원적인, 신앙에 대한 의구심이다. 내가 확신하는 것은 오직 한 가지밖에 없다. 우리가 사는 이 세상에 영향을 미치는 영적인 평행우주가 존재한다는 것. 그 외의 다른 모든 것들, 이를테면 성전聖典이니 계시니 인도자니 지침서니 의식이니 하는 것 따위는 모두 터무니없어 보인다. 그리고 더 나쁜 것은 이런 것들에 영구적인 효과가 없어 보인다는 것이다.

"한때 내가 느꼈던 것들에 대해 얘기해주겠네." J.가 말을 계속한다. "젊었을 때 나는 생이 내게 줄 수 있는 모든 것에 눈이 부실 지경이었지. 언젠가는 그 모든 것을 손에 넣을 수 있을 거라고 생각했어. 하지만 결혼을 하고 나니 오직 한길만 선택해야 했지. 사랑하는 아내와 자식들을 먹여 살려야 했거든. 그런데 마흔다섯 살에 성공한 회사 중역이 되고 다 큰 자식들을 떠나보내고 나니 이런 생각이 들더군. '이제부터 모든 것은 이미 겪은 일의 반복에 지나지 않겠구나.'

바로 그때부터 나의 영적 탐색이 시작된 거라네. 나는 스스로를 잘 다스리는 사람인지라 거기에 혼신의 힘을 다했어. 그리고 열정과 좌절의 시기들을 거쳐 지금 자네가 겪고 있는 그 순간에 이르렀지."

"들어보세요, J., 아무리 노력을 해도 내가 '신께도, 나 자신에게도 좀더 가까워진 것' 같지가 않다고요." 나는 격분해서 응수한다.

"이 세상 다른 모든 사람들이 그렇듯 자네 역시 시간이 신께 가까워지는 길을 가르쳐줄 거라 믿었기 때문이야. 하지만 시간은 아무것도 가르쳐주지 않는다네. 시간이 우리에게 가져다주는 건 피로하다는 느낌, 나이를 먹었다는 느낌뿐이지."

지금 떡갈나무가 나를 바라보고 있는 것 같다. 나이가 오백 살이 넘겠지만, 그 긴 세월 동안 저 나무가 배운 것은 한자리에 머물러 있는 것뿐이다.

"아까 왜 떡갈나무 주위에서 의식을 올린 건가요? 대체 그것이 우리가 더 나은 인간이 되게 하는 데 도움이라도 되는 겁니까?"

"이제 사람들이 떡갈나무 주위에서 의식을 행하지 않기 때문이지. 그리고 일견 터무니없어 보이는 방식으로 행동함으로써 자네는 영혼 깊은 곳, 자네의 가장 오래된 부분에 있는, 만물의 근원에 가장 가까운 무언가와 접촉할 수 있거든."

사실이다. 나는 이미 답을 알고 있는 질문을 했고, 기대하고 있던 대답을 들었다. J.와 함께하는 일 분 일 분을 더 잘 활용할 필요가 있다.

"이제 떠날 시간이야." J.가 무뚝뚝하게 말한다.

나는 괘종시계를 본다. 그리고 공항은 여기서 가깝고, 좀더 얘기할 시간은 된다고 말한다.

"그 말이 아니야. 지금 자네가 겪고 있는 문제를 내가 겪었을 때, 나는 내가 태어나기도 전에 일어난 어떤 일에서 답을 발견했다네. 내가 지금 자네에게 권하는 일이 바로 그거야."

환생을 말하는 건가? 그는 내가 전생을 방문하는 것을 언제나 말리지 않았던가.

"과거는 이미 다녀온 적이 있습니다. 당신을 만나기 전에 이미 그 방법을 터득해 알고 있었으니까요. 거기에 대해서는 함께 얘기한 적도 있죠. 두 번의 전생을 보았다고요. 한 번은 19세기 프랑스 작가였고, 또 한 번은……"

"그래, 알고 있네."

"그리고 그때, 지금 와서 바로잡을 수 없는 실수들을 저질렀죠. 그래서 당신은 내게 다시는 전생으로 가지 말라고, 그래봤자 내 죄책감만 커질 뿐이라고 말했어요. 전생으로 떠나는 것은 바닥에 구멍을 뚫어 아래층에서 활활 타오르는 불꽃이 현재를 태워버리게 놔두는 거나 마찬가지라고요."

J.는 먹고 남은 배의 속을 정원의 새들에게 던져주더니 내게 짜증 섞인 눈빛을 던진다.

"어리석은 소리 하지 말게. 자네가 지금 하는 이야기가 정말로 옳고, 우리가 함께한 스물네 해 동안 자네가 배운 게 아무것도 없다고 믿게 만들지 말란 말일세."

나는 그가 무슨 말을 하는지 알고 있다. 마법에는, 그리고 생에는 바로 '지금'이라는 현재의 순간만이 존재한다. 두 점 사이의 거리를 재듯 시간을 측정할 수는 없다. '시간'이란 지나가는 것이 아니다. 인간 존재는 현재에 집중하는 것에 무지막지한 어려움을 느낀다. 우리는 언제나 과거에 한 일에 대해서, 그 일을 어떻게 더 잘할 수는 없었는지에 대해서, 그랬다면 결과가 어땠을지, 그리고 왜 그랬어야 마땅한 방식대로 행동하지 못했는지에 대해서 생각한다. 아니면, 내일 무엇을 할 것인지, 미리 어떤 조치들을 준비해두어야 할 것인지, 저기 길모퉁이에는 어떤 위험이 기다리고 있을지, 원하지 않는 것들은 어떻게 피하고 꿈꿔왔던 것은 어떻게 손에 넣을 수 있을지에 대해 생각하며 미래를 걱정한다.

J.가 다시 대화를 재개한다.

"그러니까, 지금 바로 여기서 자네의 의문은 시작되는 걸세. 정말 무언가 잘못되었는가? 그렇다, 잘못됐다. 하지만 지금 이 순간 자네는 과거를 현재로 가져옴으로써 미래를 바꿀 수 있다는 것 역시 알고 있어. 과거와 미래는 오직 우리의 기억 속에만 존재하는 것이야.

하지만 현재의 순간은 시간을 초월해 존재하지. '영원'이야. 적당한 표현이 없다보니 인도인들은 '카르마'라는 단어를 사용하지. 하지만 적확하게 설명된 적이 거의 없는 개념이야. 자네가 전생에 한 일이 자네의 현생에 영향을 주는 것이 아니네. 자네가 현재에 하는 행동이 과거를 속죄하고, 따라서 미래를 바꾸는 것이야."

"그러니까, 말하자면……"

그는 잠시 말을 멈춘다. 그가 설명하려는 바를 내가 이해하지 못하니 점점 짜증이 나는 것이다.

"여기서 아무 의미 없는 말들을 계속해봤자 소용없다네. 직접 경험해보게. 이제 자네가 떠날 시간이야. 일상에 찌든 자네 왕국을 다시 정복하게. 똑같은 수업을 반복하는 일일랑 이제 그만두게. 그렇게는 새로운 것을 배울 수가 없어."

"일상이랑은 상관없습니다. 난 그저 불행한 겁니다."

"그 불행한 상태를 바로 일상이라고 부른다네. 자네는 지금 불행하기 때문에 자신이 존재한다고 생각하고 있어. 어떤 사람들은 자신이 안고 있는 문제들에 따라 존재하지. 그리고 그것들에 대해서 습관적으로 떠들어대는 데 시간을 허비해. 자식 문제, 배우자 문제, 학교 문제, 직장 문제, 친구 문제 등등. 그들은 잠시 멈춰 서서 '나는 지금 여기에 있다'라는 생각을 하지 않아. 나는 이미 일어난 일들과 앞으로 일어날 모든 일들의 결과야. 하지만, 나는 지금 여기 있어. 만일 내가 무언가를 잘못했다면, 바로잡을 수 있거나 아니면 적어도 용서를 구할 수 있어. 만일 내가 바르게 행동했다면, 그로 인해 더욱 행복해지고 현재와 더 긴밀하게 연결될 것이야."

J.는 숨을 깊이 들이쉬더니 결론을 짓는다.

"자네는 더이상 여기 있지 않아. 현재로 돌아오기 위해 떠나야 할 시간이야."

　　　　　　　　　　　　* * *

　내가 걱정하던 대로였다. 얼마 전부터 그는 내가 세번째로 성스러운 길을 떠날 때가 왔음을 이해시키고 싶어했다. 그렇지만 아득히 오래전인 1986년 산티아고 데 콤포스텔라로 순례를 떠나나 자신의 운명, 혹은 '하느님의 계획'과 마주하게 된 후로 내 삶은 크나큰 변화를 겪었다. 그리고 삼 년 후, 나는 우리가 지금 살고 있는 지역에 있는 '로마의 길'을 따라 걸었다. 그것은 칠십 일이나 이어지는 고통스럽고도 지루한 여정으로, 매일 아침이 밝아오면 그 전날 밤 꾼 꿈에 따라 말도 안 되는 행동을 해야만 했다(중요한 일이라고는 하나도 일어나지 않는 버스정류장에서 네 시간이나 보낸 일이 떠오른다).

　그때부터 나는 내 일이 요구하는 모든 것을 성실하게 수행해왔다. 결국 그것은 나의 선택이었고, 내가 받은 축복이었다. 그 말인즉, 미친 듯이 여행을 다니기 시작했다는 뜻이다. 내가 배운 가장 위대한 가르침들은 바로 여행에서 얻은 것들이다.

　원래 나는 젊은 시절부터 언제나 미친 듯이 여행을 다녔다. 그러나 최근 들어서는 공항과 호텔에서 살다시피 하고 있고, 모험을 떠났다는 기분은 사라지고 그 자리를 깊은 권태가 채우기 시작했다. 내가 한곳에서 오래 머물 수 없다는 것에 불평하면 사람들은 놀라워했다. "아니, 여행 다니는 게 얼마나 신나는 일인데요! 유감스럽게도 전 그럴 돈이 없지만요."

여행은 언제나 돈의 문제가 아니고 용기의 문제다. 오랜 시간 나는 히피로 세상을 떠돌았다. 돈이 어디 있었겠는가? 한 푼도 없었다. 간신히 차비만 감당할 정도였지만 나는 그때를 내 젊은 날의 황금기로 꼽는다. 비록 제대로 먹지도 못하고, 기차역에서 잠을 청하고, 말이 안 통해 의사소통은 불가능하고, 밤을 보낼 잠자리를 구하는 것조차 다른 이들에게 의지해야 했지만.

이해 못 할 외국어를 들으며, 가치를 제대로 알지 못하는 화폐를 써가며, 한 번도 가본 적 없는 거리를 걸으며 오랜 시간을 길 위에서 보내고 나면, 당신은 깨닫게 된다. 예전의 '나'와 이때까지 당신이 배운 모든 것은 이 새로운 도전 앞에서 전혀 쓸모가 없다는 것을. 그리고 지금껏 알지 못하던 당신의 무의식 저 깊은 곳에, 훨씬 더 재미있고 모험을 좋아하고 세상과 새로운 경험에 활짝 열려 있는 누군가가 존재한다는 것을 느끼기 시작하는 것이다.

그리고 언젠가는 이렇게 말하는 날이 온다. "이제 그만하면 충분히 됐어!"

"이제 충분해요! 나한테는 여행도 지루한 일상이 되어버렸어요."

"아니, 충분하지 않아. 충분해지는 날은 오지 않을 걸세." J.는 완강하다. "우리의 삶은 태어나서부터 죽기까지 계속되는 하나의 여행이야. 경치가 변하고 함께하는 사람들이 변하고 필요로 하는 것도 달라지지만, 기차는 앞으로 나아간다네. 인생은 기차지, 기차역이 아니야. 그리고 자네가 이제까지 해온 것은 여행이 아니라 나라를 바꿔 돌아다닌 것뿐이지. 그건 완전히 다른 일이야."

그 말을 부정한다는 뜻으로 나는 고개를 젓는다.

"그런 이야기는 도움이 안 됩니다. 내가 만일 다른 생에서 저지른 실수를 바로잡아야 한다면 여기 이 삶에서 그렇게 할 수 있어요. 그 실수에 대해 깊이 인식하고 있다면 말이죠. 그 지하감옥에서, 나는 신의 뜻을 알고 있는 것으로 보였던 누군가의 명령에 따랐을 뿐입니다. 그 사람은 바로 당신이고요.

그리고 나는 적어도 네 명을 만나 용서를 구했어요."

"하지만 자네에게 씌워진 저주가 무엇인지는 알아내지 못했지."

"당신 역시 같은 시기에 저주받지 않았던가요. 당신은 무엇인지 알아냈나요?"

"내 저주는 알아냈네. 이것만은 장담할 수 있어. 내가 받은 저주가 자네 것보다 훨씬 끔찍하다는 것. 내가 여러 차례 정의롭지 못했던 반면 자네는 딱 한 번 비겁했지. 하지만 그것의 정체를 알아냄으로써 나는 자유로워졌다네."

"내가 시간여행을 해야 한다면, 다른 공간으로 이동하는 여행은 왜 필요한 거죠?"

J.가 웃었다.

"우리 모두는 언제든 구원받을 가능성이 있지만, 그러기 위해서는 우리가 잘못을 저지른 사람들을 만나 용서를 구해야 하기 때문이지."

"그래서 나는 어디로 가야 합니까? 예루살렘으로 가나요?"

"나는 모른다네. 자네가 가기로 약속된 곳으로 가게 될 걸세. 무엇이 마무리되지 못하고 남아 있는지 알아내어 매듭을 짓게. 신께서 자네를 인도할 것이니. 자네가 경험했거나 앞으로 경험할 모든 것이 지금 여기에 있기 때문이지. 바로 이 순간에도 세상은 생성되고 또 파괴되고 있어. 자네가 만났던 사람이 다시 나타날 것이고, 자네가 떠나게 놔둔 사람이 돌아올 것이야. 자네에게 내려진 신의 은총에 등을 돌리지 말게. 자네에게 일어나는 일이 무엇인지 이해하게, 그러면 다른 모든 이들이 겪는 일에 대해서도 알게 될 걸세.

내가 자네에게 평화를 주러 왔다고 생각하지 말게. 나는 평화가 아니라 칼을 주러 온 것이니.*"

---

* 마태복음 10장 34절에서 인용.

나는 추위에 몸을 떨며 빗속에 서 있다. '이러다 감기 걸리겠구나' 하는 생각부터 떠오른다. 그러나 내가 아는 모든 의사들이, 감기는 바이러스로 인해 걸리는 것이지 떨어지는 물방울 때문에 걸리는 게 아니라고 말한 걸 떠올리며 나 자신을 애써 안심시킨다.

지금 이 순간, 이 자리에 있지 못하겠다. 머릿속에 소용돌이라도 이는 듯 어지럽다. 내가 닿아야 할 곳은 어디인가? 나는 어디로 가야 하지? 나의 길에서 만나야 할 사람들을 내가 알아보지 못하면 어떡하지? 이미 그런 일은 일어난 적이 있었고, 앞으로도 일어날 것이다. 그렇지 않았다면 내 영혼은 이미 평화를 누리고 있었으리라.

쉰아홉 해 동안 나 자신으로 살고 있는바, 내가 어떤 반응을 보이는 사람인지 어느 정도 알고 있다. J.와 처음 만났을 무렵엔 그가 그 자신보다 훨씬 강한 어떤 빛으로부터 영감을 받아 말하는 것처럼 보였다. 나는 두 번 물어보는 일 없이 그의 말을 모두 받아들였고, 두려움 없이 전진했고, 그렇게 한 것에 단 한 번도 후회한 적이 없었다. 그러나 세월이 흐르고 우리가 서로에게 익숙해지자, 그 익숙함은 습관이 되었다. 비록 한 번도 그가 나를 실망시킨 적이 없었음에도 예전과 같은 눈으로 그를 볼 수 없게 되었다. 우리가 만난 지 십 년째가 되던 1992년 9월에 나는 자발적인 의무감으로 그의 말을 계속 따르기로 했지만, 이미 예전과 같은 확신은 사라지고 없었다.

내 잘못이었다. 마법 전승을 따르기로 선택했다면 지금과 같은 이런 유의 의문을 제기해서는 안 될 일이었다. 원한다면 언제든 그만둘 수 있는 자유가 있음에도 무언가가 나를 계속 앞으로 나아가도록 추동하고 있다. 그가 옳다는 것은 의심의 여지가 없지만, 나는 내가 영위하는 삶에 익숙해졌고 더이상의 도전은 필요하지 않다. 내가 원하는 것은 오직 평화, 그뿐이다.

나는 행복한 사람이어야 마땅했다. 세상에서 가장 힘든 직업 중 하나인 내 직업에서 성공을 거두었고, 사랑하는 여인과 이십칠 년째 결혼생활을 하고 있고, 아주 건강하고, 신뢰할 수 있는 친구들에 둘러싸여 있고, 거리에서 마주치는 나의 독자들은 내게 애정을 표시한다. 이 모든 것으로 충분하던 때가 있었는데, 최근 이 년 동안은 그 무엇에도 만족하지 못한다.

그냥 지나가버리고 말 골칫거리에 불과한 것일까? 늘 하던 기도를 올리고, 자연을 신의 목소리처럼 경외하고, 내 주변의 아름다운 것들을 관조하는 것으로 부족할까? 만약 내 한계에 도달했다는 확신이 든다면, 무엇 때문에 앞으로 더 나아가기를 갈망하는 것인가?

도대체 왜 나는 다른 친구들 같을 수 없는가?

빗줄기는 점점 더 거세어지고, 빗소리 말고는 아무 소리도 들리지 않는다. 온몸이 흠뻑 젖었고 움직일 수도 없다. 어디로 가야 할지 몰라 이곳을 떠나고 싶지 않다. 나는 갈 길을 잃었다. J.의 말이 옳다. 진정 내 한계에 이르렀다면, 지금과 같은 죄책감과 좌절감은 벌써 지나가버렸어야 했다. 하지만 그 감정들은 계속 남아 있다. 두려움과 떨림. 불만스럽다는 마음이 떠나지 않는다면, 신께서 그 마음을 여기 남겨놓은 이유는 오직 한 가지다. 모든 것을 바꾸고, 앞으로 계속 나아가야 한다는 것.

전에 이미 같은 일을 겪었다. 운명을 따르기 거부할 때면 몹시 견디기 어려운 어떤 사건이 내 삶에서 일어났다. 지금 이 순간 내가 느끼는 가장 큰 두려움은 비극이 일어날지도 모른다는 것이다. 비극은 우리 삶에 근본적인 변화를 일으킨다. 그리고 그 변화는 언제나 한 가지 원칙, 즉 상실과 결부된다. 상실과 마주할 때 이미 떠나버린 것을 되찾겠다고 애써봐야 부질없는 짓이다. 차라리 열려 있는 커다란 공간을 활용해 그 공간에 새로운 것들을 채우는 편이 낫다. 이론적으로 모든 상실은 우리 자신에게 유익하다. 하지만 실제로 상실을 경험하면, 우리는 신의 존재를 의심하고 자문하게 된다. '하필이면 왜 내게 이런 일이 벌어지는 거지?'

신이시여, 제게 비극을 내리지 마소서. 당신 뜻대로 따르겠나이다.

내가 이런 생각을 막 떠올린 순간, 천둥소리가 울리고 하늘이 번갯불로 환해진다.

다시 한번, 두려움과 떨림. 이것은 표지다. 이렇게 나는 항상 최선을 다하고 있다고 스스로를 납득시키는 중인데, 자연은 정확히 그 반대로 내게 말하고 있다. 인생에 진정으로 충실한 자는 결코 앞으로 나아가기를 멈추지 않는다고. 지금 이 순간 몰아치는 폭풍우 속에서 하늘과 땅이 서로 맞서고 있다. 폭풍우가 지나가고 나면 공기는 더욱 맑아지고 들판은 비옥해지겠지만, 집들은 무너지고 몇백 년 된 고목들은 쓰러지고 천국처럼 아름다운 장소들은 물에 잠길 것이다.

노란색 형상이 다가온다.

나는 빗속에 몸을 맡긴다. 번개가 계속 번쩍이지만, 의지할 곳 없다는 느낌은 차츰 긍정적인 기분으로 바뀐다. 마치 내 영혼이 용서의 빗물에 씻기는 느낌이다.

"축복하라, 그러면 축복받을 것이니."

말들이 내 안에서 자연스레 흘러나왔다. 내가 가지고 있는지 몰랐던 지혜, 내게 속한 것이 아닌 줄 알고 있는 지혜, 그러나 이렇게 가끔 모습을 드러내어 나로 하여금 지난 오랜 세월 동안 배운 모든 것에 대한 의심을 버리게 하는 지혜다.

나의 가장 큰 문제는 바로 이것이다. 이런 순간들이 있음에도 불구하고, 계속 의심한다는 것.

어느덧 노란색 형상이 내 앞에 와 있다. 아내다. 험한 산길로 함께 산책을 갈 때 입는 화사한 색깔의 망토 차림이다. 혹시 우리가 길을 잃으면 구조대가 우리를 찾기 쉬울 것이다.

"오늘 저녁식사 약속, 잊었어요?"

아니다, 잊지 않았다. 나는 천둥소리가 신의 목소리처럼 들리는 형이상학적 우주에서 빠져나와 시골 마을과 훌륭한 포도주, 양고기 구이, 얼마 전 할리 데이비슨을 타고 다녀온 여행담을 들려줄 친구들과의 즐거운 대화가 기다리는 현실로 돌아온다. 옷을 갈아입으러 집으로 가는 길에 아까 J.와 나눴던 대화를 요약해 아내에게 이야기해준다.

"그래서, 그이는 당신이 어디로 가야 한다고 해요?" 아내가 묻는다.

"'약속을 잡으라'고 하던데."

"그게 뭐 힘든 일인가요? 까다롭게 굴지 마요. 당신 지금 늙은이처럼 굴고 있어요."

저녁식사 자리에는 에르베와 베로니크 외에 중년의 프랑스인 한 커플이 더 있다. 그중 한 명은 베로니크 커플이 모로코에서 만나 알게 된 '예지자'라고 한다.

남자는 그렇게 인상이 좋지도 나쁘지도 않고, 그저 멍해 보인다. 그런데 저녁식사중, 그가 일종의 무아경에 빠지기라도 한 듯 베로니크에게 말한다.

"차를 조심하세요. 사고가 날 겁니다."

나는 이런 것이 몹시 못마땅하다. 베로니크가 그 말을 진지하게 받아들인다면 두려움 때문에 부정적인 에너지를 끌어들일 것이고, 그러다보면 정말 예언대로 사고가 날 수도 있기 때문이다.

"거 참 재미있군요!" 다른 누군가가 미처 반응하기 전에 내가 말한다. "나는 선생이 과거나 미래로 시간여행을 할 수 있다고 믿어 의심치 않습니다. 바로 이 주제로 오늘 오후에 친구와 이야기를 나누었거든요."

"나는 볼 수 있습니다. 신께서 허락할 때면 볼 수 있지요. 여기 이 식탁에 앉아 있는 분들 한 분 한 분 어떤 사람이었는지, 지금은 어떤 사람인지, 어떤 사람이 될 것인지 나는 압니다. 나도 이런 내 능력을 온전히 이해하지는 못하지만, 받아들이기로 한 지 꽤 되었지요."

원래대로였다면 고전적인 할리 데이비슨에 대한 열정을 공유하는 친구들과 시칠리아 여행에 대한 대화를 나누고 있어야 한다. 그런데 갑자기, 지금 당장은 내가 듣고 싶지 않은 화제를 향해 위험하게 접근하고 있다. 완전한 동시성이다.

이번에는 내가 말할 차례다.

"그렇다면 신께서 무언가 변화하기를 바랄 때 우리에게 그것을 보도록 허락하신다는 것도 알고 계시겠군요."

그러고 나서 베로니크를 향해 말한다.

"그저 조심하면 됩니다. 영계靈界의 무언가가 물질계로 들어올 때면 힘의 상당 부분을 잃어버려요. 그러니까, 나는 사고가 일어나지 않을 가능성이 크다고 믿습니다."

베로니크가 모두의 잔에 와인을 다시 채운다. 그녀는 나와 모로코의 예지자가 의견 충돌을 일으킬 거라고 생각한다. 그것은 사실이 아니다. 이 남자는 정말로 '보는' 사람이고, 나는 그 사실이 두렵다. 나중에 에르베와 이 문제에 대해 따로 얘기할 생각이다.

남자는 나를 뚫어져라 바라보고 있다. 부지불식간에 다른 차원으로 들어온 사람처럼 여전히 멍한 표정이지만, 이제는 자신이 느끼는 바를 우리와 나눠야 한다고 생각하는 것처럼 보인다. 그는 내게 뭐라고 이야기하고 싶어하지만 대신 내 아내를 향해 말한다.

"터키의 영혼이 당신 남편에게 자신이 가진 모든 사랑을 바칠 겁니다. 하지만 그녀는 자신이 찾고 있는 것이 무엇인지 밝혀내기 전에 그가 피를 흘리게 할 겁니다."

'지금 여행을 떠나서는 안 된다고 말해주는 또 하나의 표지야', 나는 생각한다. 우리는 모든 일을 그것이 무엇이냐가 아닌, 자신이 원하는 것이 무엇이냐에 따라 해석하려 든다는 것을 잘 알고 있으면서도.

중국 대나무

북페어에 참석하기 위해 파리와 런던을 잇는 이 기차를 타게 된 것은 내게 축복과도 같다. 영국에 올 때마다, 남은 평생 문학에 몸 바치겠다는 결심을 굳히고 당시 다니던 음반회사를 그만뒀던 1977년이 떠오른다. 그때 나는 버셋 가에 있는 아파트에 세 들어 살았고, 많은 친구들을 사귀었고, 뱀파이어학을 공부했고, 온 도시를 구석구석 걸어다녔고, 연애를 했고, 극장에 걸린 모든 영화를 보았다. 그리고 일 년도 채 안 되어, 글 한 줄 쓸 수 없는 상태로 리우데자네이루로 돌아갔다.

이번에는 이 도시에서 사흘만 머물 예정이다. 독자들과의 만남이 예정되어 있고, 인도식당과 아랍식당에서의 저녁식사가 잡혀 있고, 호텔 로비에서 책과 서점과 작가들에 대해 대담을 할 것이다. 연말까지는 생마르탱에 있는 집으로 돌아갈 계획이 없다. 런던에서 리우로 가는 비행기를 바로 탈 것이다. 길을 걸으면 나의 모국어가 들려오고, 매일 밤 아사이* 주스를 마실 수 있고, 아무리 바라보아도 질리지 않는, 세상에서 가장 아름다운 풍경인 코파카바나 해변이 창밖으로 보이는 곳으로 갈 것이다.

* * *

도착하기 조금 전, 한 청년이 장미 꽃다발을 들고 내가 탄 열차 칸으로 들어오더니 주위를 둘러보기 시작한다. 이상한 일이다. 유로스타에서 꽃을 파는 상인은 한 번도 본 적이 없는데.

"지원자 열두 명을 구합니다." 청년이 큰 목소리로 말한다. "기차가 도착하면 장미 한 송이씩을 들고 내리는 겁니다. 제 인생의 여자가 역에서 저를 기다리고 있습니다. 저는 그녀에게 청혼을 하려고 합니다."

나를 포함해서 여러 명이 지원한다. 그러나 나는 뽑히지 못한다. 그래도 기차가 도착했을 때 그들 일행을 따라가보기로 한다. 플랫폼에 서 있는 아가씨를 청년이 손으로 가리킨다. 승객들이

---

* 브라질의 열대우림에서 자생하는 베리류 중 하나.

한 명 한 명 그녀에게 장미를 전달한다. 마지막으로 청년이 그녀에게 청혼을 하고, 모두 박수를 치고, 아가씨는 너무 부끄러운 나머지 눈을 내리깐다. 곧이어 두 사람은 입을 맞추고, 서로 포옹한 채 역을 떠난다.

이 광경을 지켜보던 차장이 말한다.

"이 역에서 근무한 이래 내가 본 가장 로맨틱한 사건이네요."

* * *

예정되어 있던 단 한 번의 독자와의 만남은 겨우 다섯 시간 동안 진행됐지만 내게 긍정적인 기운을 흠뻑 불어넣어주었다. 나는 스스로가 의아했다. 왜 지난 몇 달 동안 그렇게 많은 고민을 한 거지? 내 영적 진보가 뛰어넘을 수 없는 장벽에 부딪힌 것처럼 느껴진다면, 얼마간의 인내심을 가지고 기다리는 편이 낫지 않을까? 나는 내 지인들 중에서도 극소수만이 체험할 기회를 가졌던 그런 경험을 한 사람이 아니던가.

이번 여행을 떠나오기 전, 나는 바르바장 데바*에 있는 작은 예배당에 갔었다. 거기서 나는 성모마리아께 나를 사랑으로 인

---

* 프랑스 남서부 피레네산맥 지대에 있는 공동체.

도해주시기를, 나 자신과 다시 만나게 해줄 그 모든 표지를 알아볼 능력을 주시기를 기도드렸다. 나는 내가 내 주변 사람들 안에 존재한다는 것을, 그리고 그들이 내 안에 존재함을 알고 있다. 우리는 언제나 운명이 결정해준 만남 안에서, 세상에 변화를 일으킬 수 있다는 확신을 가지고 손을 맞잡은 채 '삶이라는 책'을 함께 쓰고 있다. 한 사람 한 사람이 단어 하나, 문장 하나, 그림 하나씩을 보탤 뿐이지만, 마지막에 가서 이 모든 것들은 의미를 갖는다. 한 사람의 행복이 모든 이들의 기쁨이 되는 것이다.

우리는 늘 스스로에게 같은 질문을 던진다. 우리 마음이 현생에서의 우리 존재이유를 알고 있다는 사실을 받아들이기 위해서는 언제나 겸허해야 한다. 그렇다, 마음과 이야기를 나누는 것은 힘든 일이다. 하지만 정말로 그래야 할 필요가 있을까? 확신을 가지고 표지를 따라가고, '자아의 신화'를 살아내는 것으로 충분하지 않은가. 그러면 언젠가는, 비록 이성적으로 이해하지는 못하더라도 우리가 무엇인가에 참여하고 있음을 느끼게 된다. 전승에 따르면, 죽기 직전의 순간 우리는 존재의 진정한 이유를 깨닫게 된다고 한다. 그리고 바로 그 순간 천국이나 지옥이 생겨난다는 것이다.

지옥이란 이 찰나와도 같은 짧은 순간에 과거를 되돌아보고는, 자신이 삶이라는 기적에 존엄성을 부여할 기회를 방기해버렸음을 깨닫는 것이다. 천국이란 이 순간에 "몇 가지 실수는 저질렀지만 나는 비겁하지 않았어. 내 인생을 살았고, 마땅히 해야 할 일들을 했어"라고 말할 수 있는 것이다.

그렇기 때문에 내가 겪을 지옥이 어떨 거라고 미리부터 걱정하고, 내가 '영적 탐색'으로 여기는 일에서 진척을 보이지 못했다는 사실을 곱씹을 필요는 없다. 나는 계속해서 노력해야 하고, 그것으로 충분하다. 자신이 할 수 있었던 일을 다 해내지 못한 이들조차 이미 용서받았다. 그들은 평화와 조화를 누릴 수 있었음에도, 불행하게 삶을 사는 것으로 살아생전 충분히 죗값을 치렀다. 우리 모두는 구원받았고, 시작도 없고 끝도 없을 이 길을 자유롭게 나아간다.

* * *

단 한 권의 책도 챙겨오지 않았다. 러시아 출판사 사람들과 저녁식사를 하러 내려가기 전에 나는 호텔 방 안에 비치되어 있게 마련인 잡지들 중 한 권을 뒤적인다. 중국 대나무에 대한 기사 하나를 별 호기심 없이 읽는다. 중국 대나무는 씨를 뿌리고 나서 거의 오 년 동안은 아주 작은 순 말고는 아무것도 보이지 않는다고 한다. 모든 성장은 땅 밑에서 이루어진다. 복잡한 구조의 뿌리가 땅 밑에서 종으로 횡으로 뻗어나아가면서 형성된다. 그러다 다섯번째 해가 끝나갈 무렵, 중국 대나무는 갑자기 약 25미터 높이에 달할 정도로 성장한다.

시간 때우기에 이보다 더 지루한 읽을거리가 있을까 싶다. 차라리 호텔 로비에 내려가 지나다니는 사람들을 구경하는 편이 낫다.

* * *

저녁식사 시간을 기다리는 동안 커피 한 잔을 마신다. 나의 에이전트이며 가장 절친한 친구인 모니카도 내려와 함께 앉아 있다. 우리는 시시한 화제들로 잡담을 나눈다. 온종일 출판 관계자들과 함께하면서 틈틈이 영국 출판사측과 전화통화로 독자들과의 만남에서 일어난 일들을 체크하느라 그녀는 많이 피곤해 보인다.

우리가 함께 일하기 시작했을 때 그녀는 스무 살이었다. 당시 그녀는 한 브라질 작가의 작품이 외국에 번역되어 출판될 수 있으리라고 확신하는 열성 독자에 불과했다. 모니카는 리우데자네이루에서 다니던 화공학부를 중퇴한 후 애인과 함께 스페인으로 건너갔고, 출판사들을 일일이 찾아다니고, 왜 내 작품에 관심을 가져야 하는지 설명하는 편지들을 열심히 써 보냈다.

어느 날 나는 그녀가 살고 있던 카탈루냐의 한 소도시로 찾아 갔다. 그리고 커피나 한 잔 하자고 불러내어, 아무 소용 없다는 걸 보았으니 이제 그만두고 자신의 인생과 미래에 대해 생각해 보는 게 어떻겠느냐고 충고했다. 그녀는 내 충고를 거절했고, 실패를 안고 이대로 브라질로 돌아갈 수는 없다고 말했다. 나는 그 녀가 이미 성공을 거두었노라고, (전단지를 돌리고 웨이트리스로 일하면서도) 살아남지 않았느냐고, 그리고 외국에서 사는 특별한 경험을 해보지 않았느냐고 그녀를 설득했다. 모니카는 끄떡도 하지 않았다. 카페를 나서면서 나는 그녀가 지금 자기 인생을 내팽개치고 있다고, 하지만 너무 고집스러운 여자라 나로서도 그녀의 생각을 도저히 바꿀 수 없으리라고 확신했다. 육 개월 후 상황은 완전히 바뀌었고, 다시 육 개월이 지났을 무렵 그녀는 아파트 한 채를 사기에 충분한 돈을 벌었다.

그녀는 불가능한 일을 믿었고, 바로 그 덕분에 나를 포함해 모든 사람들이 졌다고 생각한 싸움에서 승리했다. 의지와 용기는 같은 것이 아니라는 것을 이해하는 것. 이것이 바로 전사의 자질이다. 용기는 두려움과 아첨을 끌어들일 수 있지만, 의지는 인내와 헌신을 요구한다. 여자든 남자든 엄청난 의지를 가진 사람들은 대체로 고독한데, 자신의 냉정함을 그대로 드러내기 때문이다. 많은 사람들이 모니카가 좀 차가운 사람이라고 생각하지만 그건 사실과는 정말 거리가 먼 오해다. 그녀의 가슴속에는 우리가 카탈루냐의 카페에서 처음 만났을 때만큼이나 강렬한, 비밀스런 불길이 타오르고 있다. 자신이 이루어낸 모든 일에도 불구하고 그녀는 여전히 그 열정을 간직하고 있다.

그녀의 피곤을 달래줄 겸 최근 J.와 나눴던 대화를 이야기해주려는 참에 불가리아에서 내 책을 펴내는 출판사에서 온 두 여자가 로비로 들어선다. 북페어에 온 사람들 중 많은 이들이 이 호텔에 묵고 있다. 이런저런 가벼운 화제로 대화를 좀 나눈 후 곧바로 모니카가 대화의 방향을 잡는다. 언제나 그렇듯 그들 중 한 명이 나를 향해 의례적인 질문을 던졌다.

"언제쯤 우리나라를 다시 방문해주실 건가요?"

"일정만 잡아주신다면 다음 주에라도 가지요. 사인회 다음에 파티를 열어주셨으면 하는 것이 내 유일한 요구조건입니다."

두 여자가 믿을 수 없다는 눈빛으로 나를 바라본다.

중국 대나무!

모니카가 기겁을 해서 나를 바라본다.

"그건 우리 스케줄을 먼저 확인해야……"

"……하지만 분명 다음 주에 소피아에 갈 수 있을 거예요." 나는 모니카의 말을 중간에 자르고 말한다.

그리고 포르투갈어로 모니카에게 덧붙인다.

"나중에 설명할게."

모니카는 내가 농담하는 것이 아님을 알아챘지만 출판사측 사람들은 여전히 믿지 못하는 눈치다. 그들은 적절한 프로모션 행사를 마련할 때까지 좀더 기다리는 것이 어떠냐고 물어온다.

"다음 주에 가겠습니다." 나는 물러서지 않는다. "아니면 다음 기회에 다시 얘기하기로 하지요."

이제야 그들은 내가 진지하다는 걸 깨닫는다. 그들은 모니카를 바라보며 세부사항을 의논해주기를 기다린다. 바로 이때 나의 스페인 출판사 사람이 도착한다. 테이블에서 오가던 대화가 잠시 끊기고 통성명이 오간 다음, 늘상 나오는 그 질문이 또다시 등장한다.

"자, 그럼 언제쯤 우리나라를 다시 방문해주시는 기쁨을 누릴 수 있을까요?"

"불가리아 방문 후 바로 가지요."

"그게 언제인가요?"

"이 주 후입니다. 산티아고 데 콤포스텔라와 바스크 자치구에서 한 번씩 사인회를 진행하도록 하지요. 몇몇 독자들을 초대해서 우리의 만남을 축하하는 파티도 열면 좋겠군요."

불가리아 출판사측 사람들은 다시 미심쩍은 표정이 되었고 모니카는 경직된 미소를 띤다.

"약속을 잡게!" J.는 내게 그렇게 말했다.

바 안이 붐비기 시작한다. 그 주제가 책이든 중장비든, 모든 전시회에 오는 사람들은 두세 군데 호텔에 나눠 숙박하게 마련이다. 대부분의 비즈니스는 호텔 로비와 지금 막 앞두고 있는 것과 같은 저녁식사 자리에서 이루어진다. 나는 모든 출판사 사람들과 인사를 나누고, 그들이 한결같이 던지는 "언제 우리나라에 방문해주실 거죠?"라는 질문을 받을 때마다 초청을 수락한다. 그러면서 모니카가 내게 이게 무슨 일이냐고 따져 물을 틈을 주지 않기 위해 가능한 한 대화를 오래 끌려고 하고 있다. 그녀는 지금 내가 만들고 다니는 약속들을 일정표에 적어넣기만 할 뿐이다.

그러다가 한 아랍 출판사 사람과 나누던 대화를 잠시 중단하고 지금까지 방문 약속이 몇 개나 잡혔는지 알아본다.

"선생님, 지금 나를 아주 곤란한 상황에 몰아넣고 있어요." 모니카가 포르투갈어로 짜증스럽다는 듯이 말한다.

"몇 개나 되지?"

"다섯 주 동안 여섯 개국이에요. 북페어는 작가들이 아니라 출판인들을 위한 거라는 것 아시죠? 이렇게 모든 초청을 받아들일 필요 없어요. 제가 이 상황을 책임지고……"

그때 포르투갈 출판사 사람이 다가왔고, 우리는 포르투갈어로 나누는 우리만의 비밀 대화를 할 수가 없어진다. 포르투갈 출판사 사람이 가벼운 잡담거리 외에 다른 화제를 꺼내지 않자 내가 먼저 제안한다.

"저를 포르투갈로 초청하실 생각 없으십니까?"

그는 우리와 가까운 곳에 있었기 때문에 나와 모니카의 대화를 다 들었노라고 실토한다.

"저는 농담하는 게 아닙니다. 기마랑이스와 파티마에서 정말로 사인회를 하고 싶어요."

"저…… 잘 아시겠지만 임박해서 행사를 취소하시면 안 되거든요."

"절대로 취소하지 않겠습니다. 약속드립니다."

그는 좋다고 하고, 모니카는 일정표에 포르투갈 일정 닷새를 추가한다. 마침내 저녁 약속이 되어 있는 러시아 출판사 사람들이 다가왔고, 우리는 인사를 나눈다. 남자 한 명, 여자 한 명이다. 모니카는 안도의 한숨을 쉰다. 비로소 나를 거기서 끌어내 식당에 데려갈 수 있게 된 것이다.

택시를 기다리는 동안, 그녀가 나를 한쪽 구석으로 끌고 간다.

"선생님, 제정신이세요?"

"알다시피 몇 해 전부터 제정신이 아니야. 중국 대나무에 대해 알고 있나? 중국 대나무는 뿌리만 자라고 순의 모습으로 오 년간 머문다는군. 그러다가 갑자기 25미터 높이로 자란다지."

"그게 지금 막 내가 목격한 정신 나간 짓이랑 무슨 상관이죠?"

"나중에 J.와 내가 한 달 전에 나눈 대화에 대해 얘기해주겠네. 지금 중요한 건, 바로 그런 일이 내게 일어나고 있다는 거야. 나는 일과 시간과 노력을 투자했고, 많은 애정과 헌신을 기울여가며 발전하고자 했지만 아무 일도 일어나지 않았어. 몇 년째, 아무 일도 일어나지 않았지."

"아무 일도 안 일어나다니, 그게 무슨 말씀이세요? 선생님이 어떤 분이신지 모르신단 말예요?"

택시가 도착한다. 러시아 출판사 사람이 모니카를 위해 차문을 열어준다.

"나는 지금 내 삶의 영적인 측면에 대해 말하고 있는 거야. 그러니까, 나는 중국 대나무이고 이제 다섯번째 해가 임박한 거지. 다시 한번 일어설 시간이 됐어. 당신은 내게 제정신이냐고 물었고 나는 농으로 대답했지. 하지만 사실 나는 제정신을 잃어가는 중이야. 내가 배운 것들 중 아무것도 뿌리를 내리지 못하고 있다는 생각이 들기 시작했어."

아까 불가리아 출판사 사람들이 도착하고 나서 찰나의 순간, 나는 옆에 J.가 있다고 느꼈다. 그리고 바로 그때 그의 말을 이해했다. 비록 그 깨달음은 그전에 잡지를 뒤적이며 정원 가꾸기 기사를 보던, 그 지루하기 짝이 없는 순간 직후에 왔지만 말이다. 나는 스스로를 유배시킴으로써 내 안에 깃들어 있는 아주 중요한 것들을 발견할 수 있었지만, 한편으론 심각한 부작용도 일어났다. 고독에 중독이 된 것이다. 나의 세계는 생마르탱 마을에 사는 몇 안 되는 친구들, 편지나 이메일에 답장하는 일, '그 밖의 시간은 온전히 나의 것'이라는 환상으로 한정되었다. 요컨대 타인과 교제하고 사람들과 접촉함으로써 불가피하게 발생할 수밖에 없는 문제들이 사라져버린 삶을 살아가고 있다는 말이다.

그런데 정말 이것이 내가 원하는 삶인가? 도전 없는 삶? 사람들과 멀리 떨어져서 신을 찾는 것에 무슨 기쁨이 있단 말인가?

그런 삶을 산 이들을 여럿 알고 있다. 언젠가 나는 네팔의 한 동굴에서 이십 년이라는 세월을 홀로 지낸 불교 비구니와 진지하면서도 즐거운 대화를 나눈 적이 있다. 그래서 무엇을 얻었느냐는 내 질문에 그녀는 "영혼의 오르가슴"이라고 대답했고, 나는 오르가슴에 이르는 훨씬 더 쉬운 방법이 있다고 되받았다.

나는 그런 길은 절대 따를 수 없을 것이다. 그것은 내 인생에 없는 길이다. 간단히 말하자면, 나는 못한다. 영혼의 오르가슴을 추구하거나, 우리 집 정원의 떡갈나무를 바라보며 명상 속에서 지혜를 깨닫기를 기다리는 데 남은 생을 흘려보낼 수는 없을 것이다. J.는 그걸 알고 있다. 그가 내게 이 여행을 부추긴 것도 나의 길은 타인의 눈 속에 비쳐 보인다는 사실을, 나 자신을 발견하길 원한다면 바로 그 지도가 필요하다는 사실을 내가 깨닫도록 하기 위해서다.

나는 러시아 출판사 사람들에게 미안하다고 사과하면서 모니카와 포르투갈어로 매듭지을 대화가 있다고 양해를 구한다. 그리고 그녀에게 이야기를 들려준다.

"한 남자가 길을 가다 미끄러져 구덩이에 빠졌어. 마침 한 사제가 그 옆을 지나가자, 남자는 구덩이에서 나올 수 있도록 도와달라고 청했지. 사제는 남자에게 축복을 내려주고는 제 갈 길을 가버렸어. 몇 시간 후 의사가 나타났지. 도움을 청했지만, 의사는 멀리서 남자의 긁힌 상처를 보고는 처방전을 주면서 가까운 약국에서 약을 사라는 말만 하고 가버렸어. 마침내 남자가 한 번도 만난 적이 없는 낯선 이가 나타났어. 그가 다시 도움을 청하자, 낯선 이는 몸을 던져 구덩이 안으로 떨어졌어. '어쩌자는 겁니까? 우리 두 사람 다 여기 갇혔잖아요!' 남자의 말에 낯선 이가 대답했지. '우리는 갇힌 게 아닙니다. 나는 이 동네에 사는 사람이라 이 구덩이에서 나가는 방법을 알고 있어요.'"

"하고 싶은 말씀이 그러니까……" 모니카가 끼어든다.

"지금 내게 바로 그런 낯선 이들이 필요하다는 뜻이야." 나는 설명한다. "나의 뿌리는 지금 준비가 되어 있지만, 다른 이들의 도움이 있어야만 앞으로 나아갈 수 있어. 모니카 당신이나 J.나 내 아내뿐 아니라, 내가 한 번도 만난 적 없는 사람들의 도움이 필요한 거야. 나는 이를 확신하고 있어. 바로 그래서 사인회 후에 꼭 파티를 열어달라고 요청한 거고."

"선생님은 만족하시는 법이 없군요." 모니카가 투덜거린다.

"바로 그런 이유로 당신이 나를 좋아하는 게 아닌가." 나는 미소 지으며 말한다.

* * *

식당에서 우리는 온갖 잡다한 화제로 이야기를 나눈다. 우리가 거둔 몇몇 성과를 자축하고, 몇 가지 세부사항을 다듬는다. 출판에 관련된 일은 모니카가 전적으로 맡고 있기 때문에 나는 지나치게 참견하지 않으려고 자제한다. 그런데 어느 순간 예의 그 질문이, 이번에는 모니카를 향해 날아온다.

"그런데 언제쯤 러시아에서 선생님을 만나볼 수 있을까요?"

모니카는 당장 다음 주부터 일정이 줄줄이 잡혀 있어서 당분간 내 스케줄은 매우 복잡하다고 설명하기 시작한다. 바로 그때 내가 끼어든다.

"언제나 꿈꿔오던 일이 하나 있습니다. 두 번이나 시도했지만 이루지 못했지요. 당신들이 그 꿈을 이룰 수 있도록 도와준다면, 러시아에 가겠습니다."

"무슨 꿈인데요?"

"러시아를 기차로 횡단해 태평양까지 가는 겁니다. 도중에 몇 군데 들러서 사인회를 할 수도 있지요. 그렇게 하면 모스크바까지 오지 못하는 독자들에게도 예우를 갖추는 일이 될 겁니다."

러시아 출판사 사람들의 눈이 기쁨으로 빛난다. 방금 전까지만 해도 그는 표준 시간대가 일곱 개나 되는 거대한 나라에서 책을 유통시키는 일이 갈수록 어려워지고 있다는 이야기를 하고 있던 참이다.

"정말 로맨틱하고 아주 중국 대나무 같은 생각이네요." 모니카가 웃으면서 말한다. "하지만 그다지 현실적이진 않아요. 선생님도 잘 아시잖아요, 제가 얼마 전에 아들을 낳아서 그런 여행에 동행해드릴 수가 없다는 거요."

하지만 러시아 출판사 사람은 이미 흥분한 상태다. 그는 그날 저녁에만 다섯 잔째 커피를 주문한 후, 자신이 모든 걸 알아서 처리할 거고, 모니카를 대신할 어시스턴트가 그녀 몫을 대신할 수 있을 것이고, 모두 다 잘될 것이니 그녀는 아무 걱정 할 필요가 없다고 설명한다.

그렇게 나는 두 달 동안 계속되는 여행으로 일정을 채운다. 모든 것을 촉박하게 준비해야 하기 때문에 행복한 한편 스트레스에 시달리는 여러 사람들과, 나를 애정과 존경의 시선으로 바라봐주는 친구이자 에이전트와, 지금 여기에 없지만—그리고 비록 당시에는 그가 하는 말이 무슨 뜻인지 이해할 수는 없었지만—내가 약속들을 잡았다는 걸 알고 있는 스승을 남겨두고. 밤공기가 차갑지만 혼자 걸어서 호텔로 돌아가고 싶다. 이제는 돌이킬 수 없다는 것에 기뻐하면서, 한편으로는 나 자신에 대해 두려움을 느끼면서.

바로 내가 원하던 바였다. 내가 승리하리라고 믿는다면, 승리도 마찬가지로 나를 믿을 것이다. 약간의 미친 짓을 감수하지 않는다면 그 어떤 인생도 완전해질 수 없다. J.의 말을 빌리자면, 나는 나의 왕국을 다시 정복해야 한다. 이 세상에 무슨 일이 일어나고 있는지 이해할 수 있다면, 내 마음속에서 무슨 일이 일어나고 있는지도 이해할 수 있으리라.

* * *

호텔에 돌아오니 아내의 메시지가 기다리고 있다. 나와 연락이 되지 않으니 도착하는 대로 전화를 해달라는 내용이다. 심장이 두방망이질하기 시작한다. 아내는 내가 여행중일 때는 거의 전화를 하는 법이 없다. 당장 전화를 건다. 잇따라 울리는 신호음 사이가 영원처럼 느껴진다.

마침내 아내가 전화를 받는다.

"베로니크가 자동차 사고를 당했어요. 큰 사고였지만 생명의 위험은 없어요." 아내는 신경이 곤두서 있다.

베로니크에게 지금 전화해도 될지 묻자 아내가 만류한다. 그녀는 지금 병원에 있다고 한다.

"당신 그 예지자 얘기 기억하죠?"

물론, 기억하고말고! 그는 나에 대해서도 무언가를 예언했다. 통화를 끝내고 나는 즉시 모니카의 방으로 전화를 걸었다. 혹시 내가 터키에도 가기로 했는지 묻는다.

"선생님이 어디 가기로 약속하셨는지 기억 안 나세요?"

기억이 안 난다고 대답한다. 출판사 사람들에게 무조건 '네'라고 대답하기 시작했을 때 나는 일종의 도취상태에 빠져 있었다.

"하지만 어떤 약속을 하셨는지는 아시잖아요. 원하시면 지금이라도 취소할 수는 있어요."

나는 약속에 대해서는 만족스럽다고, 취소를 하고 싶은 게 아니라고 설명한다. 이 밤늦은 시간에 예지자니 예언이니 베로니크의 사고니 하는 이야기를 하는 건 여간 곤란한 일이 아닐 테니까. 나는 그냥 터키를 방문하기로 했는지 알려달라고 재우치기만 한다.

"아뇨." 그녀가 대답한다. "터키 출판사 쪽 사람들은 다른 호텔에 묵고 있어요. 그렇지만 않았다면……"

우리 둘은 동시에 웃음을 터뜨린다.

이제 편안하게 잠들 수 있다.

이방인의 등불

순례여행을 떠난 지 거의 두 달째에 이르고 있다. 삶의 기쁨은 돌아왔지만, 나는 집에 돌아갈 때도 이 기쁨이 계속 내 마음속에 머물러 있을 것인지 매일 밤 자문한다. 나는 지금 중국 대나무가 성장하는 데 꼭 필요한 일을 하고 있는 것인가? 이미 일곱 개 나라를 방문했고, 나의 독자들을 만났고, 즐거운 시간을 보냈고, 내 안에 자리잡겠다고 위협해대던 우울함에서 일시적이나마 벗어났다. 그런데도 무언가가 내가 아직 내 왕국을 다시 정복하지 못했다고 말하고 있다. 이번 여행도 최근 몇 년간 했던 여행들과 별반 다르지 않다.

이제 남은 나라는 러시아뿐이다. 그다음에는 무얼 하지? 좀더 멀리 나아가기 위해 계속 일정을 잡을 것인가, 아니면 멈춰 서서 이제까지의 결과를 살펴볼 것인가?

아직 결정을 내리지 못했다. 내가 아는 것은 오직 하나, 원인 없는 인생은 결과도 없는 인생이라는 사실뿐이다. 그리고 그런 일이 내게 일어나게 놔둘 수는 없다. 필요하다면 올해 남은 기간 내내 여행을 할 것이다.

지금 나는 아프리카 튀니지의 수도 튀니스에 와 있다. 컨퍼런스가 곧 시작될 예정이고, 다행히도 대강당은 사람들로 꽉 차 있다. 이 지역 지식인 두 명이 나를 소개하기로 되어 있다. 컨퍼런스 전에 잠깐 만난 자리에서 그중 한 명이 읽는 데 이 분 정도 소요될 글을 내게 보여주었다. 다른 한 명은 내 작품에 대한 발제문을 써왔는데 삼십여 분은 소요될 분량이었다.

진행자는 행사 시간이 최대 오십 분밖에 되지 않기 때문에 발제문을 읽기는 좀 곤란할 것 같다고 조심스럽게 설명한다. 그 글을 쓰는 데 그가 얼마나 공들였을지 짐작이 갔지만, 진행자의 말이 옳다. 내가 튀니스에 온 이유는 내 독자들을 만나기 위해서다. 짧은 언쟁이 오가고, 발제문을 써온 이는 참석하지 않겠다며 가버린다.

컨퍼런스가 시작된다. 소개와 감사의 말은 오 분을 넘기지 않았고, 이제 남은 시간 동안에는 자유로운 대화를 나누면 된다. 내가 여기 온 것은 무언가를 설명하기 위해서가 아니다, 모쪼록 이번 행사가 관습적인 발표의 자리가 아닌 대화의 장이 되기를 바란다, 고 나는 말한다.

한 젊은 여자가 첫번째 질문을 한다. 당신 책에 자주 나오는 표지標識가 무엇인가요? 나는 표지란, 언제 어느 때 신께서 우리를 이끌어주시는지 깨달을 때까지 시행착오를 반복하면서 평생 동안 발전시켜나가는 지극히 개인적인 언어라고 설명한다. 다른 독자 하나가 이 먼 나라까지 나를 오게 한 것 역시 표지였느냐고 묻는다. 나는 그렇다고 대답하지만, 자세한 이야기는 하지 않는다.

대화는 계속되고 시간은 빠르게 흘러 어느덧 행사를 마쳐야 할 시간이다. 마지막 질문을 할 사람으로 육백여 명의 청중 가운데 덥수룩한 콧수염을 기른 중년남자를 무작위로 선택한다.

"질문을 하려는 게 아닙니다." 그가 말한다. "그저 어떤 이름을 말씀드리고 싶어서요."

그는 바르바장 데바에 있는 한 작은 예배당 이름을 댄다. 이곳에서 수천 킬로미터 떨어진 후미진 곳에 있는 예배당으로, 언젠가 기적에 감사드리며 내가 명판을 봉헌한 곳이다. 이번 순례여행을 떠나기 전에 찾아가 성모마리아께 내가 가는 길을 보호해주십사 기도드렸던 곳이기도 하다.

이제 어떻게 컨퍼런스를 계속해야 할지 알 수 없다. 다음의 글은, 이날 발표자 중 한 명이 쓴 것이다.

그리고 갑자기 강당에서는 우주가 움직임을 멈춘 것만 같았습니다. 수많은 일들이 일어났습니다. 나는 당신의 눈물을 보았습니다. 이름 모를 그 독자가 이 세상 어딘가 외딴곳에 있는 한 예배당의 이름을 말했을 때, 나는 당신과 당신의 상냥한 아내의 눈물을 보았습니다.

당신은 더 말을 잇지 못했습니다. 당신의 미소 띤 얼굴은 숙연해졌습니다. 당신의 두 눈에 수줍은 눈물이 차올랐습니다. 마치 초대받지도 않았는데 그 자리에 온 것을 사과하고 싶어하는 것처럼, 눈물은 속눈썹 끝에 맺혀 떨고 있었습니다.

나 역시 목이 메어오기 시작했지만, 그 이유는 알 수 없었습니다. 나는 청중석에서 내 아내와 딸을 찾았습니다. 내가 미지의 무언가에 직면했다고 느낄 때면 나는 언제나 그들을 찾습니다. 내 아내와 딸은 그곳에 있었지만, 다른 사람들과 마찬가지로 침묵중에 눈빛으로 당신을 지탱해주고 싶은 듯 당신만을 바라보고 있었습니다. 마치 눈빛으로 한 사람을 지탱해줄 수 있다는 듯이요.

그리고 나는 크리스티나를 눈으로 찾았습니다. 무슨 일이 일어나고 있는지, 영원히 계속될 것만 같은 이 침묵을 어떻게 끝내야 하는지, 그녀에게 도움을 청하고 싶었습니다. 그녀 역시 아무 말 없이 울고 있었습니다. 당신들은 마치 한 교향곡의 음표들인 것처럼, 서로 떨어져 있으면서도 당신들의 눈물은 서로 맞닿아 있었습니다.

긴 침묵의 몇 초 동안 강연장도, 청중도, 아무것도 존재하지 않았습니다. 당신과 당신의 아내는 우리가 따라갈 수 없는 곳으로 떠나버렸고, 그 자리에는 오직 침묵과 감동으로 말해지는, 살아 있다는 환희뿐이었습니다.

언어는 문자로 표현된 눈물입니다. 눈물은 흘려야 할 필요가 있는 언어입니다. 눈물 없이 기쁨은 빛나지 않고, 슬픔은 끝나지 않습니다. 그래서 나는 당신의 눈물에 감사드립니다.

표지에 대해 첫번째로 질문을 했던 젊은 여자에게 말했어야 했다. 그것이 표지 중 하나였다고, 나는 적확한 순간에 내가 있어야 할 장소에 있다고 분명히 말했어야 했다. 비록 나 자신은 나를 그곳까지 이끌고 간 것이 무엇인지 전혀 알 길이 없었지만.

하지만 그럴 필요까지는 없었다는 생각이 든다. 그녀는 알고 있었을 테니까.*

---

* 컨퍼런스가 끝난 직후 나는 그 콧수염을 기른 남자, 크리스티앙 델레메스를 만나러 갔다. 그 일이 있은 후 우리는 몇 번 이메일을 교환했지만 두 번 다시 만나지는 못했다. 그는 2009년 7월 19일에 프랑스의 타르브에서 사망했다. (저자 주)

아내와 나는 먼 옛날 강대한 로마에 맞서 싸웠던 카르타고의 폐허로부터 15킬로미터 정도 떨어진, 튀니스의 시장 길을 따라 손을 잡고 걷고 있다. 카르타고의 명장 한니발의 대장정에 대해 이야기를 나눈다. 두 도시는 바다를 사이에 두고 불과 몇백 킬로미터밖에 안 떨어져 있었기 때문에 로마인들은 해전을 예상하고 있었다. 그러나 한니발은 대군을 이끌고 사막과 지브롤터해협을 건너고, 스페인과 프랑스를 가로지르고, 군사와 코끼리와 함께 알프스를 넘어 로마제국을 북쪽에서부터 공격하여 세계 역사상 가장 위대한 전쟁 서사시 하나를 이룩했다.

그는 도중에 마주친 모든 적을 물리쳤지만, 로마를 바로 코앞에 두고 오늘날까지 아무도 그 원인을 정확히 모르는 어떤 이유 때문에, 진격했어야 할 순간에 갑자기 공격을 멈췄다. 그리고 그 우유부단함의 결과로 카르타고는 로마군단에 의해 지도에서 영영 지워지고 말았다.

"한니발은 멈춰 섰어. 그리고 패배했지." 나도 모르게 생각이 입 밖으로 나온다. "처음에는 힘들었지만 지금은 내가 계속 나아가고 있음에 감사하고 있어. 이제 이 여행에 익숙해지기 시작한 거야."

아내는 내가 나 자신에게 뭔가를 납득시키고 있는 중임을 알아채고 못 들은 척한다. 우리는 행사 후에 열린 파티에서 마음가는 대로 선택한 독자 사밀을 만나기로 한 카페로 간다. 나는 그에게 유적지나 관광명소는 다 빼고 도시의 진정한 삶을 느낄 수 있는 곳에 데려가달라고 청한다.

그가 우리를 데리고 간 곳은 1754년 한 남자가 자기 형제를 죽였다는 무척 아름다운 건물이다. 형제의 아버지는 죽은 아들의 기억을 영원히 기리고자 이 건물에 학교를 세웠다. 나는 형제를 죽인 아들 또한 건물과 함께 기억되지 않겠느냐고 묻는다.

"꼭 그렇지는 않지요." 사밀이 말한다. "우리 문화에서 범죄자는 그가 범죄를 저지르도록 허용한 모든 이들과 죄과를 나눠가집니다. 누군가 암살을 당했다면 그를 죽이는 데 사용된 무기를 판매한 자 역시 신 앞에서 책임이 있어요. 두 형제의 아버지가 자신의 실수라고 생각한 것을 바로잡을 유일한 방법은, 그 비극을 다른 사람들을 도울 수 있는 무언가로 바꾸는 것이었지요."

갑자기 모든 것이 사라진다. 건물도, 거리도, 도시도, 아프리카도, 모두. 나는 저 먼 어둠 속으로 뛰어들어 축축한 땅 밑으로 통하는 터널 속으로 들어간다. 지금 나는 그 건물에서 살인이 일어나기 이백 년 전, 내가 살았던 많은 삶 가운데 하나 안에 있다. J.가 내 앞에 서 있다. 그의 눈빛은 엄격하고, 그는 나를 막 책망하려는 참이다.

역시 빠른 속도로 다시 현재로 돌아온다. 모든 것이 찰나의 순간에 일어난 일이다. 건물, 사밀, 아내, 그리고 튀니스 거리의 소음이 다시 돌아와 있다. 왜 이런 일이 일어나는 거지? 무엇 때문에 중국 대나무의 뿌리가 여전히 식물 전체를 오염시키려는 거지? 모든 것을 다 겪었고, 대가는 이미 치렀는데.

"내가 여러 차례 정의롭지 못했던 반면 자네는 딱 한 번 비겁했지. 하지만 그것의 정체를 알아냄으로써 나는 자유로워졌다네." J.는 생마르탱에서 이렇게 말했다. 내게 전생으로 돌아가라고 강권한 적이 한 번도 없고, 그런 것들을 알려주는 책이나 지침서, 훈련 등을 철저히 배격하던 그였건만.

"징벌에 지나지 않는 복수에 의존하는 대신, 그는 이 학교를 세움으로써 두 세기가 넘도록 배움과 지혜가 전수되게끔 한 것입니다." 사밀이 이야기를 매듭짓는다.

나는 시간을 넘나드는 엄청난 도약을 하는 와중에도 사밀이 방금 마친 이야기를 한 마디도 놓치지 않고 듣는다.

"바로 이것이로군."

"바로 이것이라뇨?" 아내가 묻는다.

"나는 지금 걷고 있소. 이해가 되기 시작하는군. 모든 게 말이 되고 있어."

나는 엄청난 희열을 느낀다. 사밀은 이해가 안 간다는 기색이다.

"이슬람에서는 환생을 어떻게 보고 있나요?"

내가 묻자 사밀은 놀란 눈으로 나를 바라본다.

"제가 그쪽으로는 문외한이라서요. 전혀 모르겠습니다." 그가 대답한다.

나는 그에게 알아봐줄 수 있냐고 부탁한다. 그는 휴대전화를 꺼내들고 여기저기 전화를 걸기 시작한다. 아내 크리스티나와 나는 근처 카페로 가서 아주 진한 커피 두 잔을 주문한다. 우리 둘 다 지쳤지만, 저녁식사로 해산물 요리를 먹기로 한 터라 주전 부리하고 싶은 유혹을 물리쳐야 한다.

"방금 데자뷔를 겪었소." 나는 그녀에게 말한다.

"누구나 그럴 때가 있잖아요. 똑같은 순간을 언젠가 겪은 것 같은 기이한 느낌을 말하는 거죠? 마법사가 아니더라도 그런 순간들을 경험하죠." 크리스티나가 농담으로 받아친다.

물론 그렇다. 하지만 데자뷔는 우리가 금세 잊어버리고 말 놀라운 일 그 이상의 것이다. 우리는 아무 의미 없는 일에는 신경을 쓰지 않으니까. 데자뷔는, 시간은 흘러가버리는 것이 아니라는 사실을 우리에게 드러내 보여준다. 그것은 우리가 실제로 경험했고 지금 다시 반복중인 어떤 상황으로 뛰어들어가는 일이다.

사밀은 어디로 가버렸는지 안 보인다.

"아까 그 청년이 건물에 얽힌 이야기를 하고 있었을 때 천분의 일 초 동안 과거로 끌려들어갔어. 그가 죄의 책임이 죄인에게만이 아니라 범죄가 일어날 조건을 만들어준 모든 사람들에게도 있다고 말했을 때 그랬던 게 확실해요. 1982년에 내가 J.를 처음 만났을 때, 그는 나와 그의 아버지 사이에 있는 연결고리에 대해 말했소. 그후로 그가 그 얘기를 다시 꺼낸 적이 없어서 나도 까맣게 잊고 있었지. 그런데 조금 전에 그분을 보았소. 그리고 비로소 그가 내게 무슨 말을 한 건지 이해하게 됐어."

"당신이 전에 말한 그 전생을 말하는 거라면……"

"그래, 그 전생을 말하는 거요. 스페인 이단 심문 때."

"이미 지난 일이에요. 옛날에 자신이 한 일을 돌이키면서 스스로를 고문할 필요는 없어요."

"나는 스스로를 고문하는 게 아니야. 상처를 치유하기 위해서는 그 상처를 정면으로 마주할 용기가 있어야 한다는 걸 오래전에 배웠지. 나 자신을 용서하고 내가 저지른 실수를 바로잡는 것도 배웠어. 그럼에도 불구하고, 이번 여행을 시작한 이래로 거대한 퍼즐 앞에 선 기분이야. 그리고 이제 그 퍼즐조각들이 보이기 시작하는 것 같아. 사랑, 증오, 희생, 용서, 기쁨, 불행의 퍼즐조각들 말이오. 바로 그래서 내가 여기 당신과 함께 있는 거야. 지금은 기분이 훨씬 좋아졌어. 내가 배운 것들을 모두 내 것으로 만들지 못했다고 불평하는 대신 정말로 내 영혼과 내 왕국을 찾고 있는 것 같거든.

제대로 이해하지 못했기 때문에 내 것으로 만들지 못하는 거야. 하지만 이해하게 되는 날에는 진리가 나를 자유롭게 하겠지."

* * *

사밀이 아랍어로 쓰인 책 한 권을 들고 돌아온다. 그는 우리 테이블에 앉더니, 아랍어로 뭐라고 중얼거리면서 메모를 참조하며 경건하게 책장을 넘긴다.

"세 명의 학자와 통화했어요." 마침내 그가 말한다. "그중 두 명은, 정의로운 자들은 죽은 후에 천국으로 간다고 단언했어요. 하지만 나머지 한 명은 코란의 몇몇 시편을 참조하라고 권했어요."

그가 흥분하고 있다는 걸 알 수 있다.

"이게 그가 보라고 한 첫 구절입니다. 2장 28절이죠. '알라께서 너를 죽게 하고 그후에 다시 살게 하리라. 그리고 너는 다시 그분께 돌아가리라.' 제 번역이 서툴러서 죄송합니다. 하지만 대체로 이런 뜻이에요."

사밀은 열렬한 기세로 경전의 책장을 넘긴다. 그리고 둘째 구절인 2장 154절을 찾아 번역해 들려준다.

"알라의 이름으로 희생된 자들을 가리켜 '그들이 죽었다'고 말하지 마라. 아니다. 너희가 보지 못할지라도 그들은 살아 있다."

"바로 그거요!"

"다른 시편들도 있습니다. 하지만 솔직히 말씀드리자면 지금 이 화제에 대해 계속 이야기하는 것이 그다지 편치 않습니다. 저는 튀니스 이야기를 더 하고 싶습니다만."

"네, 그만하면 충분히 말해줬어요. 사람들은 떠나는 게 아니고, 우리는 항상 여기 우리 삶의 과거와 미래에 머물러 있지요. 당신도 알겠지만 이 주제는 기독교 성서에도 나온답니다. 예수가 세례자 요한을 두고 엘리야의 환생이라고 언급하는 대목이 기억나는군요. '너희가 그 예언을 받아들이고자 하면, 요한 바로 그 사람이 오기로 되어 있는 엘리야이다.'* 관련해서 다른 시편들도 있습니다만." 내가 대답한다.

사밀은 이 도시의 발생을 둘러싼 몇 가지 전설을 이야기하기 시작한다. 그리고 나는 이제 다시 자리에서 일어나 계속 도시를 둘러보아야겠다고 생각한다.

* * *

오래된 성벽의 문 위에 등불이 걸려 있다. 사밀은 우리에게 그 의미를 설명해준다.

"이것이 바로 가장 유명한 아랍 격언들 중 하나의 유래입니다. '불빛은 이방인만을 비춘다'라는 격언이죠."

그는 이 격언이 지금 이 상황에 더없이 적절하다고 말한다. 사밀은 작가가 되는 게 꿈이고 조국에서 유명해지기 위해 고군분투하고 있는 반면, 브라질 작가인 나는 이미 여기서 유명하니 말이다.

나는 그에게 우리나라에도 비슷한 격언이 있다고 말해준다. "예언자는 고향에서 존경받지 못한다." 우리는 우리 주위에 있는 아름다운 것을 알아보지 못하고 항상 멀리서 오는 것에 더 가치를 두는 경향이 있다. 나는 계속 말한다.

---

* 마태복음 11장 14절.

"그럼에도 불구하고, 가끔은 우리 자신에게 이방인이 될 필요가 있어요. 그렇게 함으로써 우리 영혼 안에 숨겨진 빛이 우리가 보아야 할 곳을 밝혀줄 테니까."

아내는 우리 대화에 귀 기울이지 않는 듯하다. 그런데 어느 순간, 아내가 나를 향해 말한다.

"뭔지는 정확히 모르겠는데 이 등불에 뭔가가 있어요. 지금의 당신이랑, 당신 상황이랑 관계가 있는 거예요. 무엇인지 알아내면 당신한테 말해줄게요."

* * *

우리는 잠깐 눈을 붙인 후, 친구들과 저녁을 먹고 시내를 거닌다. 그제야 아내는 그날 오후 자신이 느낀 것에 대해 말해준다.

"당신은 지금 여행중이긴 하지만 동시에 집에 머물러 있는 것이기도 해요. 우리가 함께 있는 한 계속 그럴 거예요. 당신을 잘 아는 사람이 옆에 있으면 모든 것이 친근하다는 거짓된 느낌이 들 테니까. 그러니 이제부턴 당신 혼자서 여행을 계속하도록 해요. 외로움 때문에 막막하고 버겁겠지만, 당신이 다른 사람들과 더 많이 접촉하게 되면 그 감정도 결국 사라질 거예요."

그녀는 잠시 멈추었다가 다시 말을 잇는다.

"나무가 십만 그루나 있는 숲에도 똑같은 모양의 잎사귀는 한 쌍도 없다는 글을 읽은 적이 있어요. 마찬가지로 같은 길을 가더라도 두 사람의 여행이 똑같을 수는 없어요. 우리가 계속 여행을 함께 하고, 보이는 것들을 우리가 세상을 보는 방식에 끼워 맞추려 한다면 우리 둘 모두에게 도움이 안 될 거예요. 당신의 앞길에 축복을 빌며 인사할게요. 월드컵 첫 경기가 열릴 때, 독일에서 만나자고요!"

찬바람이 불면

모스크바에 있는 호텔에 출판사 사람들과 같이 도착하니 젊은 여자가 나를 기다리고 있다. 그녀가 내게 다가오더니 내 손을 잡는다.

"선생님과 할 얘기가 있어요. 오로지 이것 때문에 예카테린부르크에서 여기까지 왔어요."

피곤하다. 평상시보다 아침 일찍 일어난데다, 직항편이 없어 파리에서 비행기를 갈아타야 했다. 비행기 안에서 잠을 청해보려 했지만 겨우 잠이 들만 하면 기분 나쁜 꿈을 연거푸 꿨다.

출판사 사람이 그녀에게 내일 오후 세시에 사인회가 있고 사흘 후에는 기차여행의 첫 도착지인 예카테린부르크로 갈 거라고 설명한다. 그녀에게 잘 가라는 인사를 하기 위해 손을 내밀었다가 그녀의 손이 꽁꽁 얼어붙어 있음을 알아차린다.

"왜 호텔 안에서 기다리시지 않고요?"

사실은 내가 묵고 있는 호텔을 어떻게 알아냈느냐고 묻고 싶다. 하지만 그건 별로 어려운 일이 아닐지도 모르고, 이런 비슷한 일이 처음 있는 것도 아니다.

"지난번에 선생님 블로그에 올라온 글을 읽었어요. 그리고 저를 위해 그 글을 쓰셨다는 걸 깨달았어요."

얼마 전부터 블로그에 이번 여행에 대한 단상들을 올리기 시작했다. 아직 실험단계에 있었고, 게재되는 시점보다 앞서 보낸 글들인지라 그녀가 말하는 글이 정확히 어떤 것인지 알 수가 없다. 하지만 몇 초 전에 만난 이 여자에 관한 언급이 있었을 리 없다는 것만큼은 분명하다.

그녀는 내 글을 프린트해온 종이를 꺼내 보인다. 누구한테 들은 이야기였는지는 기억나지 않지만 그 글은 전부 기억하고 있다. 한 남자가 돈이 필요해서 가게 주인에게 도움을 청한다. 주인은 돈을 주는 대신 내기를 하자고 제안한다. 그 남자가 산꼭대기에 올라가서 하룻밤을 보낸다면 충분한 돈을 받을 것이고, 그러지 못한다면 가게에서 무임금으로 일을 해줘야 한다는 것이었다.

그 글은 이렇게 계속된다.

"가게에서 나왔을 때 남자는 얼음장 같은 찬바람이 불고 있다는 것을 알았다. 겁이 난 남자는 가장 친한 친구인 아이디를 찾아가 이런 내기를 하는 게 미친 짓이 아닌지 물어보기로 했다.

아이디는 잠시 생각하더니 이렇게 대답했다. '내가 도와줄게. 내일 산 정상에 올라가서 정면을 바라봐. 내가 맞은편 산 정상에 올라가서 밤새 널 위해 불을 피우고 있을게. 그 불을 보면서 우리의 우정을 생각하라고. 그러면 몸이 따뜻해질 거야. 넌 내기에서 이길 수 있을 거고, 나중에 내가 너에게 뭔가 답례를 요구하지.'

그렇게 해서 그는 내기에서 이겼고, 돈을 받아서 친구의 집으로 향했다. '네가 답례를 원한다고 해서 가져왔어.'

아이디가 대답했다. '그랬지. 하지만 돈은 아니야. 언젠가 내 삶에 찬바람이 불어오면 나를 위해 우정의 불을 지펴주겠다고 약속해줘.'"

나는 그녀의 호의에 감사를 표하고, 지금은 시간이 없으니 모스크바에서 단 한 번 열리는 사인회에 참석해준다면 당신이 갖고 있는 책에 가장 기쁜 마음으로 사인을 해주겠다고 말한다.

"저는 그것 때문에 여기 온 게 아니에요. 선생님이 기차로 러시아를 횡단할 거라는 걸 알고 있어요. 저도 동행하겠어요. 선생님의 첫 책을 읽었을 때 어떤 목소리가 말하는 걸 들었어요. 예전에 선생님이 저를 위해 성스러운 불을 피워주었고, 언젠가 선생님에게 제가 그 호의에 답례를 해야 한다고 했어요. 저는 수많은 밤 내내 이 불에 대해 생각했고, 선생님을 만나려고 브라질까지 갈 생각도 했어요. 지금 선생님이 도움을 필요로 한다는 걸 알아요. 그래서 제가 여기 온 거예요."

나와 함께 있는 사람들이 웃음을 터뜨린다. 나는 상냥하게 행동하려고 애쓰며 다음날 사인회에서 보자고 말한다. 출판사 사람이 나를 기다리는 사람이 있다고 설명하고, 나는 그 틈을 타서 그녀에게 잘 가라고 인사한다.

"제 이름은 힐랄이에요." 그녀가 떠나기 전에 말한다.

십 분 후, 나는 내 방에 올라와 있다. 호텔 밖에서 내게 접근했던 여자는 벌써 잊었다. 그녀의 이름도 기억나지 않고, 설령 지금 다시 만난다고 해도 알아보지 못할 것이다. 그러나 무언가가 남아 미약하게나마 나를 불편하게 한다. 그녀의 눈에서 사랑과 죽음을 동시에 본 것이다.

옷을 전부 벗고 샤워기를 틀고 떨어지는 물 아래 선다. 내가 가장 좋아하는 의식 중 하나다.

귀에 들리는 소리는 물소리밖에 없도록 머리를 물 아래에 놓는다. 나는 모든 것으로부터 멀어지고, 물소리를 들으며 다른 세계로 이동한다. 오케스트라의 모든 악기 소리에 주의를 기울이는 지휘자처럼 나는 각각의 소리들을 구분하고, 그 소리들은 언어가 되어 들려온다. 내가 이해하지는 못하지만, 존재한다는 것은 알고 있는 언어들이다.

여러 나라를 여행하면서 쌓인 피로와 불안과 혼란이 전부 사라져간다. 하루하루가 지나며 이 긴 여행이 내가 원했던 효과를 낳고 있음을 느낀다. J.가 옳았다. 나는 나 자신이 일상에 천천히 독살당하도록 방기하고 있었던 것이다. 목욕은 오직 몸을 청결하게 하기 위한 것, 식사는 단지 영양을 섭취하기 위한 것, 산책은 다만 미래에 닥칠 심장질환을 피하기 위한 것이 되고 말았다.

이제는 모든 것이 변하고 있다. 알아채지 못할 만큼 조금씩이긴 하지만, 변하고 있다. 식사시간은 내 친구들의 존재와 가르침을 섬길 수 있는 시간이 되었고, 산책은 다시 현재의 순간에 대한 명상이 되었고, 귓가에 들려오는 물소리는 내 생각을 잠재우고 마음을 고요하게 하고 이러한 일상의 작은 몸짓들이 우리를 신께 가까이 이끄는 것들임을 다시 발견하게 한다. 내가 그것들 각각에 응당한 가치를 부여하기만 하면 말이다.

J.가 내게 "안온함에서 빠져나와 자네의 왕국을 찾아 떠나라"고 했을 때 나는 배신감과 혼란스러움을 느꼈고 버림받은 것만 같았다. 나는 내 의심을 풀어줄 해결책이나 대답을, 나를 격려해주고 다시 내 영혼을 평화롭게 해줄 무언가를 기대하고 있었다. 자신의 왕국을 찾아나선 이들이라면 안다. 그런 것들을 찾을 수 없으리라는 것을. 그들이 만나게 되는 것은 고난과 오랜 기다림의 시간, 예기치 못한 변화뿐이다. 그나마 운이 나쁘면 아무것도 만나지 못한다.

이건 과장이다. 우리가 무언가를 찾고 있다면, 그 무언가 역시 우리를 찾고 있다.

그렇기는 해도 모든 것에 준비되어 있을 필요는 있다. 지금 이 순간 나는 아직 하지 못하던 결정을 내린다. 이번 기차여행에서 아무것도 발견하지 못한다면, 나는 더 멀리 나아갈 것이다. 런던의 호텔에서의 그날 이후로 깨달았기 때문이다. 내 뿌리는 이미 준비가 되어 있지만, 내 영혼은 간파하기가 매우 어렵고 치료하기는 더더욱 힘든 무언가로 조금씩 죽어가고 있다는 것을.

일상.

일상은 반복과는 무관한 것이다. 살아가면서 어떤 것에든 탁월해지려면 반복하고 훈련해야 한다.

훈련하고, 반복하고, 직관적으로 구사할 수 있을 때까지 그 기술을 익혀야 한다. 나는 어린 시절 브라질 내륙에 있는 작은 도시에서 이런 사실을 처음으로 알게 되었다. 우리 가족이 여름이면 휴가여행을 가는 곳이었다. 당시 나는 근처에 사는 대장장이의 솜씨에 반해 있었다. 나는 그이가 불꽃놀이를 하듯 불꽃을 주위에 흩뿌리면서 망치로 뜨거운 쇠를 내리치는 것을 지켜보며 옆에 앉아서 시간 가는 줄을 몰랐다. 하루는 그가 내게 물었다.

"네 눈에는 내가 늘 똑같은 일을 하는 것처럼 보이지?"

"네."

"그렇지 않아. 망치를 내려칠 때마다 때리는 강도가 다르거든. 어떤 때는 더 세게, 어떤 때는 더 약하게. 이렇게 할 줄 알게 된

건 여러 해 동안 이 동작을 반복한 다음이야. 그렇게 무수한 반복을 하다보면, 내가 생각하지 않아도 그냥 내 손이 이끄는 대로 일하는 때가 오지."

나는 이 말을 잊은 적이 없다.

영혼을 나누다

나는 독자 한 명 한 명을 바라본다. 손을 내밀어 악수를 청하고, 와줘서 고맙다고 말한다. 내 육체는 순례중일지 모르지만, 내 영혼이 한 장소에서 다른 장소로 날아다니는 동안 나는 결코 혼자가 아니다. 나는 내가 만나고, 내 책을 통해 내 영혼을 이해하게 된 수많은 사람들이다. 여기 모스크바에서 나는 이방인이 아니다. 런던, 소피아, 튀니스, 키예프, 산티아고 데 콤포스텔라, 기마랑이스, 그리고 지난 한 달 반 동안 방문했던 모든 도시들에서 나는 이방인이 아니다.

내 뒤에서 말다툼이 계속되는 소리가 들린다. 그러나 나는 내가 하는 일에 집중하고자 애쓴다. 말다툼은 잦아들 기미가 안 보인다. 결국 나는 몸을 돌려 출판사 사람에게 무슨 일이냐고 묻는다.

"어젯밤의 그 여자입니다. 무슨 일이 있어도 우리랑 가까이 앉겠다고 하네요."

'어젯밤의 그 여자'라니, 기억이 나지 않는다. 하지만 어떻게든 말다툼은 좀 끝내달라고 청한다. 마침내 나는 다시 책에 사인을 하기 시작한다.

누군가 내 곁에 앉자 출판사에서 고용한 경호원 한 명이 그 사람더러 자리에서 일어나라고 하고, 다시 말다툼이 시작된다. 나는 하던 일을 중단한다.

내 옆을 돌아보니 눈 속에 사랑과 죽음이 깃든 한 여자가 앉아 있다. 처음으로 그녀를 제대로 바라본다. 검은 머리칼, 나이는 스물두 살에서 스물아홉 살 사이(나는 나이를 알아맞히는 일에 소질이 없다), 낡은 가죽재킷, 청바지, 운동화.

"배낭 속은 이미 검사했습니다." 경호원이 말한다. "별 문제는 없습니다. 하지만 이 여자분은 여기 있으면 안 됩니다."

그녀는 그저 미소를 지을 뿐이다. 내 앞에 서 있는 독자는 내가 이 상황을 수습하고 책에 사인해주기를 기다리고 있다. 여자가 절대로 여기서 떠나지 않을 거라는 생각이 든다.

"힐랄이에요. 기억하시죠? 성스러운 불을 지피러 왔어요."

기억한다고 건성으로 대답한다. 사인을 받으러 줄선 사람들은 인내심을 잃고 술렁거리기 시작하고, 내 앞에서 기다리던 독자가 그녀에게 러시아어로 뭐라고 말하는데 말투로 보아 결코 호의적이지 않다.

포르투갈어에는 이런 유명한 속담이 있다. "치료약이 없는 병은 이미 치유된 것이나 마찬가지다." 지금은 실랑이를 할 시간이 없는데다 빨리 결정을 내려야 하므로, 나는 그녀에게 조금만 떨어져 있어달라고 부탁한다. 기다리고 있는 사람들과 개별적인 대화를 나눌 공간을 위해서다. 여자는 내 요구에 순순히 응하고 자리에서 일어난다. 그리고 적당한 거리를 두고 물러나 조심스럽게 서 있다.

나는 금세 그녀의 존재를 잊고 다시 내 일에 집중한다. 모두 내게 고마워하고 나도 감사의 답을 하는 가운데 천국에 와 있는 것 같은 네 시간이 흘러간다. 한 시간에 겨우 담배 한 대 피우러 잠깐씩 나오는데도 전혀 피곤하지 않다. 사인회를 끝내고 나면 언제나 내 안의 배터리가 재충전되고 그 어느 때보다 에너지가 충만해짐을 느낀다.

마지막으로, 나는 이 훌륭한 행사를 진행해준 사람들을 향해 박수를 청한다. 이제 다음 약속장소로 향할 시간이다. 이미 그 존재를 잊고 있던 여자가 다시 내게로 다가온다.

"보여드릴 것이 있어요. 중요한 거예요."

"불가능합니다." 나는 대답한다. "저녁 약속이 있어요."

"불가능하지 않을 거예요." 그녀의 대답이다. "저는 힐랄이라고 해요. 어제 호텔 앞에서 선생님을 기다리고 있었던 사람이요. 나갈 준비를 하시는 동안 여기서 당장 보여드릴 수도 있어요."

내가 뭐라고 대답하기도 전에 그녀는 배낭에서 바이올린을 꺼내어 연주하기 시작한다.

행사장에서 나가고 있던 독자들이 예상치 못한 콘서트에 다시 돌아온다. 힐랄은 무아경에 빠진 듯 두 눈을 감고 바이올린을 켠다. 나는 앞뒤로 움직이며 바이올린 현을 어루만져 음악을 만들어내는 활을 바라본다. 한 번도 들어본 적이 없는 곡이다. 그 곡은 나뿐 아니라 여기 있는 우리 모두 귀 기울여야 하는 무언가를 말하고 있다. 잠깐 멈추기도 하고 환희에 젖기도 하고 온몸이 악기와 함께 춤을 추는 것 같을 때도 있지만, 그녀는 거의 상체와 손만 움직인다.

음 하나하나가 우리 각자에게 하나의 기억을 남겨준다면, 전체 선율은 하나의 이야기를 들려준다. 누군가에게 가까이 다가가고 싶어하지만 거듭 거절당하는, 그럼에도 불구하고 다가가려고 부단히 애쓰는 한 사람의 이야기이다. 힐랄이 음악을 연주하는 동안, 나는 내게 아무것도 보태줄 것이 없으리라고 생각했던 바로 그 사람들에게서 도움을 받았던 수많은 순간들을 떠올린다.

그녀가 연주를 끝내자 아무도 박수를 치지 않는다. 아무도. 다만 손에 잡힐 것 같은 침묵만이 흐를 뿐이다.

"고맙습니다." 내가 말한다.

"제 영혼을 조금 나눠드렸어요. 하지만 제 사명을 다하려면 아직 멀었어요. 선생님과 같이 가도 될까요?"

보통 나는 집요한 사람에게 두 가지 반응을 보인다. 즉시 멀리 피하든가, 아니면 그에게 완전히 매혹당하는 것이다. 그 누구에게도 꿈이란 불가능한 것이라고 말해서는 안 된다. 모든 사람이 카탈루냐의 카페에서 모니카가 보여주었던 그런 열정을 가질 수는 없는 것이다. 내가 만일 누군가에게 그가 가치 있는 것이라고 확신하는 무언가를 위해 싸우기를 포기하라고 설득할 수 있다면, 마찬가지로 나에게도 같은 설득을 하게 될 것이고 내 인생은 꿈을 추구하기를 멈출 것이다.

아주 만족스러운 하루였다. 대사에게 전화를 걸어 저녁만찬에 한 명을 더 데려가도 되겠느냐고 묻는다. 그는 매우 친절하게 나의 독자들은 나와 마찬가지로 환영이라고 말한다.

* * *

격식을 갖춘 분위기지만 러시아 주재 브라질 대사는 참석한 모든 이들을 편안하게 만들어주는 능력을 발휘한다. 힐랄은 아무리 후하게 봐주려 해도 취향이 형편없다고 말할 수밖에 없는 드레스를 입고 왔다. 다른 참석자들의 점잖은 옷차림과 무척이나 대조되는 요란한 색깔이다. 마지막 순간에 나타난 참석자를 어디에 앉혀야 할지 알 수 없었던 주최측에서는 그녀를 영예로운 자리, 즉 호스트 옆자리에 앉힌다.

만찬 테이블로 자리를 옮기기 전, 나의 절친한 러시아 기업인 친구가 다가와서 이번 여행에서 내 에이전트 일을 대행하기로 한 여성과 문제가 생길 것 같다고 설명한다. 그녀는 식전 칵테일 파티 내내 남편과 전화로 말다툼을 하고 있었다고 한다.

"무슨 일 때문에?"

"자네가 그 여자 남편이 매니저로 있는 클럽에 가기로 했다가 취소한 것 같던데."

실제로 내 일정에는 '시베리아 여행중의 식단에 대해 의논하기' 같은 항목이 있었는데, 그것은 긍정적인 에너지만으로 충만했던 그날 오후의 내 관심사 중 가장 사소하고 의미 없는 일이었다. 나는 그 미팅이 한심해 보여서 취소했다. 평생 단 한 번도 식단을 놓고 의논해본 적이 없었다. 그보다는 호텔에 돌아가 샤워를 하며 물소리가 다시 한번 나 자신에게도 설명할 수 없는 어딘가로 나를 데려가게 놔두는 편을 원했다.

음식이 나오고, 테이블에 둘러앉은 사람들 사이에서 동시에 여러 대화가 자연스럽게 오간다. 그러던 중 대사 부인이 상냥한 목소리로 힐랄에게 뭐하시는 분이냐고 묻는다.

"저는 터키에서 태어났고, 열두 살 때 예카테린부르크로 바이올린을 공부하러 왔어요. 부인께서는 음악가들이 어떻게 경력을 시작하는지 혹시 알고 계세요?"

아뇨, 대사 부인이 대답한다. 둘러앉은 사람들 사이에 오가는 대화들이 슬며시 잦아든다. 아마도 모두들 괴상한 옷차림을 한, 어딘가 이 자리와 어울리지 않아 보이는 여자가 흥미로운 모양이다.

"악기를 배우기 시작하는 어린아이들은 매주 정해진 시간 동안 연습을 하죠. 이 단계를 거친 아이들이라면 누구나 이다음에 오케스트라 단원이 될 수 있을 것이라 생각하죠. 그런데 그 아이들이 자라면서 어떤 아이들은 다른 아이들보다 더 긴 시간을 연습하기 시작해요. 결국에는 두드러지게 잘하는 소수의 집단이 생기는데, 이들은 일주일에 거의 사십 시간씩 연습하기 때문이에요. 대규모 오케스트라의 스카우터들은 항상 재능 있는 신인을 발굴하기 위해 음악학교들을 방문하고, 이런 아이들을 데려가 전문 연주가로 키운답니다. 제 경우가 그랬어요."

"자신의 적성을 잘 발견한 것 같군요." 대사가 말한다. "누구나 그런 기회를 갖는 건 아니잖습니까."

"엄밀히 말해 제 적성은 아니었어요. 제가 긴 시간 연습을 하게 된 것은 열 살 때 성폭행을 당했기 때문이거든요."

테이블 주위로 오가던 대화가 뚝 끊긴다. 대사는 브라질이 현재 중장비기계 수출입을 놓고 러시아와 협상중이라는 이야기를 꺼내서 화제를 바꾸려 시도한다. 하지만 그 자리에 있는 누구도, 브라질의 무역수지에 대해서는 전혀 관심이 없다. 이야기의 끈을 다시 잇는 것은 나다.

"힐랄, 당신이 괜찮다면, 여기 있는 모든 분들이 폭행당한 소녀와 바이올린 명인 사이의 관련성에 대해 더 듣고 싶어하는 것 같은데요?"

"당신 이름은 무슨 뜻인가요?" 대사 부인이 대화의 방향을 바꾸어보려는 처절한 노력으로 질문을 던진다.

"터키어로 초승달이라는 뜻이에요. 우리나라 국기에 있는 그림이죠. 아버지는 급진적인 민족주의자셨어요. 대체로 여자들보다는 남자들에게 잘 어울리는 이름이죠. 아랍어로 다른 의미도 있는 모양인데, 그건 잘 모르겠어요."

나는 물러서지 않는다.

"하지만 아까의 화제로 돌아가서, 괜찮다면 우리에게 얘기해줄 거죠? 가족 같은 분위기니까요."

가족 같은 분위기라고? 여기 있는 사람들 중 대부분은 오늘 만찬에서 처음 만난 사람들이다.

갑자기 모든 손님들이 접시나 포크, 나이프, 유리잔을 바쁘게 움직이며 먹는 데 열중하는 척하지만, 사실은 뒷이야기를 듣고 싶어한다. 힐랄은 세상에서 가장 자연스러운 이야기를 하고 있던 중인 양 대답한다.

"이웃집 남자였어요. 모두가 점잖고 친절하고 이웃이 어려울 때 도와주는 훌륭한 분이라고 여기는 사람이었지요. 제 나이 또래의 두 딸을 기르는 화목한 가정의 남편이었어요. 그 딸들이랑 놀러 그 집에 가면 그 사람은 나를 무릎에 앉히고 아름다운 옛날이야기를 들려주곤 했죠. 하지만 그러는 동안 그의 손은 내 몸을 더듬었고, 처음에 저는 그게 애정 표현이라고 생각했어요. 그렇게 시간이 흐르다가, 언젠가부터 그가 내 음부를 만지고 나한테도 자기 것을 만져달라고 하는 그런 일이 시작됐어요."

힐랄은 테이블에 앉아 있는 다섯 명의 여자를 바라보며 말한다.

"불행히도 그렇게 드문 일은 아니에요. 그렇지 않나요?"

아무도 대답하지 않는다. 내 직감은 그중 적어도 한 명이나 두 명은 같은 일을 겪었다고 내게 말한다.

"어쨌든 문제는 거기서 끝나지 않았어요. 가장 끔찍한 것은, 그게 잘못된 것이라는 걸 알면서도 나 역시 좋아하기 시작했다는 거였죠. 그리고 어느 날, 저는 다시는 그 집에 가지 않기로 결심했어요. 부모님은 내가 그 집 딸들과 더 놀아야 한다고 고집하셨지만요. 당시 저는 바이올린을 배우고 있었고, 그래서 부모님께 수업을 잘 따라가려면 연습을 더 많이 해야 한다고 설명했어요. 그렇게 억지로, 자포자기 상태로 바이올린 연습을 하게 된 거예요."

아무도 꼼짝하지 않는다. 아무도 무슨 말을 해야 할지 모른다.

"이런 경우 피해자는 결국엔 스스로를 가해자로 만들어버리기 때문에 나 역시 내 안에 죄의식을 키워왔고, 지금까지 저 자신을 벌주며 살아왔습니다. 나 스스로를 여성으로 인식하던 때부터 나는 남자들과 관계를 맺을 때면 고통과 갈등과 절망만을 찾으려 애썼어요."

그녀는 내게 시선을 고정한다. 테이블에 있는 모든 이들이 이를 알아챈다.

"하지만 이제 달라질 거예요. 그렇죠?"

나는 지금까지 상황의 주도권을 잡고 있다가 갑자기 통제력을 잃는다. 내가 할 수 있는 일이라고는 "그러기를 바랍니다"라고 중얼거리고 나서, 러시아 주재 브라질 대사관이 있는 근사한 건물에 대한 이야기로 화제를 황급히 바꾸는 것뿐이다.

* * *

　만찬이 끝나고 나오는 길에 나는 힐랄에게 숙소가 어디인지 묻고, 기업인 친구에게 호텔에 나를 바래다주는 길에 힐랄도 그렇게 해줄 수 있는지 묻는다. 친구는 그렇게 해주기로 한다.

　"바이올린 연주를 들려줘서 고마워요. 생전 처음 보는 사람들과 당신 이야기를 공유해줘서 고맙고요. 매일 아침, 당신의 마음이 아직 비어 있을 때 얼마간의 시간을 신성함에 바쳐보세요. 공기중에는 우주의 기운이 깃들어 있어요. 각 문화마다 그걸 부르는 방식이 다르지만, 그건 별로 중요하지 않아요. 중요한 것은 내가 지금 말하는 대로 하는 거요. 숨을 깊이 들이마시고, 공기중에 있는 모든 축복이 당신의 몸속으로 들어와 세포 하나하나에 퍼지기를 기원하세요. 그리고 천천히 숨을 내쉬면서, 당신 주위로 많은 기쁨과 많은 평화를 뿌려요. 이렇게 열 번을 반복합니다. 그러면 당신 자신을 치유하고, 동시에 세상을 치유하는 데 일조할 겁니다."

　"그게 무슨 뜻이죠?"

　"아무 뜻도 없어요. 그저 훈련을 해보라는 겁니다. 그러면 사랑에 대해서 당신이 느끼는 것들을 조금씩 잊게 될 거요. 우리 마음속에 깃든, 모든 것을 좋아지게 하고자 하는 힘 때문에 오히려 자신이 무너지면 안 됩니다. 숨을 들이쉬면서 하늘과 땅에 존재하는 것들을 들이마셔요. 그리고 숨을 내쉬면서 아름다움과 풍요로움을 발산하는 겁니다. 나를 믿어요, 효과가 있을 테니까."

"하지만 저는 아무 요가 책이나 뒤져도 나오는 그런 호흡법을 배우러 여기 온 게 아니에요." 힐랄이 짜증 섞인 말투로 말한다.

차창 밖으로 모스크바 시내가 지나간다. 사실 내가 하고 싶은 것은 저 거리를 따라 걷고, 커피 한 잔을 마시는 것이다. 하지만 하루 종일 일이 너무 많았고, 꽉 찬 스케줄을 소화하기 위해 내일 아침도 일찍 일어나야 한다.

"그럼 선생님과 같이 가도 되는 거죠?"

정말 강적이다! 이 여자는 당최 다른 이야기는 할 줄 모르나? 그녀와 안 지 이제 겨우 스물네 시간이 조금 넘었다. 어제와 같은, 정상 범위에서 한참 벗어난 만남을 두고 '안다'는 말을 쓸 수 있다면 말이다. 내 친구가 웃는다. 나는 좀더 진지하게 말하려 애쓴다.

"이것 봐요. 당신을 대사관 만찬에 데려간 걸로 충분하지 않나요. 이 여행은 내 책을 홍보하기 위한 것이 아니라 사실은……" 잠시 망설인다. "사실 이 여행은 개인적인 이유로 떠나온 거요."

"알고 있어요."

그녀가 이 대답을 하는 방식에서 진실임이 느껴진다. 그러나 나는 내 직감을 믿지 않기로 한다.

"많은 남자들에게 상처를 주었고, 저 역시 많은 상처를 받았어요." 힐랄이 말을 잇는다. "내 영혼에서도 사랑의 빛이 나오지만 멀리 가지는 못해요. 아픔에 막혀버리고 말거든요. 남은 평생 매일 아침 숨을 들이마시고 내쉰다고 해서 이 문제가 해결되진 않아요. 바이올린을 통해 이 사랑을 표현하려고도 노력해보지만 그것도 역부족이에요. 나는 당신이 나를 치유해줄 수 있다는 것, 그리고 내가 당신이 고전하는 문제를 치유해줄 수 있다는 걸 알아요. 제가 옆 산에 불을 지폈어요. 저를 믿으면 돼요."

왜 이 여자가 이런 이야기를 하고 있지?

"우리에게 상처를 주는 것들은 우리를 치유해주죠." 그녀가 계속한다. "인생은 제게 가혹하기 그지없었지만 동시에 많은 것을 가르쳐줬어요. 당신 눈에는 안 보이겠지만 제 몸은 흉터투성이에, 아물지 않은 상처들에서는 언제나 피가 흐르고 있죠. 매일 아침 하루가 끝나기 전에 죽어버리고 싶다는 마음으로 잠에서 깨지만, 이렇게 계속 살고 있어요. 괴로워하고 싸우면서, 싸우고 괴로워하면서, 언젠가는 이 모든 것이 끝나리라는 확신에 매달려 살고 있는 거예요. 제발, 저를 여기 혼자 내버려두지 마세요. 이 여행은 제게 구원이에요."

내 친구가 차를 세우더니 주머니에 있는 돈을 모두 꺼내어 힐랄에게 건넨다.

"기차는 이 친구 것이 아니거든요." 그가 말한다. "받으세요. 이 돈이면 이등석 차표를 사고 여행중 하루 세 끼 식사를 하기에 충분하고 남을 겁니다."

그러더니 나를 향해 몸을 돌리고 말한다.

"자네는 내가 지금 어떤 상태인지 알고 있지. 사랑하던 여인은 세상을 떠났고, 남은 평생 숨을 들이마시고 내쉰다고 해도 결코 나는 행복해질 수 없을 걸세. 내 상처는 아물지 않았고, 온몸이 흉터투성이라네. 나는 이 여자가 하는 말을 완벽하게 이해해. 내가 알지 못하는 개인적인 이유로 자네가 이 여행을 한다는 건 나도 알고 있네만, 이 여자를 이대로 놔두고 떠나지는 말게. 만약 자네가 자신이 쓰는 글을 믿는다면, 자네 주위의 사람들도 함께 성장하도록 허락하게나."

"좋아요." 나는 그녀를 향해 말한다. "기차는 내 소유가 아니오. 하지만 나는 항상 사람들에게 둘러싸여 있을 거고, 따라서 우리가 좀처럼 대화할 시간이 없을 거라는 건 알아둬요."

내 친구는 다시 시동을 걸고, 아무 말 없이 십오 분 이상 차를 몬다. 우리는 나무가 우거진 작은 공원이 있는 거리에 도착한다. 힐랄은 어디에 차를 세워야 하는지 내 친구에게 설명해준 후, 차에서 내려 그에게 작별인사를 건넨다. 나도 차에서 내려 그녀가 묵고 있는 친구 집이라는 건물 앞까지 배웅해준다.

그녀가 내 입술에 빠르게 입을 맞춘다.

"당신 친구분은 잘못 알고 있어요. 하지만 내가 너무 즐거워하는 모습을 보이면 돈을 돌려달라고 하겠죠." 그녀는 미소를 짓고 있다. "저는 그분만큼 고통스럽진 않아요. 게다가 이렇게 행복한 건 처음이에요. 표지를 따라왔고, 인내했고, 그로 인해 모든 것이 변할 테니까요."

그녀는 돌아서서 건물로 들어간다.

바로 그 순간이다. 차로 돌아오는 순간, 차에서 내려 담배를 피우다가 입 맞추는 장면에 미소를 띠는 내 친구를 바라보는 순간, 봄기운에 새 옷으로 갈아입은 나무들 사이로 불어오는 바람 소리를 들으면서, 잘 알지는 못해도 내가 사랑하는 도시에 와 있음을 의식하는 순간, 주머니에 손을 넣어 담배를 찾으면서 내일이면 내가 오래전부터 꿈꿔왔던 모험이 시작된다고 생각하는 바로 그 순간……

……베로니크의 집에서 만난 예지자가 한 말이 떠오른다. 그가 뭔가 터키에 대해 얘기했는데…… 그 내용이 정확히 기억나지는 않는다.

9288

시베리아 횡단철도는 세계에서 가장 긴 철도 셋 중 하나다. 유럽 전역에서 시작되어 러시아 국경 안을 지나는 거리만 총 9288킬로미터에 달하고, 수많은 크고 작은 도시들을 연결하고 러시아 국토의 79퍼센트를 가로지르고 일곱 개의 표준 시간대를 통과한다. 내가 밤 열한시에 모스크바에서 열차에 오를 때, 종착역인 블라디보스토크는 이미 날이 밝은 후다.

19세기 말까지는 극소수의 사람들만이 시베리아로 여행을 떠나는 모험을 감행했다. 시베리아의 오이먀콘이라는 마을은 지구상에서 가장 낮은 기온인 영하 71.2도를 기록한 곳이다. 시베리아 지방의 주요 교통수단은 중심 지역들과 연결되는 강들이었으나, 그나마 일 년 중 여덟 달 동안은 얼어붙어 있다. 제정 러시아

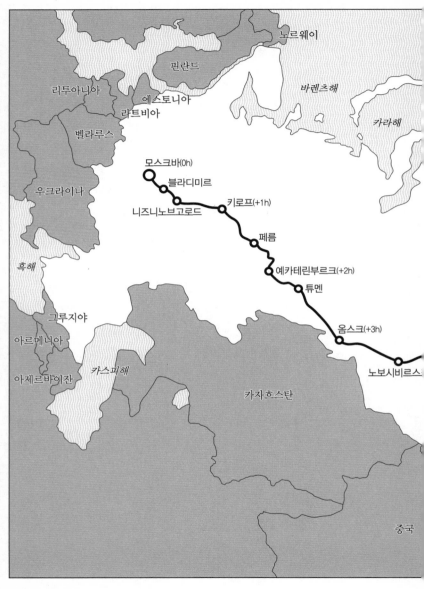

노르웨이

핀란드

바렌츠해

리투아니아

에스토니아

라트비아

카라해

벨라루스

모스크바(0h)

블라디미르

우크라이나

키로프(+1h)

니즈니노브고로드

페름

예카테린부르크(+2h)

흑해

튜멘

그루지야

옴스크(+3h)

아르메니아

노보시비르스크

아제르바이잔

카스피해

카자흐스탄

중국

0   250   500   750   1000 km

0   200   400   600 miles

괄호 안의 숫자는 모스크바를 기준으로 한 시차를 나타낸다.

의 영토였던 중앙아시아는 천연자원이 집중되어 있는 곳임에도 불구하고 그곳 주민들은 실질적으로 고립되어 살았다. 차르 알렉산드르 2세는 전략적, 정치적 이유로 철도 건설을 허가했는데, 그 총비용을 상회하는 것은 1차 세계대전 기간에 러시아가 지출한 전체 군비 정도였다.

시베리아 횡단철도는 1917년 러시아혁명 직후 발발한 시민전쟁 동안 큰 전투들의 중심 무대가 되었다. 퇴위한 황제를 지지하는 세력들, 그중에서도 체코슬로바키아 군단은 장갑을 두른 열차를 레일 위를 달리는 탱크로 사용했고, 덕분에 동부 지역에서 탄약과 식량을 공급받는 동안은 붉은군대의 공격을 어렵지 않게 막아낼 수 있었다. 그러자 파괴공작원들이 다리를 폭파하고 통신수단을 단절시키는 등의 행동에 돌입했다. 제국 군대는 아시아 대륙 끝까지 퇴각했고, 상당수가 캐나다로 건너가 전 세계 각국으로 흩어지고 말았다.

내가 모스크바 기차역에 들어섰을 때, 유럽에서 태평양까지 가는 4인용 객실의 좌석 하나당 가격은 30~60유로 정도였다.

* * *

기차 시간표가 있는 전광판으로 가서 찰칵! 출발시간 23시 15

분을 기록하는 첫번째 사진이다. 심장이 두근거렸다. 내 방 안을 돌아다니는 장난감기차를 바라보며 지금 내가 있는 이곳처럼 먼 곳을 여행하는 상상을 하던 어린 시절로 돌아간 기분이었다.

생마르탱에서 J.와 대화를 나누었던 것이 석 달하고도 얼마 전이건만, 마치 먼 전생에 있었던 일처럼 느껴졌다. 그때 나는 얼마나 한심한 질문들을 했던가. 인생의 의미는 무엇이죠? 왜 나는 발전하지 못하고 있는 거죠? 영적 세계가 갈수록 멀어지는 이유는 무엇인가요? 그 대답은 더없이 간단했다. 내가 더이상 살아 있지 않기 때문이다!

다시 어린아이가 되어 온몸에 흐르는 더운 피와 눈이 빛나는 것을 느끼고, 사람들로 가득한 플랫폼을 바라보고, 석유냄새와 음식냄새를 맡고, 막 도착하는 열차의 날카로운 브레이크 소리와 짐차의 소음과 호각 소리를 들으며 감격이 차오르는 것은 얼마나 신나는 일인가.

산다는 것은 경험하는 것이지 삶의 의미에 대해 생각하고 앉아 있는 것이 아니다. 물론 모든 사람들이 아시아를 횡단하고 산티아고의 길을 걸을 필요는 없다. 나는 오스트리아의 한 수도원장을 만난 적이 있다. 그는 멜크*에 있는 수도원 밖으로 거의 나

---

* 도나우강과 멜크강이 합류하는 지점에 있는 오스트리아 북동쪽의 도시.

오지 않았지만, 그럼에도 내가 만나는 수많은 여행자들보다 세상을 훨씬 더 잘 이해하고 있었다. 내 친구 한 명은 잠든 자녀들의 모습을 바라보다가 위대한 영적 깨달음을 경험했다고 한다. 나의 아내는 새로운 그림을 그리기 시작할 때 일종의 무아경에 들어가 자신의 수호천사와 대화를 나눈다.

하지만 나는 순례자로 태어났다. 가끔 만사가 귀찮거나 집이 그리워질 때라도, 첫 발짝만 내디디면 바로 여행에 마음을 빼앗긴다. 야로슬라블*역 5번 플랫폼으로 걸어가면서 나는 깨닫는다. 내가 항상 같은 곳에만 머물러 있다면 내가 원하는 곳에 결코 도달할 수 없으리라는 것을. 나는 사막과 도시와 산과 길 위에 있을 때만 내 영혼과 대화할 수 있다.

우리가 탈 객차는 가장 마지막 칸으로, 특정 도시들에 정차할 때 다른 열차에 연결되고 분리될 예정이다. 지금 내가 있는 곳에서는 기관차가 보이지 않는다. 보이는 것은 강철로 만든 거대한 뱀 같은 열차와 몽골인, 타타르인, 러시아인, 중국인들뿐이다. 그들 중 몇몇은 가방 위에 앉아 있고 우리 모두는 열차 문이 열리기를 기다리고 있다. 사람들이 내게 말을 건네려 다가오지

---

* 러시아 야로슬라블주의 주도. 볼가강의 지류인 코스트로마강 연안에 있는 항구도시. 모스크바에서 북동쪽으로 280킬로미터 떨어져 있다.

만 나는 물러선다. 내가 지금 여기에서 또 한 번의 출발을, 새로운 도전을 준비하고 있다는 사실 말고는 아무것도 생각하고 싶지 않다.

* * *

어린 시절로 돌아간 것 같은 황홀경은 고작 오 분 정도 지속되었을 뿐이지만, 나는 모든 세부와 모든 소리와 모든 냄새를 빠짐없이 흡수했다. 나중에 아무것도 기억하지 못할 테지만 상관없다. 시간이란 우리 마음대로 앞뒤로 감고 또 되감을 수 있는 카세트테이프가 아니지 않은가.

"나중에 남들에게 어떻게 말할 것인지 생각하지 마라. 시간은 지금 여기에 있다. 이 순간을 마음껏 누려라."

일행들에게 다가가보니 그들도 모두 한껏 기대에 부푼 모습이다. 나와 동행할 통역자와 인사를 나눈다. 그의 이름은 야오, 중국에서 태어났고 내전을 피해 어린 시절에 부모의 손에 이끌려 브라질로 망명했다고 한다. 일본에서 학위를 마쳤고, 모스크바 대학에서 언어학을 가르치다 은퇴했다. 일흔 살이 넘어 보였고, 키가 크고 일행 중 유일하게 넥타이에 정장을 말쑥하게 차려입었다.

"내 이름은 '매우 멀다'는 뜻을 갖고 있지요." 어색한 분위기를 풀어보려 그가 말한다.

"내 이름은 '작은 바위'라는 뜻을 갖고 있지요." 나도 미소 지으며 응대한다. 사실 어젯밤부터 내내 얼굴에서 미소가 가시지 않는다. 오늘의 모험을 생각하느라 잠을 이룰 수가 없었다. 지금 내 기분은 이보다 더 좋을 수 없는 상태다.

어디에나 편재하는 힐랄은 내가 탑승할 객차와 가까운 곳에서 있다. 그녀가 탈 객차는 분명 아주 멀리 떨어져 있을 텐데도 말이다. 그녀가 거기 있는 것이 놀랍지도 않았다. 그럴 거라고 능히 예상한 일이었다. 멀찌감치 떨어진 채 나는 입맞춤하는 시늉으로 인사를 보내고 그녀는 입가의 미소로 답한다. 여행 도중에 잠깐 대화를 나눠보면 좋을 것 같다.

나는 아무 말도 하지 않고 나를 둘러싼 모든 세세한 일에 주의를 기울이고 있다. 마치 '미지의 바다'를 찾아 항해를 떠나는 항해사처럼. 통역자는 나의 침묵을 존중해준다. 하지만 나는 무슨 일인가 벌어지고 있음을 알아챈다. 출판사 사람들이 걱정하고 있는 눈치다. 통역자에게 무슨 일인지 통역해달라고 부탁한다.

그는 러시아에서 내 에이전트를 대행하기로 한 사람이 나타나지 않고 있다고 설명한다. 어젯밤 친구와 나눴던 대화가 떠오른다. 그런데 그게 무슨 문제가 되는 거지? 만일 그녀가 안 온다면 그 사람의 문제일 뿐이다.

힐랄이 여자 편집자에게 뭐라고 물어보는 것을 본다. 퉁명스러운 대답이 돌아오지만 그녀는 이번에도 자신의 태도를 견지한다. 내가 만나줄 수 없다고 할 때마다 한 번도 끈기를 잃지 않았던 것처럼. 그녀의 존재가, 그녀의 결단력이, 그녀의 자세가 점점 마음에 든다. 여자 편집자와 힐랄은 이제 말다툼을 하고 있다.

다시 한번 통역자에게 무슨 일이냐고 묻는다. 그는 편집자가 힐랄에게 자기 객실로 돌아가라고 하고 있다고 설명한다. 이기지 못할걸, 나는 속으로 생각한다. 저 아가씨는 자기 머릿속에 있는 바를 이루고 말 테니까. 그들의 다툼에서 내가 유일하게 이해할 수 있는 부분인 말의 억양과 몸짓을 흥미롭게 구경한다. 이제 충분하다 싶을 때 나는 여전히 웃음을 머금은 채 그들에게 다가간다.

"지금 부정적인 기운을 만들지 맙시다. 여러분 중 아무도 해본 적이 없는 여행을 앞두고 모두 행복하고 들떠 있지 않습니까?"

"이 여자분이……"

"그냥 두십시오. 나중에 자기 객실로 가면 될 일이 아닙니까."

편집자는 더는 우기지 않는다.

열차 문이 플랫폼 전체로 울려퍼지는 소리를 내며 열리고, 사람들이 움직이기 시작한다. 이 순간 열차에 올라타는 이들은 어떤 사람들일까? 이 여행은 승객 한 명 한 명에게 어떤 의미일까? 사랑하는 사람과의 재회, 가족과의 만남, 부자가 되고 싶다는 꿈을 좇아 떠나는 여행, 의기양양하거나 혹은 부끄러운 귀향, 발견, 모험, 도망치고 싶다는 욕구, 혹은 만나고 싶다는 욕구. 기차 안은 그와 같은 온갖 현실적 욕구로 가득 차 있다.

힐랄이 자기 짐을 든다. 배낭 하나와 알록달록한 크로스백 하나뿐이다. 여자 편집자는 그렇게 말다툼이 마무리된 것에 불만이 없다는 듯 미소를 짓고 있지만, 기회가 오는 대로 복수에 나설 것임을 나는 알고 있다. 복수를 해서 얻을 수 있는 최선은 우리가 적과 똑같아지고 마는 것뿐이라고, 용서를 통해서만 더 큰 지혜로움과 지성을 보일 수 있다고 설명해봐야 소용없으리라. 그것은 인간 조건의 본질적인 부분이기 때문에, 히말라야의 수도승들과 사막의 성자들을 제외한 우리 모두는 이런 감정을 가지고 있다. 그렇다고 우리가 스스로를 너무 가혹하게 평가해서는 안 된다.

* * *

우리가 탄 객차는 네 개의 객실과 화장실, 그리고 우리가 대부분의 시간을 보내게 될 것으로 보이는 작은 거실과 부엌으로 구성되어 있다.

내 방으로 가본다. 더블베드와 옷장, 창가의 탁자와 의자, 화장실로 통하는 문이 하나. 그 끝에 문이 하나 더 있다. 그쪽으로 가 열어보니 비어 있는 옆방과 통해 있다. 아마 두 방이 욕실 하나를 함께 쓰는 모양이다.

그렇다. 에이전트 대행인은 결국 오지 않았다. 하지만 그게 무슨 상관이람?

호각 소리가 들린다. 열차가 천천히 움직이기 시작한다. 우리는 모두 작은 거실의 창문가로 몰려가 플랫폼에 서 있는 생면부지의 사람들에게 손을 흔든다. 우리는 뒤로 빠르게 멀어져가는 플랫폼을, 점점 더 빨리 지나가는 불빛들을, 갑자기 나타나는 선로들을, 희미하게 빛나는 전깃줄을 바라본다. 모두 아무 말 없이 고요한 모습에 나는 깊은 인상을 받는다. 아무도 입을 열고 싶어하지 않는다. 우리는 앞으로 무슨 일이 일어날까 꿈꾸고 있다. 우리 중 아무도 뒤에 남겨놓고 온 것을 생각하지 않음을, 모두 앞으로 일어날 일에 대해서만 생각하고 있음을 나는 확신한다.

철로가 밤의 어둠 속으로 사라지자, 우리는 테이블 주위에 둘러앉는다. 테이블 위에 과일바구니가 있긴 하지만 모스크바에서 저녁을 먹은 터라 모든 이들의 관심은 오직 반들거리며 빛나는 보드카 병으로만 쏠린다. 곧 병마개가 열리고, 우리는 술을 마시며 모든 것에 대해 이야기를 나눈다. 여행 이야기만은 빼고. 여행은 현재이지 추억이 아니기 때문이다. 술이 좀더 들어가자 앞으로 올 며칠에 대해 각자가 기대하는 바를 조금씩 말하기 시작한다. 술이 계속 들어가고, 즐거운 분위기가 고조된다. 모두가 어린 시절부터 알고 지내온 친구가 된다.

통역자는 자기 삶과 자신이 좋아하는 것들, 문학, 여행, 무술에 대해 조금씩 이야기한다. 우연히도 나는 젊은 시절 아이키도를 배운 적이 있다. 그는 여행중에 화제가 떨어져서 지루해지면 객실 옆 통로에서 잠시 함께 아이키도 대련을 해도 괜찮겠다고 말한다.

힐랄은 그녀를 오지 못하게 하려던 편집자와 대화중이다. 나는 두 여자가 오해를 수습하려고 노력하고 있다는 걸 안다. 하지만 내일은 새로운 날이고, 같은 장소에 갇혀 있다시피 하다보면 두 사람의 갈등은 악화될 것이고, 곧 또다른 언쟁을 목격하게 될 것이다. 다만 좀 유예가 되기를 바랄 뿐이다.

통역자가 내 생각을 읽기라도 한 모양인지, 모두에게 보드카를 따라주고 나서 아이키도에서는 갈등에 어떻게 대처하는지 이야기한다.

"엄밀히 말하면 그것은 대결이 아닙니다. 우리가 목적으로 하는 것은 정신을 고요하게 하고 불화의 근원을 찾음으로써 악의

나 이기심의 흔적을 모두 지우는 것입니다. 만일 여러분 가까이
에 있는 누군가에 대해 좋고 나쁜 것이 무엇인지 발견하는 데만
너무 신경쓰다보면, 결국 여러분은 자신의 영혼을 잃어버리고
다른 사람을 평가하는 데 에너지를 다 써서 고갈되고 패배할 것
입니다."

아무도 일흔 살 노인이 하는 이야기에 큰 관심을 기울이지 않
는다. 초반에 보드카가 불러일으킨 즐거움은 이제 슬슬 집단적
인 피로감에 자리를 내주기 시작한다. 그러던 중 내가 잠시 화장
실에 갔다와보니 모두 방으로 돌아가고 없다.

물론 힐랄은 제외하고.

"다들 어디 갔나요?" 내가 묻는다.

"모두 당신이 먼저 들어가기를 예의상 기다리고 있었던 거죠.
다들 자러 갔어요."

"그럼 당신도 돌아가서 자요."

"하지만 여기 빈방이 하나 있는 걸로 알고 있는데요……"

나는 그녀의 배낭과 크로스백을 들고는, 그녀의 팔을 부드럽
게 잡고 객차 문까지 데려간다.

"운이 좋았다고 해서 과용하지는 맙시다. 잘 자요."

그녀는 아무 말 없이 물끄러미 나를 바라보더니, 어딘지 모르
지만 자신의 객실이 있는 쪽으로 사라진다.

나도 내 객실로 간다. 한껏 고조됐던 기분은 이제 엄청난 피로로 바뀐다. 노트북을 탁자 위에 올려놓고, 항상 갖고 다니는 성인상聖人像들을 침대 옆에 늘어놓고, 양치질을 하러 욕실로 간다. 내가 상상했던 것보다 훨씬 힘든 일이다. 기차가 계속 흔들려서 미네랄워터가 든 컵을 손에 들고 균형을 잡기가 무척 어렵다. 여러 번의 시도 끝에 간신히 목적을 달성한다.

잠옷으로 입는 티셔츠로 갈아입고, 담배를 한 대 피우고, 불을 끈 다음 눈을 감고 상상한다. 기차의 흔들림은 엄마 자궁 속에 있는 느낌이며, 천사들이 오늘 밤을 축복해줄 거라고.

달콤한 환상이다.

힐랄의 눈

마침내 날이 밝아오자 나는 일어나 옷을 갈아입고 거실로 나간다. 벌써 모두 거기에 있다. 힐랄을 포함해서.

"당신이 저한테 여기 와도 좋다는 허가증을 하나 써주셔야겠어요." 그녀는 아침 인사를 건네기도 전에 말한다. "여기까지 오기가 너무 힘들었어요. 객차들을 지날 때마다 검사하는 사람이 있는데, 그들이 말하기를 다른 객차로 가려면……"

나는 그녀의 말을 무시하고 다른 이들과 아침 인사를 나눈다. 모두에게 간밤에 잘 잤는지 묻는다.

"아뇨." 한결같은 대답들이다.

보아하니 잠을 설친 게 나뿐이 아닌 것 같다.

"나는 아주 잘 잤어요." 힐랄이 다른 이들의 분노를 자아내는 줄도 모르고 떠든다. "내가 탄 객차는 열차 중간에 있어서 이 칸보다 훨씬 덜 흔들리더라고요. 이 객차는 여행하기에 제일 안 좋은 칸이에요."

남자 편집자가 한마디 쏘아붙이려다가 참고 넘어가는 눈치다. 그의 아내는 불쾌한 기색을 드러내지 않느라고 창밖을 보며 담배를 피워문다. 여자 편집자의 표정에는 그녀가 하고 싶은 말이 분명하게 담겨 있다. "내가 이 여자 재수 없다고 하지 않았던가요?"

"앞으로 매일 이 거울에 한 가지 명상의 구절을 붙여놓으려고 합니다." 힐랄과 마찬가지로 숙면을 취한 것 같은 통역자 야오가 말한다.

그는 자리에서 일어나 한쪽 벽에 걸린 거울로 가더니, 이렇게 쓰여 있는 종이를 그 위에 붙인다.

"무지개를 보고 싶은 자는 비를 즐기는 법을 배워야 한다."

이 낙관주의적인 문장에 열광하는 이는 아무도 없는 것 같다. '맙소사, 구천 킬로미터 내내 이런 식이라는 건가?' 거실에 있는 사람들의 머릿속에 이런 생각이 스치고 지나가리라는 걸 짐작하기 위해서는 텔레파시 능력까지도 필요 없다.

"내 휴대전화에 있는 사진을 하나 보여드리고 싶어요." 힐랄은 계속 말한다. "그리고 음악을 듣고 싶어하실지 몰라서 바이올린도 갖고 왔어요."

우리는 이미 부엌에 있는 라디오에서 흘러나오는 음악을 듣고 있다. 거실 안의 긴장은 점점 더 높아지고 있다. 이제 곧 누군가 정말 공격적인 말을 할 것이고, 그러면 나는 더이상 이 상황을 통제할 수 없을 것이다.

"잠깐만요. 먼저 여유롭게 아침식사부터 하게 해줘요. 힐랄, 당신도 원한다면 함께 식사합시다. 아침식사 후에 나는 좀 자려고 해요. 당신 사진은 나중에 보도록 하죠."

우레 같은 소리가 들린다. 반대 방향으로 가는 기차가 옆 철로를 지나는 중이다. 밤새 끔찍할 정도로 규칙적으로 되풀이되던 소리다. 그리고 기차의 흔들림은 내가 떠올렸던, 요람을 흔드는 다정한 손길보다는 드라이 마티니를 준비하는 바텐더의 팔 움직임과 더 비슷하다. 몸 상태가 좋지 않고, 모험을 하겠답시고 이 모든 사람들을 끌고 왔다는 것에 커다란 죄책감이 밀려온다. 놀이동산의 그 유명한 놀이기구를 왜 '러시아 산'*이라고 부르는지 이해가 가기 시작한다.

힐랄과 통역자가 몇 번인가 대화를 이어가려 시도하지만, 테이블에 있는 그 누구도, 두 명의 남녀 편집자와 남자 편집자의

---

* 포르투갈어로 롤러코스터를 '러시아 산(montanha russa)'이라고 한다.

아내, 이 여행을 떠나자고 제안한 작가 중 아무도 말을 받아주지 않는다. 우리는 묵묵히 아침을 먹는다. 창밖은 작은 마을, 숲, 작은 마을, 숲이 끝없이 이어지는 똑같은 풍경이다.

"예카테린부르크까지는 얼마나 더 남았지요?" 남자 편집자가 야오에게 묻는다.

"새벽쯤에는 도착할 겁니다."

안도의 한숨이 흘러나온다. 어쩌면 다들 마음을 바꿔 이 정도면 충분히 경험했다고 말하게 될지도 모른다. 산이 높다는 걸 알기 위해 굳이 정상에까지 오를 필요는 없다. 시베리아 횡단열차를 탔다는 말을 하기 위해 반드시 블라디보스토크까지 갈 필요는 없는 것이다.

"좋아요, 그러면 나는 다시 잠을 좀 청해보도록 하지요."

자리에서 일어난다. 힐랄이 나를 따라 일어선다.

"그런데 허가증은요? 제 전화기에 있는 사진은요?"

무슨 허가증? 아, 그렇지. 우리 객차로 오기 위한 허가증. 내가 입을 열어 말하기도 전에 야오가 종이를 꺼내 러시아어로 뭐라고 쓰더니 나더러 서명을 하라고 내민다. 나를 포함해 차 안에 있는 모두가 화가 잔뜩 나서 그를 바라본다.

"하루에 한 번만, 이라는 문구를 추가해주시겠소?"

야오는 내가 말한 대로 하고는, 열차 승무원에게 가서 허가증에 필요한 도장을 받아오겠다고 말한다.

"휴대전화에 있는 사진은요?"

이렇게 된 이상 원하는 대로 다 들어주기로 한다. 빨리 내 방에 돌아갈 수만 있다면 뭐든지. 하지만 나를 이 여행에 초대해준 이들을 더는 짜증나게 하고 싶지 않다. 힐랄에게 나와 함께 객차 끝으로 가자고 한다. 첫번째 문을 열자 기차 바깥으로 나가는 문들과 다음 객차로 연결되는 또 하나의 문이 있는 네모난 공간이 나온다. 철로 위를 부딪치는 기차 바퀴 소리에 객차 사이를 연결해주는 승강대 삐걱거리는 소리까지 더해 견딜 수 없을 정도로 시끄럽다.

힐랄이 휴대전화를 꺼내어 사진을 보여준다. 아마도 이른 아침에 동이 트자마자 찍은 것 같다. 하늘에 떠 있는 기다란 구름.

"어때요? 보이세요?"

보인다. 구름이 보인다.

"우리와 함께 여행하고 있어요."

지금쯤 이미 완전히 사라졌을 구름이 우리와 여행을 하고 있다니. 이 대화가 어서 끝나기만을 기다리는 심정에서 나는 뭐든 그렇다고 맞장구친다.

"그렇군요. 여기에 대해서는 나중에 더 얘기합시다. 이제 당신 객실로 돌아가요."

"갈 수 없어요. 저한테 하루에 한 번만 여기 오도록 허락했잖아요."

피로 때문에 내가 제정신이 아니었다. 내가 괴물을 만들어냈다는 사실을 미처 깨닫지 못했다니. 하루에 한 번만 올 수 있다면 이제 그녀는 새벽같이 와서 밤늦게야 돌아갈 것이다. 나중에 반드시 바로잡아야 할 실수다.

"내 얘기 잘 들어요. 나도 이 여행에 초대된 사람이오. 당신은 항상 에너지가 넘치고, 다른 사람이 안 된다고 하는 걸 절대로 듣지 않는 사람이고, 나야 그런 당신이 동행해준대도 좋겠지만 하지만……"

그녀의 눈. 아무런 화장을 하지 않은, 녹색 눈.

"……하지만 사람들은……"

어쩌면 너무 피곤한 건지도 모른다. 스물네 시간 이상 잠을 못 자면 우리는 모든 방어수단을 상실하고 만다. 내가 바로 그런 상태에 놓여 있다. 가구라고는 없는 작은 공간이, 유리와 강철로만 만들어진 그곳이 뿌옇게 흐려지기 시작한다. 소음은 잦아들고, 집중력은 흐트러지고, 내가 누구이고 지금 있는 곳이 어디인지에 대해 분명히 인식할 수가 없다. 노력해보지만 제대로 생각을 할 수 없다. 내가 지금 그녀에게 자제해주기를, 자기 객실로 돌아가주기를 부탁하고 있다는 걸 알고 있다. 하지만 내 입에서 나오는 그런 말은 지금 내 눈에 보이는 것과는 아무 상관이 없다.

지금 나는 빛을, 어떤 성스러운 장소를 바라보고 있다. 이윽고 물결 하나가 밀려오더니 사랑과 평화로 내 안을 가득 채운다. 이 두 감정이 함께 오는 일은 극히 드물다. 나는 지금 나 자신을 보고 있지만 동시에, 긴 코를 올려세운 아프리카의 코끼리들을, 사막의 낙타들을, 부에노스아이레스의 카페에서 잡담을 나누는 사람들을, 거리를 가로질러가는 강아지를, 장미 한 송이를 그린 그림을 막 마치려는 여인의 손에 들려 움직이는 붓을, 스위스의 산 위에서 녹고 있는 눈을, 이국의 찬송가를 부르는 수도승들을, 산티아고 데 콤포스텔라 성당 앞에 도착하는 순례자를, 양들을 몰고 가는 목동을, 막 잠에서 깨어나 전투를 준비하는 군인들을, 바닷속 물고기들을, 전 세계의 도시들과 숲들을 보고 있다. 이 모든 것은 아주 또렷하고 거대한 동시에, 지극히 작고 부드럽다.

나는 알레프에 있다. 모든 것이 한 시공간에 존재하는 지점.

나는 창문을 통해 세상과 그 안의 비밀스러운 장소들과, 시간 속에 잊힌 시詩들과, 공간 속에서 잊힌 말들을 바라보고 있다. 힐랄의 눈은 내게 이야기하고 있다. 존재하는지조차 몰랐지만 항상 거기 있는 것들, 육체가 아닌 오직 영혼을 통해서만 발견되고 드러날 준비가 되어 있는 것들을. 말로 표현되지 않아도 완벽하게 이해되는 문장들을. 한껏 고양시키는 동시에 숨막히게 하는 감정들을.

　나는 일 초도 안 되는 짧은 순간 열렸다가 다시 닫히는 문 앞에 서 있다. 하지만 그 짧은 시간에도 그 문 뒤에 숨겨진 것들을 엿볼 수 있다. 보물들, 함정들, 가본 적 없는 길들과 상상해본 적도 없는 여행들을.

　"왜 나를 그렇게 바라보는 거죠? 왜 당신 눈에서 이 모든 것들이 보이는 거죠?"

　내가 하는 말이 아니다. 내 앞에 서 있는 소녀 혹은 여인이 하는 말이다. 우리의 눈은 우리 영혼을 비추는 거울로 변해 있다. 아마도 우리의 영혼뿐 아니라, 지금 이 순간 어디론가 가고 있고, 사랑하고, 태어나고, 죽어가고, 고통받고, 꿈꾸고 있는 이 행성의 모든 피조물의 영혼들까지 비추고 있으리라.

　"내가 아니오…… 내가 아니고 이것은……"

　말을 맺을 수가 없다. 문들이 계속해서 열리며 그 뒤에 숨겨진 비밀을 드러내고 있기 때문이다. 나는 거짓과 진실을, 여신의 형상 같은 존재 앞에서 추는 이국적인 춤을, 거친 바다와 싸우고 있는 뱃사람들을, 같은 바다지만 고요히 사람들을 품어주는 바다를 바라보며 해변에 앉아 있는 한 쌍의 연인을 바라본다. 힐랄의 눈 속에 있는 문들이 연달아 열리고, 나 자신의 모습이 보이기 시작한다. 우리가 오랜 시간, 아주 오랜 시간 동안 서로를 알고 있었던 것처럼……

"뭐하고 있는 거예요?" 그녀가 내게 묻는다.

"알레프……"

내 앞에 있는 소녀 혹은 여인의 눈물이 그 문들 중 하나를 통해 나오고 싶어하는 듯하다. 누가 그랬던가, 눈물은 영혼이 흘리는 피라고. 그리고 지금 나는 바로 그것을 보고 있다. 나는 터널속으로 들어가 과거로 가고 있고, 그곳에는 신께서 인간에게 준가장 성스러운 기도를 외우는 것처럼 두 손을 모으고 앉아 나를 기다리고 있는 그녀가 있다. 그렇다, 거기 그녀가 있다. 내 앞 땅바닥에 무릎을 꿇고, 미소를 띤 얼굴로 사랑은 모든 것을 구원할수 있다고 말하면서. 하지만 나는 내 옷을, 깃털 펜을 쥐고 있는내 손을 내려다볼 뿐이다……

"그만!" 나는 소리친다.

힐랄이 눈을 감는다.

다시 나는 시베리아를 거쳐 태평양으로 가는 열차 안에 돌아와 있다. 한층 더 피곤하다. 방금 일어난 일이 완벽하게 이해되지만, 어떻게 설명해야 할지 모르겠다.

그녀가 나를 끌어안는다. 나도 그녀를 끌어안고 그녀의 머리를 부드럽게 쓰다듬는다.

"알고 있었어요." 그녀가 말한다. "예전에 당신을 만난 적이 있다는 걸 알고 있었어요. 당신 사진을 처음 본 순간 알았어요. 마치 이번 생의 어느 순간에 다시 만날 운명인 것 같았죠. 내 친구들한테 이 이야기를 했지만 그들은 나더러 미쳤다고, 매일 수많은 사람들이 다른 수많은 사람들에 대해 그렇게 말한다고 했어요. 나도 친구들 말이 옳을지 모른다고 생각했지만, 생이…… 생이 당신을 내게 데려왔어요. 당신은 나를 만나러 왔어요. 그렇죠?"

나는 막 내가 겪은 일로부터 조금씩 자신을 추스르고 있다. 그렇다, 나는 그녀가 무슨 말을 하고 있는지 알고 있다. 이미 수백 년 전에, 나는 방금 그녀 눈 속에서 본 문들 중 하나를 통과했기 때문이다. 그녀는 거기에, 다른 이들과 함께 있었다. 나는 그녀에게 무엇을 보았느냐고 아주 조심스럽게 묻는다.

"전부 다요. 아마 평생 이 일을 설명할 수는 없을 거예요. 하지만 눈을 감는 순간, 나는 아주 편안하고 안전한 공간에 있었어요. 마치…… 내 집과도 같은 곳이었어요."

아니다. 그녀는 자신이 무슨 말을 하고 있는지 모른다. 그녀는 아직 모른다. 하지만 나는 알고 있다. 나는 그녀의 가방을 집어 들고 다시 거실로 그녀를 데려간다.

"지금 당장은 생각도 말도 할 수 없어요. 저기 앉아서 뭐라도 읽고 있어요. 잠시만 쉬고 곧 돌아오겠소. 누가 뭐라고 하면, 내가 당신더러 여기 있으라고 부탁했다고 해요."

　그녀는 내 말대로 따른다. 나는 방으로 가 옷도 갈아입지 않은 채 침대 위에 몸을 던지고, 곧 깊은 잠 속에 빠져든다.

누군가 문을 두드린다.

"십 분이면 도착합니다."

눈을 뜬다. 벌써 밤이다. 혹은 새벽이라고 하는 편이 맞을지도 모르겠다. 하루 종일 잤으니 이제 다시 잠들기는 힘들 것이다.

"이 객차는 분리해서 역에 둘 겁니다. 도시에서 이틀간 머무는 데 필요한 개인용품만 갖고 내리면 됩니다." 방 밖의 목소리가 말한다.

창문의 블라인드를 걷는다. 바깥은 밝아오기 시작하고, 기차는 속도를 줄이는 중이다. 정말로 도착하고 있는 것이다. 세수를 하고, 이틀 동안 예카테린부르크에 머무는 데 필요한 물건들을 서둘러 배낭에 챙긴다. 아침에 있었던 일이 조금씩 떠오르기 시작한다.

방 밖으로 나가니 벌써 모두 복도에 서 있다. 힐랄만이 어제 내가 있으라고 한 곳에 계속 앉아 있다. 그녀는 웃음기 없는 얼굴로 다만 종이를 내밀어 보일 뿐이다.

"야오가 허가증을 줬어요."

야오는 나를 보더니 낮은 소리로 묻는다.

"노자를 읽어보셨나요?"

물론, 내 세대의 거의 모든 사람들처럼 나도 『도덕경』을 읽었다.

"그렇다면 이 대목을 아시겠군요. '부유불영夫唯不盈, 고능폐불신성故能蔽不新成(오직 채우려 하지 않기에, 낡아지지 않고 새롭게 이룰 수 있다).'"

그는 거의 알아보기 힘들 만큼 살짝 머리를 움직여 앉아 있는 여자를 가리킨다. 나는 그런 식의 코멘트가 마음에 들지 않는다.

"뭔가 암시하고 싶은 말이 있으면……"

"나는 아무것도 암시하지 않습니다. 만일 선생이 잘못 이해했다면, 이미 선생 마음속에 그 생각이 있기 때문입니다. 노자의 말을 이해하지 못한 것 같으니 설명하자면, 내가 말하고자 한 바는 이렇습니다. 느끼는 모든 것을 밖으로 내보내고 새롭게 시작하자. 내가 보기에 이 여자분은 선생을 돕기에 걸맞은 사람입니다."

두 사람이 혹시 말을 맞춘 건가? 우리가 알레프에 들어가 있던 순간, 야오가 지나가다가 본 건가?

"선생은 영혼의 세계를 믿습니까? 시간과 공간이 영원한 동시에 언제까지나 현재인 평행우주를 믿습니까?" 내가 묻는다.

기차의 브레이크가 끼이익거리기 시작한다. 야오는 긍정의 뜻으로 고개를 끄덕이지만, 사실 그가 말을 고르고 있다는 것을 나는 안다. 마침내 그가 대답한다.

"선생이 생각하는 그런 신을 믿지는 않습니다. 하지만 선생이 꿈도 못 꾸는 많은 것들을 믿지요. 내일 밤 시간이 괜찮다면 함께 외출해보아도 좋겠군요."

기차가 멈춘다. 마침내 힐랄이 자리에서 일어나 우리 쪽으로 다가온다. 야오는 웃으면서 그녀를 포옹한다. 모두 외투를 입는다. 새벽 한시 사분, 우리는 예카테린부르크에 내린다.

이파티예프 하우스

어디에나 편재하는 힐랄이 사라졌다.

로비에서 만나겠거니 생각하면서 호텔 방에서 내려왔는데, 그녀는 거기 없다. 그 전날 하루를 거의 기절하다시피 잤는데도, '테라 피르마(움직이지 않는 땅)'에 돌아왔기 때문인지 푹 잘 수 있었다. 야오의 방으로 전화를 걸어 같이 시내를 둘러보러 나선다. 걷고 걷고 또 걷고, 맑은 공기를 마시고, 처음 보는 도시를 구경하고 나의 것인 양 느끼는 것, 바로 지금의 내게 필요한 모든 것이다.

야오는 도시에 대한 몇 가지 역사적 사실들을 이야기해준다. 러시아에서 세번째로 큰 도시이고 천연자원이 풍부하다 등등, 아무 관광안내책자나 들여다봐도 알 수 있는 이야기들이다. 전혀 흥미를 느끼지 못한다. 우리는 거대한 정교회 성당처럼 보이는 건물 앞에서 멈춰 선다.

"'보혈의 교회'라는 곳이지요. 니콜라이 이파티예프라는 사람의 집이 있던 자리에 세운 성당입니다. 잠깐 안으로 들어가시죠."

슬슬 추워지기 시작한 터라 그의 제안을 따른다. 우리는 작은 박물관 같은 곳으로 들어가는데, 모든 표지판이 러시아어로만 쓰여 있다.

야오는 마치 다 이해하지 않았느냐는 듯이 나를 바라보지만, 나는 아무것도 알지 못한다.

"아무것도 느껴지지 않습니까?"

느끼지 못했다고 대답한다. 그는 실망한 기색으로 계속 묻는다.

"선생처럼 평행우주와 현재라는 순간의 영원함을 믿는다는 분이 정말로 아무것도 느끼지 못한다는 말인가요?"

바로 그래서 내가 여기 이 장소까지 왔다고 말하고 싶어진다. J.와의 대화와, 내 영적인 면과 소통하지 못하게 되어 일어난 내적 갈등 때문에 여기까지 왔다고. 그러나 그것도 이제는 진실이 아니다. 런던을 떠날 때부터 나는 내 왕국과 영혼을 향해 나아가는 새로운 사람이 되었고, 그래서 지금은 평온하고 행복하다. 잠시잠깐 기차 안에서의 일이, 힐랄의 눈빛이 떠오르지만 바로 머릿속에서 그 이미지를 지워버리려고 애쓴다.

"지금 내가 아무것도 느끼지 못한다는 것이 영적 측면과 소통하지 못해서는 아니지요. 지금 이 순간 내 에너지가 다른 종류의 발견을 하려는 중인지도 모르지 않습니까. 우리가 있는 이곳은 최근에 지은 성당처럼 보이는군요. 여기서 어떤 일이 있었나요?"

"제국은 니콜라이 이파티예프의 집에서 최후를 맞았습니다. 1918년 7월 16일에서 17일로 넘어가던 밤, 제정 러시아의 마지막 차르였던 니콜라이 2세의 일가와 가족 주치의와 세 명의 하인들이 이곳에서 함께 처형당했습니다. 제일 먼저 차르부터 시작했습니다. 차르는 머리와 가슴에 여러 발의 총알을 맞았지요. 마지막으로 숨진 것은 아나스타샤와 타티아나, 올가와 마리아인데, 총검에 찔려 죽었습니다. 사람들은 그들의 영혼이 아직 이곳을 떠돌면서 그들이 남겨두고 간 보석들을 찾고 있다고 말한답니다. 또한 보리스 옐친이 러시아 대통령이었을 당시 오래된 저택을 부수고 그 자리에 성당을 세운 이유가, 이곳에서 그들의 영혼을 떠나보내고 러시아가 다시 성장하도록 하기 위해서였다고 하지요."

"나를 여기로 데려온 이유가 뭡니까?"

모스크바에서 만난 후 처음으로 야오는 당황한 기색이다.

"어제 선생께서 내게 신을 믿느냐고 물었기 때문입니다. 네, 한때 나는 신을 믿었지요. 내가 세상에서 가장 사랑했던 사람인 아내를 데려가기 전까지는요. 언제나 내가 그 사람보다 먼저 세상을 떠날 것이라고 생각했는데, 그렇게 되지 않았어요." 야오는 이야기를 계속한다. "우리가 처음 만난 날, 나는 내가 태어날 때부터 그녀를 알고 있다는 걸 확신했어요. 비가 억수같이 내리던 날이었고, 그녀는 차나 한잔 마시러 가자는 내 제안을 거절했지요. 하지만 나는 우리가 그 경계가 구분되지 않는, 결국 하나로 합쳐지는 하늘의 구름 같은 존재들이라는 걸 알고 있었어요. 일년 후 우리는 세상에서 가장 기다렸던 일인 것처럼, 가장 자연스러운 일인 것처럼 결혼했습니다. 아이들을 낳고, 신을 경외하고, 가족을 소중히 여겼지요…… 그리고 어느 날, 바람이 불어와 구름을 갈라놓은 겁니다."

나는 그가 이야기를 다 마칠 때까지 기다린다. 그의 눈길이 성당 안을 이리저리 떠돈다.

"부당합니다. 그건 부당한 일이었어요. 황당한 소리로 들릴지 모르지만, 나는 우리가 모두 함께 다른 세상으로 떠날 수 있었다면 그렇게 했을 겁니다. 마치 차르와 그의 가족처럼 말이죠."

아니다. 그는 아직 하고 싶은 말을 다 한 것이 아니다. 그는 내가 입을 열어 뭐라고 말해주기를 기다리지만 나는 침묵을 지킨다. 죽은 이들의 유령이 정말로 우리 곁을 떠돌고 있는 것 같다.

"객차 문 밖에 있는 그 작은 공간에서 선생과 그 아가씨가 마주 바라보고 있는 모습을 본 순간, 나는 내 아내를, 그리고 처음으로 본 아내의 눈빛을, 우리가 미처 뭐라고 말도 나누기 전에 '마침내 우린 다시 만난 거예요'라고 말하던 그 눈빛을 떠올렸습니다. 그래서 선생을 여기 데려오기로 결심한 겁니다. 선생은 우리가 볼 수 없는 것들을 볼 수 있는지, 이 순간 내 아내가 어디에 있는지 아는지 물어보기 위해서요."

그러니까 그는 내가 힐랄과 함께 알레프에 들어간 순간을 본 것이다.

나는 다시 한번 내부를 둘러보고는 그에게 나를 여기 데려와줘서 고맙다고, 산책을 계속하자고 말한다.

"그 아가씨를 슬프게 하지 마세요. 그녀가 선생을 바라보는 모습을 볼 때마다 두 분이 무척 오래전부터 아는 사이였던 것처럼 느껴집니다."

나는 속으로 크게 신경쓸 일은 아니라고 생각한다.

"기차에서 내게 오늘 저녁 뭔가 같이 해보지 않겠냐고 하지 않았나요? 초대가 아직 유효한가요?" 나는 묻는다. "이 이야기는 나중에 다시 해보십시다. 선생이 내 아내가 잠든 모습을 바라보는 나를 못 봐서 유감이군요. 그랬다면 내 눈빛을 바로 알아보았을 거고, 왜 우리가 삼십 년째 부부인지 이해했을 겁니다."

* * *

걷는 것은 내 육체와 영혼에 놀라운 일을 일으킨다. 나는 현재의 순간에 온전히 집중한다. 여기 표지들이, 평행우주가, 기적들이 있다. 시간이란 실재하지 않는 것이다. 야오는 차르 일가의 죽음을 마치 어제 일인 양 이야기하고, 몇 분 전에 일어난 일인 것처럼 사랑의 상처를 보여주었다. 반면 내게는 모스크바역 플랫폼의 기억이 아득히 먼 옛일처럼 느껴진다.

야오와 나는 잠시 어느 공원에 멈추어 쉬면서 사람들을 바라본다. 아이들을 데리고 나온 여자들, 바쁘게 어디론가 걸어가는 남자들, 음악이 시끄럽게 흘러나오는 라디오를 둘러싸고 열띤 대화중인 청년들, 바로 맞은편에선 중요할 것도 없는 화제로 잔뜩 신나서 떠들고 있는 아가씨들이 보인다. 봄이 왔는데도 노인들은 긴 겨울코트 차림이다. 야오가 핫도그 두 개를 사들고 온다.

"글쓰는 일이 힘든가요?" 그가 묻는다.

"아뇨. 그렇게 여러 외국어를 배우는 일은 힘들지 않습니까?"

"그렇지 않습니다. 그저 주의를 좀 기울이면 되지요."

"나는 늘 주의를 기울이는데도 외국어는 젊었을 때 배운 것 이상으로는 안 되더군요."

"내 경우는 한 번도 글을 써보려고 시도한 적이 없습니다. 젊었을 때부터, 글을 쓰려면 공부를 해야 하고 지겨운 문학작품들을 읽어야 하고 지식인들과 어울려야 한다고 들었거든요. 나는 지식인들을 싫어합니다."

이 말이 나를 빗대어 하는 말인지는 잘 모르겠다. 나는 핫도그를 먹는 중이고, 굳이 대답할 필요는 없다. 다시 힐랄과 알레프에 대해 생각한다. 혹시 그녀가 너무 놀라서 여행을 포기하고 집으로 돌아갔을까? 몇 달 전의 나였다면, 어떤 일이 진행되던 중에 중단되어버리면 내 배움이 전적으로 그 일에만 달려 있다고 생각하며 무척 상심했을 것이다. 하지만 지금 태양은 빛나고 있고, 세상이 평화롭게 느껴진다면 그것은 실제로 세상이 평화롭기 때문이다.

"글을 쓰려면 무엇을 해야 하나요?" 야오는 계속 이 화제로 얘기하고 싶어한다.

"사랑해야 합니다. 선생이 아내를 사랑했던 것처럼요. 좀더 정확히 말하자면, 선생이 아내를 사랑하고 있는 것처럼요."

"그냥 그거면 되나요?"

"우리 앞의 이 공원이 보이지요? 여기에는 많은 이야기들이 있습니다. 이미 여러 번 되풀이해 이야기되었음에도 반복해서 말할 가치가 있는 것들이지요. 작가, 가수, 정원사, 통역자, 우리 모두는 우리의 시간을 비추는 거울입니다. 우리는 사랑을 가지고 우리의 일에 임하지요. 나의 경우, 물론 독서가 무척 중요하기는 하지만 학술서적이나 문예창작 수업에 집착하는 이들은 핵심을 이해하지 못한다고 생각합니다. 글이란 종이 위에 풀어놓은 인생입니다. 그러니 사람들을 찾아나서야 해요."

"내가 재직했던 대학의 문학 강의들을 보면, 그건 내가 보기에는……"

"……인위적이지요. 그랬을 겁니다." 그의 말을 끊고 내가 말한다. "설명서를 보고 사랑을 배우지 못하듯, 수업을 듣고 글쓰기를 배울 수는 없습니다. 사람들을 찾아나서라는 말은 다른 작가들을 찾아보라는 뜻이 아니라, 자신과는 다른 재능을 가진 사람들을 만나보라는 말입니다. 글쓰는 일 역시 즐거움과 열정에 이끌려 하는 다른 모든 일과 다름없기 때문이지요."

"니콜라이 2세의 마지막 날들에 관한 책을 쓸 생각은 없으신가요?"

"나를 그다지 강력하게 끌어당기는 주제는 아닙니다. 이야기 자체는 흥미롭지요. 하지만 내게 글을 쓴다는 것은 무엇보다도 나 자신을 발견하는 행위입니다. 선생에게 딱 한 가지 조언을 드릴 수 있다면 이거예요. 다른 사람들의 의견에 주눅들지 마십시오. 안전하고자 한다면 평범해지면 되지요. 하지만 정말로 원하는 일을 하려면 위험을 감수해야 해요.

실패를 두려워하지 않는, 그래서 실패를 즐기는 사람들을 찾으십시오. 실패 때문에 그들의 업적이 인정받지 못하기도 하지요. 하지만 세상을 바꾸는 사람들은 결국 그런 사람들이고, 그들은 많은 시행착오 끝에 그들 공동체를 완전히 변모시키는 무언가를 이루어냅니다."

"힐랄처럼요."

"네. 그 여자처럼요. 하지만 한 가지 확실히 할 게 있어요. 선생이 아내분에게 느꼈던 그 감정을 나는 내 아내에게 느낍니다. 나는 성인聖人이 아니고 성인이 되고 싶은 마음도 전혀 없지만, 선생의 비유를 빌려 말하자면 우리 부부는 두 개였다가 이제는 하나가 된 구름입니다. 우리는 햇살에 녹은 두 개의 얼음 덩어리였다가 이제는 하나가 되어 흐르는 물이지요."

"그렇다 해도 어제 내가 선생과 힐랄이 마주보고 있는 모습을 본 바로는……"

나는 고개를 돌려버리고, 그는 입을 다문다.

공원에 있는 청년들은 불과 몇 미터 떨어져 있는 아가씨들에게 눈길 한번 주지 않는다. 사실은 서로에게 잔뜩 신경을 쓰고 있으면서도. 나이든 이들은 어린 시절의 기억에 잠겨 이들을 스쳐 지나간다. 어머니들은 어린 자식들을 바라보며 미래의 예술가, 백만장자, 공화국의 대통령이 다 모여 있기라도 한 것처럼 미소를 짓는다. 우리 눈앞에 있는 풍경은 인간 행동의 총합체이다.

"나는 여러 나라를 다니면서 살았지요." 야오가 말한다. "힘든 순간들도 많았고, 부당한 상황에 여러 번 맞서야 했고, 사람들의 기대를 한 몸에 받는 상황에서 실패를 맛본 적도 있었죠. 하지만 그런 기억들은 내 삶에서 조금도 중요하지 않아요. 내게 남은 중요한 것은 사람들이 인생을 즐기면서 노래하고 이야기를 들려주는 것에 귀를 기울이던 순간들이죠. 아내가 세상을 떠난 지 어느덧 이십 년이지만, 내게는 마치 어제 일인 것만 같아요. 그 사람은 우리가 함께했던 행복한 순간들을 기억하며 여전히 여기 공원 벤치에 우리와 함께 앉아 있습니다."

그렇다, 그녀는 여전히 여기에 있다. 적확한 표현을 찾을 수만 있다면 그에게 잘 설명해줄 수 있으련만.

알레프를 본 후로, J.가 한 말을 이해한 후로, 나는 감수성이 예민해져 있다. 내가 이 문제를 해결할 수 있을지는 모르겠지만, 최소한 문제의 존재는 인식하고 있다.

"이야기를 다른 사람에게 들려주는 일은 언제나 도움이 됩니다. 가족에게라도 말이지요. 자녀는 몇이나 두었나요?" 내가 묻는다.

"아들 둘에 딸 둘입니다. 다 장성했지요. 하지만 하도 여러 번 해서 그런지 내 이야기에 별로 관심들이 없어요. 선생은 시베리아 횡단 여행에 대한 책을 쓸 건가요?"

"아뇨."

설령 내가 쓰고 싶다 하더라도, 어떻게 알레프에 대해 설명할 수 있겠는가?

알레프

어디에나 편재하는 힐랄의 모습은 여전히 보이지 않는다.

나는 저녁식사 내내 속내를 감추고 있다가, 그날 오후에 있었던 사인회와 그후 이어진 파티의 러시아 음악과 춤 공연(모스크바와 다른 나라들의 악단들은 대체로 국제적인 레퍼토리들을 연주하는 경향이 있다)에 대해 모두에게 감사의 인사를 전한 후에야 힐랄에게 식사 장소를 알려준 사람이 아무도 없냐고 묻는다.

사람들이 의외라는 표정으로 나를 본다. 물론 그랬을 리가 없지! 그들이 알고 있기로 그 아가씨는 나를 귀찮게 하는 사람이니까. 그녀가 오후에 있었던 사인회에 나타나지 않은 것은 그저 행운일 뿐이었다.

"오늘도 자기가 무슨 주인공이라도 되는 양 바이올린 콘서트를 열 수 있었을지도 모르는데, 안 보이네요." 여자 편집자가 말한다.

야오는 테이블 맞은편에 앉아 나를 보고 있다. 그는 내가 사실은 정반대로, '그녀가 여기에 있으면 좋겠다'고 생각하고 있다는 걸 안다. 하지만 무엇 때문에? 알레프를 다시 한번 방문해 내게 나쁜 기억만을 불러일으키는 그 문 안으로 들어가기 위해서? 나는 그 문이 나를 어디로 데려가는지 알고 있다. 이미 예전에 네 번이나 그 문을 통과했고, 그럼에도 필요로 하는 답을 한 번도 발견하지 못했다. 나의 왕국으로 돌아가는 긴 여정에 오르기로 결심했을 때 내가 찾고자 했던 것은 그것이 아니다.

저녁식사가 끝난다. 무작위로 선정되어온 독자 대표 두 사람이 기념사진을 찍고는, 괜찮다면 내게 시내 구경을 시켜주고 싶다고 말한다. 물론이다, 구경하고 싶다.

"우리에겐 선약이 있지 않던가요." 야오가 말한다.

언제나 나와 함께 있기를 고집하던 여자를 향해 쏟아지던 출판사 사람들의 짜증은 이제 통역자를 향하고 있다. 그들이 고용한 사람이 내게 자기와 동행해줄 것을 요구하고 있기 때문이다. 오히려 그 반대가 되어야 하는데도 불구하고.

"선생님은 피곤하실 것 같은데요." 여자 편집자가 말한다. "하루 종일 스케줄이 너무 빡빡했어요."

"선생은 피곤하지 않으세요. 오늘 오후의 사인회에서 독자들에게 받은 사랑의 파장 덕분에 아주 활력 있어 보여요."

야오에 대한 출판사 사람들의 판단이 옳다. 나이에도 불구하고 야오는 '나의 왕국'에서 자신이 차지하고 있는 특권적 위치를 모두에게 과시하고 싶어하는 것 같다. 사랑했던 여인을 이 세상에서 떠나보낸 그의 슬픔을 이해한다. 때가 되면 그에게 무엇을 어떻게 이야기해야 할지 알게 되리라. 하지만 지금으로서는 그가 내게 '근사한 소설이 될 끝내주는 이야기'를 들려주고 싶어하는 것 같아 부담스럽다. 그런 이야기라면 이미 수없이 들었다. 특히 사랑하는 사람을 잃은 이야기라면.

나는 모두가 만족해할 결정을 내리기로 한다.

"호텔까지 야오와 걸어가겠습니다. 그렇지만 호텔에 가서는 좀 혼자 있고 싶군요." 여행을 떠난 이래 처음으로 외롭게 보내는 밤이 될 것이다.

* * *

기온이 생각했던 것보다 내려가고 바람까지 불어 추위가 더욱 매섭게 느껴진다. 사람들로 붐비는 거리를 지나오며 보니 집으로 곧장 가고 싶어하는 사람은 나 혼자만이 아니다. 가게들은 문을 닫고 있고, 의자들은 테이블 위에 쌓여 있고, 네온 간판들은 꺼지기 시작한다. 그럼에도 하루하고도 절반을 기차 안에 갇혀서 지냈고 앞으로도 엄청나게 긴 기차여행을 앞두고 있는 지금으로서는, 몸을 움직일 기회가 있을 때마다 잘 활용해야 한다.

야오는 마실 것을 파는 트럭 앞으로 가서 오렌지주스 두 잔을 주문한다. 나는 아무것도 마시고 싶지 않지만, 이렇게 추운 날에는 비타민C를 좀 섭취하는 것도 좋을 것 같다.

"컵은 버리지 마세요."

왜 그러는지 모르지만 야오의 말대로 컵을 버리지 않는다. 우리는 예카테린부르크의 중심가처럼 보이는 거리를 계속 걸어간다. 그러다가 어느 순간, 영화관 앞에서 걸음을 멈춘다.

"딱 좋군요. 두건에 목도리까지 둘렀으니 아무도 선생을 알아보지 못할 겁니다. 여기서 나와 함께 구걸을 해보시지요."

"구걸이라고요? 히피였던 시절 이후로 해본 적이 없는데요. 게다가 정말로 구걸이 필요한 사람에게 모욕적인 행위가 될 겁니다."

"지금 선생에게는 정말로 필요한 일입니다. 우리가 이파티예프 하우스에 갔을 때, 선생이 잠시 거기 존재하지 않았던 순간이 있었어요. 선생은 과거에 갇혀 있는 것처럼, 자신이 이미 이루었고 어떤 대가를 치러서라도 지켜내려는 모든 것에 갇힌 채 멀리 있는 것처럼 보였지요. 나는 그 아가씨가 걱정됩니다. 그리고 선생이 정말로 조금이라도 변하고 싶다면, 지금 여기서 구걸을 함으로써 다른 사람이, 좀더 순수하고 열린 사람이 될 수 있을 겁니다."

나 역시 그녀가 걱정된다. 하지만 나는 그가 말하고자 하는 것이 무엇인지 잘 알고 있지만, 내가 이번 여행을 하는 여러 이유 중 하나가 바로 과거로, 땅속에 있는 내 뿌리로 돌아가는 것이라고 말한다.

그에게 중국 대나무 이야기도 해주려다가 그만두기로 한다.

"시간에 갇혀 있는 것은 당신입니다. 아내의 죽음을 받아들이지 않고, 그 사실을 감당하지 못하고 있어요. 그래서 그녀가 여전히 여기 선생 곁에 남아 선생을 위로하려 하고 있는 겁니다. 지금쯤은 신성한 빛을 만나기 위해 앞으로 나아가고 있어야 할 때인데도 말이죠." 그리고 곧바로 덧붙인다. "아무도 누군가를 잃지 않아요. 우리 모두는 이 세상이 계속 나아가도록, 그리고 우리 모두가 다시 만날 수 있도록 성장해야 하는 하나의 영혼입니다. 슬픔은 아무 도움이 되지 않아요."

그는 내 말을 잠시 곱씹더니 말한다.

"하지만 그게 전부는 아니지요."

"네, 전부는 아닙니다." 나는 동의한다. "때가 되면 더 자세히 설명해드리지요. 호텔로 가십시다."

야오는 컵을 내밀고 지나가는 사람들에게 구걸을 시작한다. 그는 내게도 똑같이 하라고 권한다.

"일본에 있을 때 선불교 승려에게서 '탁발', 즉 동냥 순례에 대해 배웠습니다. 시주에 의해 유지되는 사찰을 돕고 겸손함이라는 덕목을 훈련하는 것 외에도, 이 수행에는 그들이 살고 있는 마을을 정화한다는 의미도 있어요. 시주를 하는 자와 동냥을 하는 자, 그리고 동냥 그 자체가 매우 중요한 균형의 연결고리를 형성하니까요.

동냥을 하는 자는 필요에 의해 동냥을 하는 것이고, 시주를 하는 자 역시 필요하기 때문에 그것을 행합니다. 보시布施는 그렇게 그 두 가지 필요를 잇는 연결고리 역할을 하고, 모두 해야 할 필요가 있는 일을 한 덕분에 마을의 분위기는 좋아집니다. 선생은 지금 순례중이니, 이제는 방문한 도시를 돕기 위해 뭔가를 해야 하지 않겠습니까."

나는 너무 놀라 무슨 말을 해야 할지 모른다. 야오는 자기가 좀 심했다 싶은지 컵을 외투 주머니에 도로 집어넣으려고 한다.

"아니에요! 정말 좋은 생각입니다!"

그후 십여 분 동안 우리는 각각 보도 양편에 서서 추위에 발을 동동 굴러가며, 지나가는 사람들에게 컵을 내민다. 처음에 나는 컵을 든 손을 뻗기만 하지만, 차츰 쑥스러움이 사라지고 정말로 길 잃은 외국인이 되어 구걸을 시작한다.

나는 다른 사람에게 도움을 요청하는 걸 힘들어한 적이 없다. 평생을 살아오면서, 다른 이들을 배려하고 베풀 때면 끝없이 관대해지고 누군가 조언이나 지지를 구해올 때 진정한 기쁨을 느끼는 많은 사람들을 만났다. 거기까지는 좋다. 가까이 있는 사람을 도울 수 있다는 것은 아주 멋진 일이니까.

반면 사랑과 관대함에서 주는 것일지라도, 받는 것에 능숙한 사람들은 거의 본 적이 없다. 누군가에게 의지한다는 것이 면목 없는 일인 것처럼, 받는다는 행위는 열등감을 불러일으키는 것 같다. 그들은 '누가 우리에게 무언가를 베푸는 것은, 우리가 스스로의 힘으로는 그것을 이룰 능력이 없기 때문이야'라고 생각한다. 혹은 '우리에게 무언가를 베푸는 사람은 언젠가 그 대가를 요구해올 거야'라고 생각하거나, 더 심각한 경우에는 '나는 그들에게 도움을 받을 자격도 없는 사람이야'라고 생각한다.

그러나 이 십여 분의 시간은 내가 어떤 사람이었는지 상기시켜주고, 내게 가르침을 주고, 나를 자유롭게 한다. 마침내 길을 건너 야오와 다시 만났을 때, 내 주스 컵 안에는 11달러 정도의 돈이 모여 있다. 야오도 그 정도 돈을 모았다. 그가 말했던 것과는 달리, 이 일은 과거로의 아름다운 회귀였다. 나는 오랫동안 경험하지 못한 것을 다시 체험했고, 그럼으로써 이 도시뿐 아니라 나 자신까지 새롭게 했다.

"이 돈으로 뭘 할까요?" 그에게 묻는다.

야오에 대한 생각이 다시 바뀌기 시작한다. 그는 무언가를 알고 있고 나는 다른 것들을 알고 있으니, 우리는 계속 서로에게 가르침을 줄 수 있을 것이다.

"우리에게 주어진 돈이니 이론적으로는 우리의 것입니다. 그러니 따로 잘 보관해두고 있다가 중요하다고 생각하는 일에 쓰도록 하지요."

나는 동전들을 왼쪽 주머니에 넣어둔다. 그가 제안한 대로 할 것이다. 나는 호텔을 향해 걸음을 재촉한다. 바깥 공기를 쐬며 걸어오는 동안 저녁식사로 섭취한 칼로리를 다 써버렸다.

* * *

호텔 로비에 들어서자 어디에나 편재하는 힐랄이 우리를 기다리고 있다. 무척 아름다운 부인 한 명과 양복에 넥타이까지 갖춰 입은 노신사와 함께였다.

"안녕하세요." 나는 인사를 건넨다. "당신 고향으로 돌아왔군요. 여기까지 우리와 함께해줘서 즐거웠어요. 이분들은 부모님이신가요?"

남자는 아무 반응을 보이지 않지만 아름다운 여인이 웃음을 터뜨린다.

"그러면 얼마나 좋게요! 여기 이 아이는 천재예요. 타고난 재능만큼 충분히 노력하지 않는 게 아쉬울 뿐이죠. 세상이 위대한 예술가를 잃고 있는 셈이니까요!"

힐랄은 그 말에 신경쓰지 않는 눈치다. 그녀가 내 쪽으로 바로 몸을 돌린다.

"안녕하세요, 라고요? 기차에서 그런 일이 일어난 후에 내게 할 말이 고작 그건가요?"

여인이 깜짝 놀라 우리를 바라본다. 여인이 무슨 생각을 하고 있는지 짐작이 간다. 기차에서 무슨 일이 있었기에? 이 남자는 자기가 이 아이의 아버지뻘 나이라는 걸 모르나?

야오가 자기는 그만 방으로 올라가볼 시간이라고 말한다. 양복과 넥타이 차림의 남자는 아무 반응을 보이지 않는데, 아마도 영어를 알아듣지 못해서일 것이다.

"기차에서는 아무 일도 없었습니다. 아니, 적어도 여러분이 상상하는 일은 없었습니다! 그리고 이봐요, 그럼 내가 무슨 말을 하길 기대한 거요? 당신이 보고 싶었다고? 나는 오늘 하루 종일 정신없이 바빴어요."

여인이 남자에게 우리의 대화를 통역해주고, 힐랄을 포함해 모두가 미소를 짓는다. 먼저 물어보지 않았는데도 내가 먼저 말을 꺼내는 바람에, 이제 힐랄은 내가 그녀를 보고 싶어했다는 걸 알게 된다.

그들과의 대화가 어떻게 흘러갈지 몰라 야오에게 좀더 있어달라고 부탁한다. 우리는 자리를 잡고 앉아 차를 주문한다. 아름다운 여인은 자신을 바이올린 선생이라고 소개하고, 같이 온 남자는 이 지역 음악학교의 교장이라고 설명한다.

"내가 보기에 힐랄은 아까운 재능을 낭비하고 있어요." 여인이 말한다. "이 아이는 너무 자신감이 없어요. 그런 얘기를 이미 여러 번 했고 지금도 말하고 있는데도 그래요. 이 아이는 스스로에 대한 믿음이 없어요. 힐랄은 자신이 인정받지 못한다고, 다른 사람들이 자기 연주를 싫어한다고 생각하고 있어요. 하지만 전혀 그렇지 않아요."

힐랄이 자신감이 없다고? 그녀만큼 결단력 있는 사람은 별로 본 적이 없는데.

"그리고 감수성이 예민한 사람들이 흔히 그렇듯이," 다정하고 친절한 눈빛의 여선생이 말을 계속한다. "이 아이도…… 좀…… 불안정하죠."

"불안정하다고요!" 힐랄이 큰 소리로 외친다. "미쳤다는 말의 점잖은 표현인 거죠!"

여인은 애정이 넘치는 눈길로 그녀를 보더니 다시 나를 향해 내가 뭐라고 말하기를 기다린다. 나는 아무 말도 않는다.

"선생님께서 이 아이를 도와주실 수 있을 거예요. 모스크바에서 힐랄이 바이올린 켜는 걸 보셨다고요. 이 아이가 박수갈채를 받았다고 들었어요. 그것만 봐도 힐랄이 얼마나 재능이 있는지 알 수 있죠. 모스크바 사람들은 음악에 아주 까다롭거든요. 힐랄은 잘 교육받은, 누구보다 많이 공부한 연주자예요. 여기 러시아의 큰 오케스트라들에서 연주하면서 함께 해외 공연도 다녀왔지요. 그런데 갑자기 무슨 일이 일어난 거예요. 그래서 더이상 진전이 없어요."

나는 이 여인의 호의를 믿는다. 그녀는 진심으로 힐랄을, 그리고 우리 모두를 돕고 싶어하는 듯하다. 그러나 "갑자기 무슨 일이 일어난 거예요. 그래서 더이상 진전이 없어요"라는 바로 그말이 내 마음속에 울린다. 나도 같은 이유로 여기 와 있기 때문이다.

정장을 한 남자는 대화에 전혀 끼어들지 못하고 있다. 그는 그저 거기 있음으로써 상냥한 눈빛을 한 아름다운 여인과 재능 있는 젊은 바이올리니스트에게 힘을 보태주러 온 것임에 틀림없다. 야오는 차 맛을 음미하는 데 열중하는 척한다.

"하지만 제가 무엇을 할 수 있을까요?"

"선생님은 무엇을 할 수 있을지 알고 계세요. 힐랄은 이제 어린아이가 아니지만, 그럼에도 이 아이의 부모님은 걱정하고 계세요. 리허설이 한창인데 그저 환상을 좇겠다고 전문 연주자로서의 경력을 내팽개칠 순 없잖아요."

아름다운 여인은 잠시 말을 멈춘다. 지금 한 말이 정확히 자신이 하고 싶었던 말은 아니었다는 걸 깨달은 것이다.

"그러니까 제가 하고 싶은 말은, 언제든 태평양으로 떠나는 여행을 해도 좋지만, 연주회 리허설을 하는 지금은 아니라는 거죠."

나는 그 말에 동의한다. 하지만 내가 무슨 말을 하든 무슨 소용이겠는가. 힐랄은 자기 머릿속에 있는 생각대로 할 것이다. 이 두 사람을 여기 데려온 것은, 내가 정말로 그녀를 받아들이고 있는지 아니면 이쯤에서 그만둬야 할지 나를 시험해보기 위해서인 듯하다.

"여기까지 와주셔서 대단히 감사합니다. 여러분의 걱정과 음악에 대한 헌신은 존중합니다만," 나는 자리에서 일어나면서 말한다. "하지만 힐랄을 초대한 건 내가 아닙니다. 여행비를 대준 것도 내가 아니고요. 사실 나는 이 아가씨를 잘 알지도 못합니다."

힐랄의 눈이 "거짓말"이라고 외치고 있다. 하지만 나는 계속 말한다.

"그러니 내일 힐랄이 노보시비르스크로 가는 열차에 타고 있더라도 그건 절대로 내 책임이 아닙니다. 내 생각에도 그녀는 여기 있어야 합니다. 두 분이 이 아가씨를 설득해주신다면 저뿐 아니라 여행을 함께하는 다른 모든 사람들도 감사드릴 겁니다."

야오와 힐랄은 웃음을 터뜨린다.

아름다운 여인은 내게 감사하고 내 처지를 십분 이해한다고, 힐랄에게 삶의 현실에 대해 좀더 설명하고 설득해보겠다고 말한다. 모두 작별인사를 나눈다. 넥타이에 정장 차림을 한 남자가 내 손을 잡고 미소를 짓는데, 왠지 그는 힐랄이 이 여행을 계속하기를 바라는 것처럼 느껴진다. 그녀는 오케스트라의 골칫거리임에 틀림없다.

야오는 덕분에 특별한 밤을 보냈다는 인사를 남기고 자기 방으로 올라간다. 힐랄은 꼼짝도 않고 서 있다.

"나는 자러 갈 거요. 당신도 대화를 다 들었잖소. 그런데 솔직히, 도대체 왜 음악학교 선생들을 만나러 갔는지 이해가 안 가는군요. 여행 허가라도 받으려고 했나요? 우리와 여행을 할 거라고 얘기해서 동료들의 부러움을 사고 싶었던 거요?"

"내가 정말로 존재하는 사람인지 알고 싶어서 갔어요. 그 기차에서 일어난 일 이후로 나는 아무것도 확신할 수가 없어요. 그게 뭐였죠?"

그녀가 무슨 말을 하는 건지 이해한다. 1982년 독일 다하우에 있는 수용소에 갔을 때, 내가 우연히 처음으로 알레프를 경험하던 때가 기억난다. 나는 그후 며칠 동안 완전히 혼란에 빠져 있었고, 곁에 아내가 없었더라면 나는 분명 뇌졸중을 일으키고 말았을 것이다.

"정확히 무슨 일이 일어났죠?" 내가 묻는다.

"심장이 미친 듯이 뛰기 시작했어요. 내가 이 세상에 더이상 존재하지 않는 것 같았죠. 엄청난 공포에 사로잡혔고, 언제든 죽을 수도 있겠다는 생각이 들었어요. 내 주위의 모든 것이 기이해 보였고요. 그때 당신이 내 팔을 잡아주지 않았더라면 나는 꼼짝도 못 했을 거예요. 아주 중요한 일들이 내 눈앞에서 벌어지고 있다는 느낌은 들었지만, 그중 아무것도 이해할 수 없었어요."

나는 이렇게 말해주고 싶었다. '거기에 익숙해져요'라고.

"알레프." 내가 말한다.

"한 번도 경험해보지 못한 끝없는 무아경에 빠져 있다가, 어느 순간 당신이 그 단어를 말하는 걸 들었어요."

그날 있었던 일을 떠올리는 것만으로도 그녀는 다시 겁에 질린다. 이 순간을 잘 이용해야 한다.

"아직도 여행을 계속해야겠다고 생각하는 거요?"

"그 어느 때보다 더 확실하게요. 두려움은 언제나 나를 매혹시키거든요. 내가 대사관 만찬에서 한 이야기 기억하시지요……"

그녀에게 호텔 안 바에 가서 커피를 가져다달라고 부탁한다.

그녀 같은 성격의 사람만이 그렇게 할 수 있는 것이, 손님은 우리밖에 없고 웨이터는 어서 문을 닫고 싶어서 안달이 났을 것이기 때문이다. 그녀는 내 주문대로 한다. 웨이터와 잠시 실랑이를 벌인 끝에 필터에 거르지 않은 터키식 커피 두 잔을 들고 온다. 브라질 사람답게 나는 밤늦게 진한 커피를 마시는 것을 저어하지 않는다. 내게 잠을 잘 자고 못 자는 것은 커피가 아닌 다른 사정에 달려 있다.

"당신도 보았듯이 알레프를 설명할 방법은 없어요. 하지만 마법 전승에 따르면 알레프는 두 가지 방식으로 나타난다고 합니다. 첫번째는 현재든 과거든, 작은 것이든 큰 것이든 다른 모든 지점을 아우르는 우주 속의 한 지점이에요. 우리가 기차에서 그랬던 것처럼 대개는 우연히 발견되죠. 그런 일이 일어나려면 그 사람은, 혹은 그 사람들은 알레프가 존재하는 물리적 장소에 있어야 해요. 그것을 작은 알레프라고 불러요."

"그렇다면 그 객차에 올라타서 그 특정 장소에 간 사람은 모두 우리가 느낀 그것을 느낀다는 말인가요?"

"내 말을 끝까지 들으면 이해하기 쉬울 거요. 그래요. 그 장소에 간 사람 역시 같은 걸 느낄 테지만 우리가 경험한 방식대로는 아닐 겁니다. 연회에 갔다가 어느 한 장소가 다른 곳보다 훨씬 편안하고 안전하게 느껴진 적이 있지 않나요? 알레프를 거칠게 비유하자면 그런 거요. 하지만 사람들은 저마다 다른 방식으로 '신성한 에너지'를 경험해요. 만일 당신이 연회장에서 바로 그 장소를 만난다면 그 에너지는 당신이 더 자신감을 갖고 더 확실한 존재감을 느끼도록 도와줄 겁니다. 누군가 객차의 그 지점을 지나간다면, 그는 갑자기 모든 것을 안다는 기이한 느낌을 받겠죠. 하지만 멈춰 서서 거기에 주의를 집중하지 않을 테고, 그렇게 그 효과는 곧 사라지고 마는 겁니다."

"이 세상에 그런 곳이 얼마나 되나요?"

"나도 정확히는 모르지만 아마도 수백만 군데는 될 겁니다."

"알레프가 나타나는 두번째 방식은 뭔가요?"

"먼저 이 이야기부터 마무리 지읍시다. 연회를 예로 든 것은 그냥 비유에 불과해요. 작은 알레프는 언제나 우연히 나타납니다. 당신이 길을 걷고 있거나 어떤 장소에 앉는 순간, 갑자기 온 우주가 거기에 있는 거죠. 제일 먼저 일어나는 일은 펑펑 울고 싶다는 강렬한 욕구를 느끼는 겁니다. 슬픔도 기쁨도 아닌, 감동의 울음이죠. 스스로에게조차 설명할 길이 없긴 하지만, 당신은 그 순간 자신이 무언가를 이해하고 있는 중임을 알고 있는 겁니다."

웨이터가 우리 쪽으로 다가오더니 러시아 말로 뭐라고 하면서 서명을 할 종이를 내민다. 힐랄이 이제 그만 나가야 한다고 말한다. 우리는 문을 향해 걷는다.

심판의 휘슬이 울린 덕분에 살았군!

"그래서요, 두번째는 뭔데요?"

경기가 아직 안 끝난 모양이다.

"두번째는 큰 알레프요."

지금 모든 것을 설명해주고, 그녀가 음악학교로 돌아가 기차에서 있었던 모든 일을 잊어버린다면 그 편이 가장 나을 것이다.

"큰 알레프는 아주 강한 친화력을 갖고 있는 두 명 이상의 사람들이 우연히 작은 알레프에서 만났을 때 일어납니다. 서로 다른 이 두 에너지는 서로를 보완하고 자극해서 연쇄반응을 일으키죠. 이 두 에너지는……"

여기서 더 말해야 할까 망설이지만, 그럴 필요가 없다. 힐랄이 내가 하려던 말을 마저 해버린 것이다.

"이 두 에너지는 전구의 불을 켜는 건전지의 양극과 음극 같은 것이죠. 두 에너지가 같은 빛으로 변하는 거예요. 서로를 끌어당겨 결국 충돌하는 두 행성처럼. 아주 오랜 시간이 흐른 후에야 만나는 연인들처럼. 두번째는, 그러니까 특별한 사명을 위해 운명이 선택한 두 사람이 적확한 장소에서 우연히 만났을 때도 발생하죠."

바로 그거다. 하지만 정말로 그녀가 이해했는지 확실히 하고 싶다.

"'적확한 장소'란 무슨 뜻이죠?" 내가 묻는다.

"그러니까, 그 두 사람은 평생을 함께 살 수도 있고 함께 일할수도 있지만, 딱 한 번만 만나고 영영 헤어질 수도 있어요. 이 세상에서 그 둘을 하나 되게 하는 힘이 속수무책으로 분출되는, 바로 그 물리적 지점을 지나지 않았다는 이유로요. 그렇게 두 사람은 자신들을 가깝게 끌어당긴 것이 무엇이었는지 제대로 이해하지도 못한 채 헤어지는 거죠. 하지만 신께서 원한다면, 사랑을 한번 알게 된 이들은 결국 다시 만나게 돼요."

"꼭 그렇지는 않을 거요. 나와 내 마스터처럼 서로 친화력을 갖고 있는 사람들은……"

"……과거에, 전생에서 말이죠." 그녀가 나의 말을 끊는다. "혹은, 당신이 예로 든 그 연회장 같은 작은 알레프에서 만나, 그 자리에서 사랑에 빠지는 사람들 말이죠. 그 유명한 '첫눈에 반하는 사랑'."

그녀가 들고 있는 이 예시를 계속 사용하는 편이 낫겠다.

"이 경우 '첫눈에 반하는 것'이 아니라, 이미 과거에 여러 번일어났던 일련의 일들에 연결되어 있는 겁니다. 그렇다고 해서 모든 만남이 다 낭만적인 사랑으로 연결되지는 않아요. 그중 대부분은 아직 해결되지 않은 일들이 있기 때문에 발생하고, 그렇기 때문에 우리는 예전에 중단된 것들을 마땅히 있어야 할 자리로 돌려놓기 위해 새로운 육신을 얻어 태어나는 것이지. 당신은 현실과 조응하지 않는 것들을 읽고 있어요."

"당신을 사랑해요."

"아니, 내가 말하는 건 그게 아니오." 나는 격분한다. "나는 이미 이번 생에서 만나야 하는 여자를 만났어요. 그러기까지 세 번을 결혼해야 했고, 이제는 세상 누구와도 아내를 바꿀 생각이 없어요. 아내와 나는 수백 년 전부터 서로 알아왔고, 앞으로 올 몇백 년도 함께할 거요."

하지만 그녀는 내 나머지 말을 들으려 하지 않는다. 모스크바에서 그랬던 것처럼 그녀는 내게 재빨리 입을 맞추고, 예카테린부르크의 차가운 밤 속으로 나가버린다.

꿈꾸는 이는 길들여지지 않는다

생은 기차이지 기차역이 아니다. 그리고 거의 이틀 동안의 기차여행을 하고 나면, 생은 피로와 혼란, 한 장소 안에 갇혀 지내다시피 한 사람들 사이에 점점 고조되는 긴장감, 예카테린부르크에서 보낸 날들에 대한 그리움이기도 하다.

다시 기차에 오르던 날, 야오가 호텔 데스크에 남긴 메시지를 받았다. 아이키도 연습을 함께 하겠느냐는 내용이었지만 나는 답변하지 않았다. 몇 시간 정도 혼자 있을 필요가 있었다.

그날 오전 내내 가능한 한 많은 운동—내 경우 그것은 걷기와 뛰기다—을 하며 시간을 보냈다. 그렇게 하면 다시 기차를 탔을 때 바로 잠들 수 있도록 충분히 피곤해질 것이었다. 아내와의 통화에도 성공했다. 내 휴대전화는 기차 안에서는 작동하지 않았다. 아내에게 시베리아 횡단철도가 최선의 선택은 아니었을지도 모르겠다고, 끝까지 여행을 계속할지 아직 확신할 수는 없지만 어쨌든 해볼 만한 경험이긴 하다고 이야기했다.

아내는 내가 어떤 결정을 내리든 자기는 찬성이라고, 걱정하지 말라고, 자기는 그림을 그리느라 정신없이 바쁘다고 대답했다. 그러면서, 이해할 수 없는 꿈을 꾸었다고 말했다. 내가 바닷가에 앉아 있는데 누군가 바다에서 나오더니, 내가 마침내 사명을 완수하고 있다고 말해주고는 사라져버리더라는 것이다.

나는 그 사람이 여자인지 남자인지 물었다. 아내는 두건으로 얼굴을 가리고 있어 알 수 없었다고 대답했다. 그리고 내게 신의 가호를 빌어주고 걱정하지 말라고 다독거려준 뒤, 가을인데도 지금 리우데자네이루는 찜통더위가 한창이라고 말했다. 그리고 내게 충고해주기를, 직감을 따르라고, 남들이 하는 말에는 조금도 신경쓰지 말라고 했다.

"그런데 그 꿈속에서, 여인인지 소녀인지는 잘 모르겠는데 누군가가 바닷가에 당신과 함께 있었어요."

"여기 젊은 여자 한 명이 있기는 해. 나이는 정확히 모르겠는데 서른 살은 안 됐을 거야."

"그 여자를 믿어봐요."

* * *

그날 오후, 나는 출판사 편집자들과 만나고, 인터뷰를 몇 개 하고, 훌륭한 식당에서 함께 저녁식사를 하고, 밤 열한시쯤 역으로 향했다. 칠흑 같은 어둠 속에서 우리는 아시아와 유럽의 경계선인 우랄산맥을 넘었다. 아무도 아무것도 보지 못했다.

그리고 다시 기차 안의 일상이 시작됐다. 날이 밝으면 모두 눈에 보이지 않는 신호에 따라 움직이기라도 하는 것처럼 아침 식탁 주위로 모여 앉았다. 또다시 아무도 눈을 붙이지 못한 것 같았다. 이런 여행에 익숙해 보이던 야오마저도 그랬다. 그는 갈수록 피곤하고 슬퍼 보였다.

언제나처럼 힐랄이 거기 기다리고 있었다. 그리고 언제나처럼 그 누구보다도 숙면을 취한 모습이었다. 우리는 흔들리는 객차에 대한 불평으로 대화를 시작하면서 아침을 먹었다. 그러고나서 나는 방으로 돌아와 잠을 청했고, 몇 시간 후 일어나 거실로 가서 똑같은 사람들을 만나 앞으로 남은 수천 킬로미터의 여행에 대해 이야기했고, 창문 밖을 내다보며 담배를 피웠고, 기차 스피커에서 흘러나오는 감흥 없는 음악을 들었다.

이제 힐랄은 거의 말이 없었다. 늘 같은 자리에 앉아 책을 읽고, 다른 사람들과는 거의 어울리지 않았다. 나 말고 그녀의 이런 행동에 신경쓰는 사람은 아무도 없는 것 같았지만, 내게는 그녀의 태도가 다른 이들을 철저히 무시하는 행동으로 보였다. 하지만 그녀가 언제나 분위기에 걸맞지 않은 말을 했다는 점을 생각해, 그에 대해 아무 말도 하지 않기로 했다.

아침식사를 끝내면 나는 방으로 다시 돌아와 글을 조금 쓰고, 다시 잠을 청하고, 가까스로 몇 시간 동안 눈을 붙였다. 모두 말하기를, 우리는 빠른 속도로 시간 감각을 잃어가고 있었다. 밤인지 낮인지 신경쓰는 사람이 아무도 없었다. 우리는 식사 시간에 따라 움직이고 있었다. 아마도 죄수들이 이럴 것이라는 생각이 들었다.

저녁식사 시간이 되어 모두 거실에 모였지만, 물보다 보드카를 더 많이 마시고 대화보다 침묵이 길었다. 남자 편집자가 내게, 힐랄은 근처에 내가 없을 때 마치 연습하는 것처럼 바이올린을 켜는 시늉을 한다고 말했다. 나는 체스 선수들도 바로 그렇게 한다고 알고 있다. 그들은 체스판이 앞에 없을 때에도 머릿속으로 전체 게임을 둔다.

"그래요. 그녀는 보이지 않는 존재들을 위해 들리지 않는 음악을 연주하고 있는 겁니다. 어쩌면 그들에게 음악이 필요한지도 모르지요."

* * *

또 한 번의 아침식사다. 하지만 오늘은 어제와 다르다. 인생의 모든 것이 그렇듯 우리는 이 생활에 적응하기 시작하고 있다. 남자 편집자는 자기 휴대전화가 제대로 작동하지 않는다고 불평한다(내 전화기는 한 번도 작동한 적 없다). 그의 아내는 하렘의 궁녀처럼 차려입었는데, 내 눈에는 재미있기도 하고 우스꽝스럽기도 하다. 그녀는 영어를 전혀 못하지만, 우리는 몸짓과 눈빛으로 제법 의사소통을 하고 있다. 힐랄은 사람들과 말을 하기로 한 모양인지, 음악가로 먹고사는 것의 고달픔에 대해 몇 가지 이야기하고 있다. 영예로운 직업일지는 몰라도, 직업 연주가의 수입은 택시운전사보다도 못하다.

"몇 살이세요?" 여자 편집자가 묻는다.

"스물한 살이요."

"그렇게 안 보이는데요."

여자 편집자가 그렇게 말한 것은, "그보다 훨씬 더 나이가 들어 보인다"라는 뜻이다. 그리고 정말로 그래 보였다. 힐랄이 그렇게 어릴 거라고는 나도 생각지 못했다.

"예카테린부르크에 있을 때 음악학교 교장선생님이 호텔로 저를 만나러 왔었어요." 여자 편집자가 계속 말한다. "그분 말씀으로는 당신이 자신이 만나본 가장 재능 있는 바이올리니스트인데 갑자기 음악에 대한 흥미를 완전히 잃었다던데요."

"알레프 때문이에요." 힐랄이 나를 보지 않고 대답한다.

"알레프?"

모두 아연한 표정으로 그녀를 바라본다. 나는 못 들은 척한다.

"네, 알레프요. 그것을 찾을 수가 없어서, 그래서 에너지가 내가 바랐던 대로 흐르지 않았어요. 내 과거의 무언가가 흐름을 막아버린 거죠."

이제 대화는 완전히 괴상한 방향으로 흘러간다. 나는 아무 말 없이 있지만 남자 편집자가 상황을 수습해보려 나선다.

"수학에 관한 책을 한 권 출간한 적이 있는데, 제목에 그 알레프라는 단어가 들어 있었어요. 전문용어로는 '모든 수를 포함하는 수'라는 뜻이지요. 내가 편집한 그 책은 카발라*와 수학에 관한 것이었죠. 수학자들은 알레프라는 말을 무한대를 정의하는 기수基數를 나타내는 말로 사용하는데……"

아무도 그 설명에 귀를 기울이는 것 같지 않다. 그는 도중에 말을 멈춘다.

"요한계시록에 나오는 말이기도 하지요." 나는 이 화제를 처

---

* 히브리 신비철학.

음 듣기라도 한 것처럼 말을 꺼낸다. "하느님의 어린 양이 자신이 처음이며 마지막이라고, 시간을 초월해 존재하는 이라고 말하는 부분에요. 또한 히브리어와 아랍어, 아람어*의 첫 글자이기도 하고요."

이때쯤 여자 편집자는 힐랄을 화제의 중심에 놓은 것을 후회한다. 다시 한번 가시 돋친 말을 해줄 필요를 느낀다.

"어쨌든 이제 막 음악학교를 나와서 눈부신 경력을 눈앞에 두고 있는 스물한 살 아가씨가 모스크바에서 예카테린부르크까지 왔는데 그만하면 충분하지 않나요."

"그 사람이 '스팔라'라면 더더욱 그렇죠."

힐랄은 알레프라는 단어가 불러일으킨 혼란을 보았고, 이제는 또다른 수수께끼 같은 용어로 여자 편집자를 자극하며 즐거워하고 있다.

긴장이 높아진다. 야오가 끼어들기로 작정한다.

"벌써 '스팔라'라고요? 대단하군요!"

그리고 그는 다른 사람들을 향해 말한다.

"다들 아시다시피 '스팔라'는 오케스트라의 제1바이올린 수석

---

* 서(西)셈족에 속하는 아람인의 언어. 구약성서에 쓰인 아람어와 예수가 살던 시절의 팔레스티나 아람어 등이 있다.

을 말하죠. 지휘자가 나오기 전에 마지막으로 무대에 오르고, 오케스트라의 왼쪽 첫째 줄에 앉는 사람입니다. 다른 모든 악기들의 음정 맞추기를 담당하고요. 나는 여기 관련해 재미있는 이야기를 하나 알고 있답니다. 우리의 다음 행선지인 노보시비르스크에 살았을 때 겪은 일이지요. 모두 듣고 싶으신가요?"

다들 스팔라라는 단어의 뜻을 잘 알고 있었다는 듯 고개를 끄덕이며 동의한다.

야오의 이야기는 그다지 재미있지는 않았지만 여자 편집자와 힐랄의 정면 대치는 일단 연기되었다. 노보시비르스크의 유명 관광명소에 대한 지루하기 짝이 없는 이야기가 끝나갈 무렵에는 좌중의 활기가 가라앉고, 사람들은 자기 방으로 돌아가 쉬고 싶어한다. 그리고 나는 대륙을 기차로 횡단하는 이 여행을 떠나올 생각을 한 것에 다시 한번 후회한다.

"오늘의 격언을 걸어놓는 걸 잊었군요."

야오가 노란색 포스트잇을 꺼내어 적는다. '꿈꾸는 이는 길들여지지 않는다.' 그리고 어제 거울에 붙인 종이 옆에 붙인다.

"한 텔레비전 방송 기자가 다음에 정차할 역들 중 한 군데서 기다리고 있어요. 인터뷰가 가능한지 물어보는데요." 남자 편집자가 말한다.

물론 가능하다. 시간을 보낼 수 있게 해주는 일이라면 뭐라도 좋다.

"불면증에 관한 글을 써보시는 건 어떨까요." 남자 편집자의
제안이다. "잠드는 데 도움이 될지 또 압니까."

"나도 당신을 인터뷰하고 싶어요." 힐랄이 끼어든다. 어제의
무기력 상태에서 완전히 벗어난 모습이다.

"내 편집자와 의논해서 시간을 잡아야 할 거요."

나는 자리에서 일어나 객실로 돌아온다. 그리고 평상시처럼
눈을 감은 채 두어 시간 이리저리 뒤척인다. 내 생리적 메커니즘
은 이제 완전히 균형을 잃었다. 그리고 모든 불면증 환자들이 그
러하듯 이 시간을 이용해 흥미로운 일들을 생각해볼 수 있을 거
라고 스스로를 안심시켜보지만, 그건 전적으로 불가능한 일이다.

불현듯 음악소리가 들려온다. 처음에는 별다른 노력도 하지
않았는데 영적 세계를 감지하는 내 능력이 돌아온 거라고 생각
한다. 하지만 음악소리 말고도 철길 위를 달리는 기차 바퀴 소리
와 방 안 탁자 위에 놓인 물건들이 흔들리는 소리도 들린다는 걸
차츰 깨닫기 시작한다.

정말로 음악소리가 들린다. 욕실에서 흘러나오고 있다. 나는
침대에서 몸을 일으켜 그곳으로 간다.

힐랄이 한 발은 욕조 안에, 다른 한 발은 바깥 바닥에 디딘 채
간신히 균형을 잡고 서서 바이올린을 켜고 있다. 그녀는 팬티 한

장만 걸친 내 모습에 미소를 짓는다. 하지만 이 상황이 워낙 자연스럽고 친숙하게 느껴져 나는 굳이 방으로 돌아가 바지를 걸치는 수고를 하지 않는다.

"어떻게 들어온 거요?"

그녀는 연주를 멈추지 않고 욕실을 같이 쓰는 옆방 문을 고갯짓으로 가리킨다. 나는 알았다는 시늉을 해 보이고 욕조 반대쪽 끄트머리에 앉는다.

"오늘 아침 잠에서 깨면서, 내가 당신이 우주의 에너지와 다시 한번 접촉할 수 있도록 도와야 한다는 걸 깨달았어요. 신께서 내 영혼에 오셨어요. 그리고 당신이 그 일에 성공한다면 나 역시 그럴 수 있을 거라고, 그리고 여기로 와 당신이 잠들 수 있도록 재워주라고 말씀하셨어요."

언젠가부터 에너지와의 접촉이 끊어진 느낌이라고, 나는 힐랄에게 그런 말을 한 적이 없는데. 나는 그녀의 이런 행동에 감동을 받는다. 우리 둘이 이리저리 흔들리는 객차 안에서 균형을 잡으려고 애쓰는 동안 그녀의 바이올린 활은 현을 건드리고, 현은 소리를 내고, 그 소리가 욕실 안에 울려퍼지고, 공간은 음악적 시간으로 변모한다. 단순한 악기 하나가 평화를 전달하고 있는 것이다. 역동적으로 살아 움직이는 모든 것으로부터 오는, 신성한 빛.

음표 하나하나, 화음 하나하나에 힐랄의 영혼이 깃들어 있다. 며칠 전 알레프는 내 앞에 서 있는 이 여인에 대해 살짝 드러내 보여주었다. 우리 이야기를 세세하게 기억하지는 못하지만 나는 우리 둘이 만난 적이 있다는 걸 알고 있다. 어떤 상황이었는지는 그녀가 절대로 알아내지 않기를 바란다. 바로 지금 이 순간, 그녀는 사랑의 에너지로 나를 감싸고 있다. 아마도 먼 옛날에도 그랬으리라. 그녀가 오래도록 그래주기를. 우리가 저지른 잘못에도 불구하고 언제나 우리를 구원해줄 유일한 것이 바로 그것이기 때문이다. 사랑은 언제나 가장 강하다.

그 남자들이 도시에 도착해 모든 것을 바꿔놓기 전, 우리가 단둘이 함께했던 마지막 순간에 그녀가 입고 있던 옷을 다시 그녀에게 입혀본다. 수놓인 조끼, 레이스가 달린 흰 블라우스, 금실로 수를 놓은 발목까지 내려오는 검은 벨벳 치마. 나는 그녀가 새들과 나눴다는 대화를, 새들이 인간에게 하려고 하지만 인간은 듣지 못하는 이야기를 듣는다. 지금 이 순간 나는 그녀의 친구이고, 그녀의 고해신부이고, 그녀의……

멈춘다. 꼭 필요한 순간이 아니라면 이 문을 열고 싶지 않다. 이미 그 문을 네 번이나 통과했건만 번번이 어디에도 이르지 못했다. 그렇다, 저 문 너머에 있는 여덟 명의 여자를 모두 기억하고 있고, 언젠가는 필요한 답을 구하리라는 걸 알고 있다. 그러나 아직까지는 그 일들이 내 현재의 삶을 가로막은 적은 없다. 처음에 그 일을 겪었을 때는 두려웠지만 곧 이해하게 되었다. 용서는 그것을 받아들이는 자에게만 효력이 있다는 것을.

나는 용서를 받아들였다.

성서에는 최후의 만찬 중 예수가 "너희 중 한 사람은 나를 부인하고 너희 중 한 사람이 나를 팔리라"고 예언하는 대목이 나온다. 그는 그 두 가지 죄를 똑같은 중죄로 취급한다. 유다는 예수를 배신한다. 그리고 죄책감에 괴로워하다가 스스로 목을 매어 죽는다. 베드로는 예수를 부인한다. 한 번도 아니고 세 번이나. 그에게는 자신이 한 일에 대해 반추할 시간이 있었고, 그는 같은 잘못을 반복했다. 하지만 그는 스스로를 벌하는 대신, 자신의 나약함을 힘으로 바꾼다. 그리하여 베드로는 그를 가장 필요로 했던 순간 그가 버렸던 이의 메시지를 전하는 최초의 위대한 설교자가 된다.

사랑의 메시지는 잘못보다 더 강하다. 유다는 그것을 이해하지 못했고, 베드로는 자기 과업을 달성하는 도구로 사용했다.

이 문을 열고 싶지 않다. 이 문은 바닷물을 막고 있는 둑과도 같다. 작은 구멍 하나만 뚫어도 물의 압력이 둑 전체를 무너뜨리고, 그래서는 안 될 것들이 물에 잠겨버릴 것이다. 지금 나는 기차 안에 있고, 여기에는 힐랄이라는 이름의 터키 여자, 오케스트라의 스팔라, 욕실에서 바이올린을 켜는 한 여자만이 존재한다. 처방이 효과를 발휘하기 시작하는지 졸음이 몰려오기 시작한다. 머리가 숙여지고 눈이 감긴다. 힐랄은 연주를 멈추고 내게 방으로 가서 누우라고 권한다. 나는 그녀의 말을 따른다.

그녀는 의자에 앉아 계속 연주한다. 그리고 어느 순간, 나는 더이상 기차 안에 있지 않다. 흰 블라우스를 입은 그녀를 본 그 정원에 있는 것도 아니다. 나는 아무것도 없는 곳으로, 꿈도 없는 아주 깊은 잠으로 나를 이끄는 아주 깊은 터널 안을 유영하고 있다. 잠들기 전 내가 마지막으로 떠올린 것은 그날 아침 야오가 거울에 붙여놓은 문장이다.

야오가 나를 부른다.

"기자가 왔습니다."

아직 낮이고, 기차는 역에 정차해 있다. 자리에서 일어난다. 머릿속이 빙빙 돈다. 문을 살짝 열고 보니 밖에 남자 편집자가 나를 기다리고 있다.

"내가 몇 시간이나 잤나요?"

"온종일 주무신 것 같은데요. 지금은 오후 다섯시입니다."

시간을 좀 달라고 말한다. 샤워를 하고 정신을 좀 차려야 나중에 후회할 말을 안 할 것 같다.

"걱정하지 마세요. 앞으로 한 시간 정도는 여기에 정차해 있을 거니까요."

기차가 멈춰 있어 다행이다. 흔들리는 기차에서 샤워를 하는 것은 힘들고 위험한 일이다. 자칫 잘못해 미끄러져 다치면, 가능한 가장 우스꽝스러운 모습으로—목발을 짚고—여행을 마치게 될 것이다. 이 욕조에 들어갈 때마다 나는 서핑보드를 타는 것 같은 기분을 경험했는데, 오늘은 수월하다.

십오 분 후 나는 거실로 나와 일행들과 함께 커피를 마신다. 그리고 기자와 인사를 나누고 인터뷰 시간이 얼마나 걸릴지 묻는다.

"한 시간으로 약속했습니다. 그리고 저는 다음 역까지 선생님과 동행하려고 생각하고 있고……"

"십 분만 합시다. 인터뷰가 끝나고 바로 이 역에서 내리시면 되죠. 기자분께서 괜한 수고를 하시는 건 원치 않습니다."

"하지만 선생님은……"

"괜한 수고를 끼치고 싶지 않아요." 나는 같은 대답을 반복한다. "사실 어떤 인터뷰도 수락하지 말았어야 했는데, 머릿속이 맑지 않은 상태에서 약속을 잡아버리고 말았군요. 내게 이 여행의 목적은 다른 데 있어요."

기자는 편집자를 바라보지만 그는 창밖으로 눈을 돌린다. 야오가 거실 테이블에서 촬영을 하는 게 어떻겠느냐고 묻는다.

"기차 출입문 옆에 있는 저 공간이 더 낫겠는데요."

힐랄이 나를 바라본다. 거긴 알레프가 있는 곳이다.

그녀는 저 테이블 앞에 하루 종일 앉아 있는 게 지겹지도 않은 걸까? 바이올린을 연주하고 나를 시공간이 존재하지 않는 장소로 보낸 후, 그녀는 내가 자는 모습을 지켜보았을까, 문득 궁금해진다. 나중에 이것에 대해 함께 이야기할 시간이 있을 것이다.

"좋습니다." 내가 말한다. "카메라를 설치하시지요. 그런데 그저 궁금해서 묻는 건데, 여기도 괜찮은데 왜 저 작고 시끄러운 공간에서 인터뷰를 하려는 겁니까?"

하지만 기자와 카메라맨은 이미 그곳으로 향하고 있고, 우리는 그들을 따라간다.

"왜 이렇게 좁은 곳에서 인터뷰를 하려는 거죠?" 장비를 설치하는 동안 나는 다시 한번 묻는다.

"시청자들에게 실감나는 화면을 보여주기 위해서죠. 여기는 바로 여행에서 일어나는 모든 일들이 일어나는 장소입니다. 객실에서 나온 사람들은 통로가 비좁아서 여기에 와서 대화를 나눠요. 담배를 피우는 사람들이 모이는 곳도 이곳이죠. 어떤 이는 이곳에서 은밀한 만남을 가지기도 합니다. 모든 객차에는 양 끝에 이런 장소가 있지요."

지금 이 순간 이 네모난 공간은 나와 카메라맨과 편집자와 통역자와 힐랄, 구경하러 온 요리사까지 있어 북적북적했다.

"프라이버시를 좀 지켜주셨으면 좋겠는데요."

텔레비전 인터뷰만큼 프라이버시와 거리가 먼 것도 없지만, 그래도 편집자와 요리사는 자리를 비켜준다. 그러나 힐랄과 통역자는 움직일 기색이 없다.

"약간 왼쪽으로 옮겨주시겠습니까?"

아니, 안 된다. 그곳은 이 장소에 있었던 수많은 사람들에 의해 만들어진 알레프가 존재하는 지점이다. 비록 힐랄이 충분한 거리를 두고 떨어져 있고, 그 특별한 지점 안으로 빨려들어가려면 그곳에 우리가 함께 서 있어야 한다는 것을 알고 있지만, 위험을 무릅쓰지 않는 편이 나을 것 같다.

카메라에 불이 들어온다.

"시작하기 전에 한 가지 묻고 싶습니다. 선생님은 이번 여행의 목적이 인터뷰나 책 홍보가 아니라고 하셨는데요. 그렇다면 시베리아 횡단 여행을 결심하게 된 이유는 무엇입니까?"

"그러고 싶었으니까요. 청소년 시절부터의 꿈입니다. 별 복잡한 이유는 없어요."

"제가 알기로 이런 기차는 편안한 여행 수단은 아닌데 말입니다."

나는 자동 조종 모드를 작동시키고 너무 깊게 생각하지 않고 대답하기 시작한다. 경험과 기대, 그리고 독자와의 만남 등에 대한 질문이 이어진다. 나는 인내심과 예의를 갖추어 대답하지만, 빨리 끝내고 싶어 죽을 지경이다. 머릿속으로 계산해보니 지금쯤이면 이미 십 분이 지났을 텐데 기자는 계속 질문을 이어간다. 카메라에 잡히지 않도록 슬쩍 손을 들어 이제 그만 끝내자는 신호를 보낸다. 기자는 약간 당황하는 듯했지만 자세를 풀지 않는다.

"지금 혼자 여행중이신가요?"

눈앞에서 불빛이 깜빡인다. "경보!" 벌써 소문이 돌고 있는 듯하다. 그제야 이것이 바로 이 예기치 않은 인터뷰의 유일한 목적이라는 생각이 든다.

"그럴 리가요. 아까 테이블 주변에 있는 사람들을 보셨지 않습니까?"

"하지만 예카테린부르크 음악학교의 수석 바이올리니스트가 여기에……"

훌륭한 기자다. 그는 가장 까다로운 질문을 가장 마지막으로 남겨놓았다. 하지만 내가 지금 생애 첫번째 인터뷰를 하는 것도 아니다. 나는 즉시 그의 말허리를 자르며 말한다.

"……그래요, 그녀와 같은 기차를 타고 있지요." 그러고는 그가 말할 틈을 주지 않는다. "그 사실을 알고 난 후, 그녀가 원할 때면 언제든 우리 객차를 방문해달라고 초대했지요. 나는 음악 애호가거든요."

나는 힐랄을 가리켜 보인다.

"매우 재능 있는 젊은 여성이죠. 가끔 우리에게 바이올린 연주를 감상하는 기쁨을 제공하고 있습니다. 그녀를 인터뷰하고 싶은가요? 아마 성실히 응하리라고 봅니다만."

"시간이 되면 그렇게 하겠습니다."

아니다, 그는 음악 이야기를 하러 여기 오지 않았다. 하지만 그는 고집을 부리지 않고 화제를 바꾸기로 한다.

"선생님께 신은 무엇인가요?"

"신을 아는 사람이라면 신에 대해 설명하지 않아요. 신을 설명하는 사람은 신을 모르는 사람입니다."

뭐라고!

나 자신도 그 말을 하고 놀란다. 나는 이제까지 이런 질문을 셀 수 없이 많이 받았고, 그럴 때마다 자동 조종 모드로 이렇게 대답했다. "신께서 당신을 모세에게 드러냈을 때 그분은 말씀하셨습니다. '나는 스스로 있는 나다.'* 즉, 신은 주어도 술어도 아닌 동사, 바로 행동입니다."

야오가 다가온다.

"좋습니다. 이것으로 인터뷰를 마치도록 하지요. 시간 내주셔서 대단히 감사합니다."

---

* 출애굽기 3장 14절.

빗속의 눈물처럼

객실로 돌아와 방금 다른 이들과 나눈 이야기를 열정적으로 적어내려가기 시작한다. 잠시 후면 노보시비르스크에 도착한다. 그 무엇도, 작은 것 하나도 잊어버려서는 안 된다. 누가 무엇을 물어봤는지는 중요하지 않다. 내가 한 대답을 빠짐없이 기록해 둔다면 내 안을 들여다보며 성찰할 훌륭한 자료가 될 것이다.

* * *

인터뷰가 끝나고 방송국에서 온 사람들이 기차에 좀더 머물 것 같아 나는 힐랄에게 바이올린을 가져와달라고 부탁한다. 그 러면 카메라맨이 그녀를 찍을 것이고, 그녀의 연주는 대중에게 알려질 것이다. 하지만 기자는 지금 바로 내려서 테이프를 편집국에 보내야 한다고 말한다.

그사이 힐랄이 바로 내 객실 옆의 빈방에 두고 왔던 바이올린을 들고 돌아온다.

여자 편집자가 나선다.

"그런데 여기 계속 머물고 싶으면 객차 숙박비를 나눠 내야 하지 않겠어요? 얼마 안 되는 우리 공간을 사용하고 있잖아요."

하지만 내 눈빛에서 뭔가를 보았는지 더 고집을 부리진 않는다.

"기왕 가져왔는데 한 곡 연주해줄 수 있을까요?" 야오가 힐랄에게 말한다.

나는 열차 안 스피커를 꺼달라고 부탁한다. 그리고 힐랄에게 짧은 곡으로, 되도록 아주 짧은 곡으로 연주해달라고 말한다. 그녀가 연주를 시작한다.

객차 안의 분위기는 완전히 정화된다. 모두가 그렇게 느꼈음이 분명하다. 끝없이 계속되던 피로가 사라져버렸기 때문이다. 나는 깊은 평화를, 몇 시간 전 내 객실에서 느꼈던 것보다 훨씬 큰 평화를 느낀다.

왜 몇 달 전 나는 더이상 '신성한 에너지'와 접촉할 수 없다고 불평을 했단 말인가? 말도 안 되는 소리! 우리는 언제나 그것과 연결되어 있는데, 우리의 일상 때문에 그것을 알아차리지 못할 뿐이다.

"말은 해야겠는데 정확히 무슨 말을 해야 할지 모르겠군요. 그러니 아무거나 묻고 싶은 것을 질문해주십시오." 내가 말한다.

지금부터 말하는 것은 내가 아닐 테지만, 그건 설명해봐야 소용없다.

"과거 어느 곳에선가 나를 만난 적이 있죠?" 힐랄이 묻는다.

여기서? 모두가 지켜보고 있는 앞에서? 그것이 그녀가 내게서 듣기 원하는 대답인가?

"그건 중요하지 않아요. 당신이 생각해야 할 것은, 지금, 바로 이 순간, 우리 각자가 있는 곳이에요. 우리는 모스크바와 블라디보스토크 사이의 거리를 재듯 시간을 측정하는 것에 습관이 들어 있어요. 하지만 그런 게 아닙니다. 시간은 움직이는 것도, 멈춰 있는 것도 아니에요. 다만 변화하는 것일 뿐. 우리는 이 끊임없는 변화 안에서 한 지점을 차지하고 있고 그것이 우리의 알레프요. 시간이 흐른다는 개념은 기차가 몇 시에 떠날 것인지를 알아야 할 때라면 중요하지만, 그 외에는 별로 쓸모가 없어요. 심지어 요리를 할 때조차 그렇죠. 같은 음식을 만들더라도 그때마다 맛이 달라지지 않습니까. 무슨 말인지 이해하죠?"

힐랄이 물꼬를 트자 모두가 질문을 하기 시작한다.

"우리는 우리가 배운 것들로부터 비롯된 결과가 아닌가요?"

"우리는 과거에서 배웠지만 우리가 그 결과물은 아닙니다. 우리는 과거에 고통받았고, 과거에 사랑했고, 과거에 울고 웃었습니다. 하지만 그런 사실들은 현재에 아무런 쓸모가 없어요. 현재에는 현재의 도전, 현재의 나쁜 일과 좋은 일이 있을 따름입니다. 지금 일어나고 있는 일 때문에 과거를 탓해서도, 과거에 감사해서도 안 됩니다. 매번 새로 맞이하는 사랑의 경험은 이미 지나간 사랑의 경험과는 아무런 상관이 없습니다. 사랑의 경험은 언제나 새로운 것이에요."

나는 그들에게 말하고 있지만, 동시에 나 스스로에게도 이야기하고 있다.

"사랑을 순간적으로 시간 안에 고정시키는 것이 가능할까요?" 나는 질문한다. "노력해볼 수는 있겠지요. 하지만 그러면 우리 생은 지옥으로 변해버릴 겁니다. 내가 이십 년 넘게 결혼생활을 하고 있는 사람은 똑같은 사람이 아닙니다. 그렇다고 하면 그건 거짓말이에요. 아내도 나도 예전과 같은 사람이 아니고, 바로 그렇기 때문에 우리의 관계가 그 어느 때보다 생생하게 살아 있는 겁니다. 나는 아내가 처음 만났을 때처럼 행동하길 원하지 않아요. 그녀 역시 내가 자신이 처음 만났던 그 사람이길 바라지 않습니다. 사랑은 시간을 초월해 존재합니다. 아니, 이렇게 말하는 것이 낫겠군요. 사랑은 하나의 지점인 알레프 안에 존재하는, 끊임없이 변모하는 시간과 공간입니다."

"사람들은 그렇게 생각하는 데 익숙하지 않아요. 사람들은 모든 것이 있는 모습 그대로 지속되기를 바라는……"

"……그로 인한 유일한 결과는 고통뿐입니다." 나는 질문을 끊으며 말한다. "우리는 사람들이 우리에게 바라는 대로 존재하지 않습니다. 우리는 우리가 스스로 결정한 대로 존재합니다. 남을 탓하는 일이야 언제나 쉽지요. 세상을 탓하면서 평생을 보낼 수도 있어요. 하지만 당신이 거두는 성공과 실패는 온전히 당신 책임입니다. 시간을 멈추려고 애써볼 수도 있겠지요. 하지만 결국은 에너지만 낭비한 셈이 될 겁니다."

갑자기 기차가 급제동을 하고, 모두 깜짝 놀란다. 나는 내가 하고 있는 말을 계속 이해하고 있지만, 테이블 주위에 둘러앉은 사람들도 그런지는 확신할 수 없다.

"기차가 멈추지 않고 사고가 나서 모든 것이 끝나버린다고 상상해봅시다. 영화 〈블레이드 러너〉에서 안드로이드가 말했듯, 모든 기억들이 빗속의 눈물처럼 사라져버린다고 말이죠. 과연 정말로 그럴까요? 사라지는 것은 아무것도 없습니다. 모든 것은 시간 안에 보관됩니다. 내 첫 입맞춤은 어디에 보관되어 있을까요? 내 뇌의 어느 숨겨진 곳에? 이미 멈춰버린 일련의 전기충격 안에? 지금 나의 첫 입맞춤은 그 어느 때보다 생생하고, 나는 결코 그 기억을 잊지 못할 겁니다. 그것은 여기, 내 가까이에 있어요. 그것은 내 알레프의 일부를 이루고 있어요."

"하지만 이 순간 저는 해결해야 할 문제들이 산더미예요."

"그 문제들이라는 것은 당신이 '과거'라고 부르는 것 안에 존재하고, 당신이 '미래'라고 부르는 것 안에서 결정되기를 기다리고 있어요. 그 문제들 때문에 당신의 정신은 마비되고 오염되고, 현재를 제대로 이해하지 못하는 겁니다. 경험에만 의존하는 것은 새로운 문제를 낡은 해결책으로 풀려고 하는 것이나 다름없어요. 나는 자신의 문제에 대해서 말할 때만 비로소 자신이 누구인지를 드러내는 사람들을 많이 알고 있습니다. 그렇게 그들은 존재합니다. 그들의 문제라는 것이, 그들이 '개인사'라고 판단하는 것들과 관련되어 있기 때문이지요."

아무도 견해를 밝히지 않아 나는 설명을 계속한다.

"기억으로부터 자유로워지려면 엄청난 노력이 필요합니다. 그렇지만 한번 거기에 성공하면, 생각했던 것보다 훨씬 더 많은 것들이 가능하다는 사실을 깨닫게 되지요. 당신은 '우주'라고 하는 이 거대한 육체 안에 살고 있어요. 그 안에는 모든 해결책과 모든 문제가 담겨 있지요. 자신의 과거를 찾아가지 말고 자신의 영혼을 찾아가세요. '우주'는 그 안에 과거를 품은 채 수없이 변화하고 있어요. 우리는 이 변화 하나하나를 '생'이라고 부르지요. 하지만 당신의 몸을 구성하는 세포가 바뀌어도 당신이 여전히 같은 사람이듯, 시간은 지나가는 것이 아니고 그저 변화할 뿐입니다. 당신은 자신이 예카테린부르크에 있었을 때와 같은 사람이라고 생각하지만, 그렇지 않아요. 나 역시 이 이야기를 하기 시작했을 때의 내가 아닙니다. 이 기차는 힐랄이 바이올린을 연주했던 그 장소에 있지 않아요. 모든 것이 변했어요. 그저 우리가 그 사실을 분명히 깨닫지 못할 뿐."

"하지만 언젠가 이 생도 끝나지요." 야오가 끼어든다.

"끝난다고요? 죽음은 다른 차원으로 통하는 문입니다."

"그렇지만 선생이 말한 그 모든 것에도 불구하고, 우리가 사랑하는 사람들도 우리 자신도 언젠가는 떠나게 됩니다."

"아뇨, 우리는 사랑하는 사람들을 절대로 잃지 않아요. 그들은 우리와 함께합니다. 그들은 우리 생에서 사라지지 않아요. 다만 우리는 다른 방에 머물고 있을 뿐이죠. 나는 옆 객차 안에 무엇이 있는지 볼 수 없습니다. 하지만 그곳에는 분명히 나와 당신과, 우리 모두와 같은 시간에 여행하고 있는 사람들이 있습니다. 우리가 그들과 이야기를 나눌 수 없다는 것, 다른 객차 안에서 일어나고 있는 일을 알 수 없다는 것은 조금도 중요하지 않아요. 그들은 거기에 있어요. 그러므로 우리가 '생'이라고 부르는 것은 여러 개의 객차로 이루어진 기차와도 같은 것입니다. 때로는 이 칸에 탔다가 때로는 저 칸에 타고, 꿈을 꾸거나 기이한 경험에 휩쓸리면 이 칸에서 저 칸으로 가로지르기도 하는 것이죠."

"하지만 그들을 보거나 그들과 대화를 나눌 수도 없는데요."

"아뇨, 할 수 있어요. 매일 밤 잠을 자는 동안, 우리는 다른 차원으로 이동합니다. 그리고 살아 있는 사람들과, 우리가 죽었다고 믿는 사람들과, 다른 차원에 있는 사람들과, 우리 자신, 즉 과거에 우리 자신이었거나 앞으로 우리 자신이 될 사람들과 대화를 나눕니다."

에너지는 한층 부드럽게 흐르고 있다. 어느 순간 에너지와의 접촉이 끊어질 수도 있다는 걸 나는 알고 있다.

"사랑은, 우리가 죽음이라고 부르는 것보다 언제나 강합니다. 그렇기 때문에 우리가 사랑하는 이들을 위해 울 필요는 없는 것이죠. 그들은 언제나 우리가 사랑하는 사람으로 남고, 우리 곁에 머물러 있기 때문입니다. 이런 이야기를 받아들이는 것이 무척 어려운 일이기는 합니다. 여러분이 믿지 못한다면, 내가 아무리 설명을 해봐야 소용이 없습니다."

고개를 숙이고 있는 야오의 모습이 눈에 들어온다. 전에 그가 내게 한 질문은 이제 그 답을 얻었다.

"그러면 우리가 미워하는 사람들은요?"

"다른 쪽으로 넘어가버린 우리의 적들 역시 과소평가해서는 안 됩니다." 나는 대답한다. "마법 전승에 따르면, 그들은 '여행자'라는 흥미로운 이름을 가지고 있습니다. 그들이 여기서 어떤 해를 끼칠 수 있다는 말은 아닙니다. 여러분이 허락하지 않는 한, 그들은 아무런 해도 끼칠 수 없습니다. 왜냐하면, 사실 우리는 그들과 함께 거기에 있고, 그들은 우리와 함께 여기에 있기 때문입니다. 한 기차 안에 있는 것이죠. 문제를 해결하는 유일한 길은, 잘못을 바로잡고 갈등을 극복하는 것입니다. 때로는 결말에 이르기 위해 여러 번의 '생'을 거쳐야 할지도 모르지만, 어느 순간에는 결국 그렇게 될 것입니다. 우리는 영원이 다하도록 서로 만나고 또 헤어지길 반복합니다. 한 번 돌아온 후에는 떠나고, 떠난 후에는 또 돌아오기를 계속하는 거죠."

"그런데 선생님은 우리가 전체의 일부라고 했습니다. 그 말은 우리가 존재하지 않는다는 뜻인가요?"

"아뇨, 우리는 존재합니다. 다만, 하나의 세포가 존재하는 것과 같은 방식으로 존재합니다. 하나의 세포는 파괴적인 암을 유발해 유기체의 많은 부분을 손상시킬 수도 있습니다. 하지만 행복과 심신의 안정을 불러오는 호르몬을 분비할 수도 있지요. 하지만 세포는 사람이 아닙니다."

"왜 이렇게 많은 갈등들이 존재하는 건가요?"

"'우주'가 전진하기 위해서이고 육체가 변화하기 위해서입니다. 개인적인 차원의 문제가 아닙니다. 잘 들어보세요."

그들은 듣고 있지만 알아듣지는 못한다. 좀더 명료하게 말할 필요가 있다.

"지금 이 순간, 철로와 바퀴는 갈등을 일으키고 있어요. 그리고 우리는 그 두 금속이 내는 마찰음을 듣고 있습니다. 하지만 바퀴의 존재를 정당화해주는 것은 철로이고, 철로의 존재를 정당화해주는 것은 바퀴입니다. 금속에서 나는 소음은 중요치 않아요. 그저 하나의 현상일 뿐, 불만의 함성이 아니지요."

이제 에너지는 거의 사라졌다. 사람들이 계속 질문을 해오지만 이제는 일관된 자세로 답변할 수가 없다. 모두 이제 멈춰야 할 때라는 걸 깨닫는다.

"고맙습니다." 야오가 말한다.

"내게 감사하지 마십시오. 나 역시 듣고 있었습니다."

"선생이 말씀하신 것은……"

"내가 하는 이야기는 특별할 것도 없는 이야기이자 모든 이야기입니다. 여러분 모두 힐랄을 대하는 내 태도가 변한 것을 보았을 겁니다. 그녀에게 아무 도움도 되지 않을 테니 내가 여기서 이런 말을 해서는 안 되겠지요. 도리어 한 나약한 영혼이 우리가 질투라고 일컫는, 사람을 저속하게 만들 뿐인 감정을 느낄 수도 있을 테니까요. 하지만 힐랄과의 만남은 내게 어떤 문을 열어주었습니다. 내가 원하던 문이 아닌, 다른 문이었지만요. 그 문을 통해 나는 내 삶의 다른 차원으로 건너갔습니다. 많은 갈등들이 해결되지 않고 남아 있는 다른 객차로 옮겨간 거죠. 그리고 지금 그곳에, 나를 기다리는 사람들이 있습니다. 나는 그곳으로 가야 해요."

"다른 차원, 다른 객차⋯⋯"

"맞아요. 신께서 오로지 그분만이 아는 이유로 이 기차를 멈출 때까지, 우리는 영원히 같은 기차를 타고 있는 겁니다. 하지만 우리 객실에만 머무는 것은 불가능하기 때문에, 우리는 이곳에 서 저곳으로, 한 생에서 다른 생으로 움직입니다. 마치 그 생들 이 차례대로 일어나는 것처럼요. 하지만 그렇지 않지요. 나는 과 거의 나였던 사람이고, 미래의 나일 사람입니다. 모스크바의 한 호텔 앞에서 힐랄을 만났을 때 그녀는 내가 쓴, 산꼭대기에 피운 불 이야기에 대해 말했습니다. 성스러운 불에 관한 이야기는 하 나 더 있습니다. 지금 들려드리지요.

위대한 랍비 이스라엘 셈 토브는 그의 백성이 박해받는 것을 보고 숲으로 가서 성스러운 불을 피우고 신께 그의 백성을 보호 해줄 것을 간청하는 특별한 기도를 올렸습니다. 이에 신께서는 기적을 내려주셨어요.

이후 그의 제자인 메즈리크의 마지드는 스승의 발자취를 좇아 숲속의 같은 장소로 가서 말했습니다. '우주의 주인이시여, 저는 성스러운 불을 지필 줄은 모르지만 특별한 기도를 알고 있나이다. 제 기도를 들어주소서!' 그러자 다시 한번 기적이 일어났습니다.

한 세대가 지났고, 자신의 백성들이 박해받는 것을 보고 랍비 사소브의 모세 리브는 숲으로 가서 말했습니다. '저는 신성한 불을 지필 줄도 모르고 특별한 기도도 모릅니다. 하지만 저는 이 장소를 기억하고 있습니다. 부디 저희를 도와주소서, 주님!' 그리고 신께서는 그들을 도와주었습니다.

오십 년이 지난 후 랍비 리진의 이스라엘이 휠체어에 탄 채로 신께 말했습니다. '저는 신성한 불을 지필 줄도 모르고, 기도문도 모르고, 숲속의 그 장소를 찾지도 못하겠습니다. 제가 할 수 있는 것이라고는 당신께서 제게 귀 기울여주시기를 바라며 이 이야기를 하는 것뿐입니다.'"

지금 이야기를 하고 있는 것은 '신성한 에너지'가 아닌 나 자신이다. 그러나 나는 성스러운 불을 다시 지피는 방법도, 심지어 그 불을 왜 지펴야 하는지도 모르지만, 적어도 이야기 하나를 들려줄 수는 있다.

"그녀에게 친절히 대해주십시오."

힐랄은 못 들은 척하고 있다. 다른 모든 이들도 마찬가지다.

시베리아의 시카고

우리는 모두 우주를 떠도는 영혼이고, 그리고 동시에 우리의 생을 살아가는 영혼이다. 그러나 그러는 동안 우리는 한 생에서 또다른 생으로 옮겨가는 것처럼 느낀다. 우리 영혼의 법칙을 건드리는 모든 것들은 결코 잊히지 않고 이후에 일어나는 모든 일들에 영향을 준다.

나는 사랑이 담긴 눈길로 힐랄을 바라본다. 그것은 시간 혹은 우리가 시간이라고 상상하는 것을 가로질러, 마치 거울에 빛이 반사되듯 그렇게 되비치는 사랑이다. 그녀는 한 번도 내 사람인 적이 없었고 영영 내 사람일 수 없을 것이다. 이미 그렇게 쓰여 있기 때문이다. 우리는 창조자인 동시에 피조물이지만 또한 신의 손에 의해 조종되는 꼭두각시이기도 하므로, 우리 앞에는 넘을 수 없는 선이 존재한다. 우리로서는 알지 못하는 이유로 그어진 선이. 강물 가까이 다가가 발가락으로 물을 건드려볼 수는 있지만, 그 물속으로 뛰어들어 흐르는 물에 몸을 맡기는 것은 금지되어 있다.

나는 생에 감사한다. 꼭 필요했던 순간, 그녀와의 재회를 허락해준 것에. 마침내 나는 저 문을 다섯번째로 통과해야 한다는 것을 받아들이기 시작했다. 설혹 답을 찾지 못하더라도 말이다. 나는 생에 감사한다. 이전에는 두려웠으나 이제는 그렇지 않다는 것에. 나는 생에 감사한다. 지금 내가 이 여행을 하고 있다는 것에.

오늘 밤 그녀가 질투를 느끼는 것을 보니 재미있다. 재능 있는 바이올리니스트에 자신이 원하는 것을 쟁취하는 기술이 뛰어난 투사임에도 불구하고, 그녀는 여전히 어린아이이고 언제까지나 아이일 것이다. 삶이 주는 가장 좋은 것을 진정으로 구하는 나와 그런 모든 이들이 그러하듯이. 어린아이만이 그렇게 할 수 있다.

나는 그녀의 질투를 자극할 것이다. 그럼으로써 그녀는 다른 이들의 질투에 어떻게 행동해야 할지 알게 되리라. 나는 그녀의 맹목의 사랑을 받아들일 것이다. 그럼으로써 그녀가 언젠가 다시 누군가를 맹목적으로 사랑하게 될 때, 자신이 어떤 땅을 밟고 있는지 알게 될 것이기 때문이다.

* * *

"이곳은 '시베리아의 시카고'라고 불리기도 하지요."

시베리아의 시카고라. 이런 비유는 대체로 매우 이상하게 들린다. 시베리아 횡단철도가 생기기 전, 노보시비르스크는 인구 팔천 명도 되지 않았다. 이제 이 도시의 인구는 백사십만 명을 넘어섰다. 철도가 태평양을 향해 강철과 불의 질주를 계속할 수 있도록 해주는 다리* 덕분이다.

속설에 의하면, 러시아에서 가장 아름다운 여자들이 이 도시에 산다고 한다. 그간 거쳐온 다른 도시들과 비교해볼 기회는 없었지만, 내가 본 바로는 충분히 현실적인 근거가 있는 이야기다. 지금 나와 힐랄은 노보시비르스크의 아름다운 여신 한 명과 함께 이제는 현실과는 아주 동떨어진 것으로 다가오는 무언가 앞에 서 있다. 바로 공산주의 이론을 현실화한 남자, 레닌의 거대한 동상이다. 미래를 손으로 가리켜 보이고 있지만 이제는 받침대에서 내려와 세상을 바꿀 수 없는, 저 턱수염을 기른 남자를 바라보는 것보다 낭만적인 일은 없을 것이다.

---

* 3680킬로미터에 이르는 오비강 위에 놓인 철교. 이 다리는 시베리아 횡단철도를 만들었을 때 함께 세워져 1893년에 개통되었다. 이 다리 덕분에 노보시비르스크는 급속한 발전을 이루었다.

시카고 이야기를 꺼낸 사람은 그 여신이었다. 타티아나라는 이름의 그녀는 엔지니어이고, 서른 살 정도에(나는 여자 나이를 맞히는 법이 없지만, 추측에 근거한 내 세계를 만들어가는 중이다), 파티와 만찬이 끝난 후 우리와 시내 구경을 하게 되었다. '테라 피르마' 위를 걸으니 마치 다른 행성에 와 있는 기분이다. 계속해서 움직이지 않는 바닥에 익숙해지는 것도 힘든 일이다.

"바에 가서 한잔 마시고 춤도 춥시다. 우리는 가능한 한 몸을 많이 움직일 필요가 있어요."

"하지만 우리는 피곤하잖아요." 내 제안에 힐랄이 말한다.

이럴 때면 나는 여성의 입장이 되어 그녀의 말 뒤에 숨은 뜻을 읽을 줄 안다. '당신은 지금 이 여자와 같이 있고 싶은 거죠.'

"피곤하면 호텔로 돌아가도 좋아요. 나는 타티아나와 계속 구경을 할 테니까."

힐랄은 화제를 바꾼다.

"보여드리고 싶은 것이 있어요."

"그럼 보여줘요. 그러기 위해 단둘이 있을 필요는 없잖소. 우리가 서로 알게 된 지 열흘도 안 됐어요. 안 그래요?"

내 말에 힐랄은 '내가 이 남자와 동행인 여자예요'라는 태도를 누그러뜨린다. 타티아나는 활기를 찾는다. 나 때문이 아니다. 여자들이 언제나 서로에게 자연스레 경쟁심을 느끼기 때문이다.

타티아나가 내게 '시베리아의 시카고'에서 밤을 즐기는 법을 보여주고 싶다고 말한다.

받침대 위에 서 있는 레닌은 이 모든 것이 다 익숙한 풍경이라는 듯 우리를 담담한 시선으로 내려다보고 있다. 그가 프롤레타리아 천국을 건설하고자 하는 대신 사랑의 독재에 더욱 헌신했더라면 훨씬 더 나은 결과를 얻었을지도 모르리라.

"그럼 날 따라오세요."

날 따라오라고? 내가 뭐라고 반응하기 전에 힐랄은 단호한 걸음으로 앞장서서 걷기 시작한다. 그녀는 그 일격을 피하고 판세를 역전시키고 싶어하고, 타티아나는 바로 그 미끼를 문다. 우리는 다리 쪽으로 난 넓은 길을 걸어가기 시작한다.

"여기를 잘 아세요?" 여신이 살짝 놀라워하며 힐랄에게 묻는다.

"그건 그쪽이 말하는 '안다'는 것이 무엇을 의미하느냐에 따라 다르죠. 우리는 모든 것을 다 알아요. 바이올린을 연주할 때면 나는 어떤 존재를 감지해요…… 그것은……"

그녀는 적당한 단어를 찾는다. 마침내 그녀는, 나는 이해하지만 타티아나를 대화에서 배제시킬 단어를 찾아낸다.

"……그것은 내 주위에 존재하는 어떤 넓고 강력한 '정보의 장'이에요. 내가 통제할 수 있는 것은 아니에요. 그것이 나를 통제하고, 내가 의구심에 빠지는 순간에 올바른 화음으로 나를 이끌죠. 나는 이 도시를 알 필요가 없어요. 그저 도시가 나를 원하는 곳으로 나를 데려가도록 놔두면 돼요."

힐랄은 점점 빨리 걷는다. 놀랍게도 타티아나는 힐랄이 말하는 바를 완벽하게 이해한다.

"나는 그림 그리는 걸 좋아해요." 타티아나가 말한다. "내 직업은 엔지니어지만, 텅 빈 캔버스 앞에 있으면 붓질 하나하나가 시각적인 명상이라는 걸 발견하죠. 그림을 그리는 것은 나의 일을 통해서는 절대로 만날 수 없는 행복으로 나를 데려가는 여행이에요. 절대로 그 행복을 포기하고 싶지 않아요."

레닌은 지금 막 일어난 것과 같은 일을 수십 번, 수백 번 목격했을 것이다. 처음에는 잃지 말아야 하거나 정복해야 하는 제3의 인물을 사이에 두고 벌어지는 두 힘의 충돌을. 하지만 두 힘이 동맹이 되어 제3의 인물은 잊거나 그저 사소한 것으로 치부하게 되는 데는 그리 오랜 시간이 걸리지 않는다. 나는 이제 마치 소꿉친구인 양 내 존재는 무시한 채 러시아어로 재잘대는 두 여자를 따라갈 뿐이다. 날씨가 추웠지만—아마 시베리아의 이 지역은 일 년 내내 추위가 계속되는 곳이리라—산책을 하니 기운이 솟고 점점 기분이 좋아진다. 일 킬로미터를 걸어갈 때마다 점점 나의 왕국에 가까워지는 기분이다. 튀니지에서는 이런 일이 내게 결코 일어나지 않을 거라고 생각했다. 하지만 아내가 옳았다. 혼자 있으면 약해지기는 해도 더욱 열린 상태가 된다.

두 여자를 따라다니다보니 피곤하다. 내일은 야오에게 아이키도를 연습하자는 메시지를 남겨야겠다. 요즘은 머리가 몸보다 더 많이 일하고 있다.

* * *

우리는 어딘지도 모를 곳, 중앙에 분수가 하나 있는 텅 빈 광장에서 멈춘다. 분수대의 물은 얼어붙어 있다. 힐랄은 가쁘게 숨을 몰아쉬고 있다. 계속 저렇게 숨을 몰아쉬면 산소 과다로 몸이 붕 뜬 것 같은 기분이 들 것이다. 내게는 더이상 흥미로울 것 없는, 인위적인 무아경이다.

이제 힐랄은 내가 처음 보는, 어떤 연극 같은 의식을 주관한다. 우리에게 손에 손을 잡고 분수를 바라볼 것을 주문한다.

"전능하신 신이시여," 그녀는 여전히 가쁜 숨을 몰아쉬고 있다. "여기 이곳에 열린 마음으로 기다리고 있는 '당신'의 자녀들에게 '당신'의 전령을 보내주소서."

이어 그녀는 아주 널리 알려진 종류의 기도문을 외우기 시작한다. 타티아나 역시 무아경에 들어가는 것처럼 손을 떨고 있는 것이 느껴진다. 힐랄은 '우주' 혹은 아까 그녀가 '정보의 장'이라고 부른 것과의 소통에 들어간 듯하다. 그녀는 계속 기도문을 외운다. 타티아나의 손이 떨리기를 멈추더니 있는 힘을 다해 내 손을 꼭 잡는다. 십여 분 후 의식은 끝난다.

내가 생각하는 바를 말해야 할지 망설여진다. 하지만 지금 이 순간 순수한 자애와 사랑으로 가득한 이 여자는 솔직한 이야기를 들을 자격이 있는 사람이다.

"나는 이해하지 못하겠군요." 내가 말한다.

그녀는 당황한 표정이다.

"영혼들에게 가까이 가게 해주는 의식이에요." 그녀가 설명한다.

"그걸 어디서 배웠지요?"

"책에서요."

계속해서 말해야 할까, 아니면 단둘이 있을 때를 기다려야 할까? 타티아나도 의식에 참여했으니 계속하기로 한다.

"당신이 공부한 것과 또 그 책을 쓴 사람은 충분히 존중합니다만, 내가 보기에 단단히 오해하고 있는 것 같군요. 당신이 치른 그런 의식이 무슨 소용이 있죠? 나는 '우주'와 소통하고 그를 통해 인류를 구원하고 있다고 믿고 있는 사람들을 수백만 명이나 보았어요. 하지만 사실 그런 방식은 아무런 효과도 없기 때문에 그들은 매번 실패하고, 그럴 때마다 조금씩 희망을 잃어가지요. 그 희망을 언제나 새로운 정보가 담긴 다음 책이나 다음 세미나로 다시 채워나가면서요. 하지만 얼마 지나지 않아 배운 것은 잊어버리고 희망은 사라지죠."

힐랄은 놀라는 눈치다. 그녀는 내게 바이올린 재능 말고 다른 뭔가를 보여주고 싶어했지만, 하필이면 내가 일 퍼센트도 관용을 베풀 수 없는 유일한 분야, 그 위험한 분야를 건드린 것이다. 타티아나는 내가 너무 무례하다고 느꼈는지 바로 새 친구를 옹호하고 나선다.

"하지만 기도는 우리를 신께 가까이 데려가주잖아요?"

"다른 질문으로 그 질문에 대답하지요. 그 모든 기도문이 내일 태양을 떠오르게 할까요? 물론 아니죠. 태양은 우주의 법칙에 따라서 떠오릅니다. 신께서는 우리가 외우는 기도문과 상관없이 우리 가까이에 있어요."

"우리의 기도가 아무 소용이 없다는 말인가요?" 타티아나가 계속 묻는다.

"그런 말이 결코 아닙니다. 만약 당신이 일찍 일어나지 않는다면, 해가 뜨는 것을 볼 수 없겠지요. 마찬가지로 당신이 기도하지 않는다면, 아무리 신께서 당신 가까이 있더라도 그분의 존재를 느끼지 못할 겁니다. 하지만 아까 당신들이 한 그런 기도만

이 어딘가에 닿을 수 있는 유일한 방법이라고 믿는다면, 차라리 남은 평생을 미국 소노라 사막이나 인도 아슈람*에서 사는 편이 나을 겁니다. 우리가 사는 이 현실적 삶에서는 신은 오히려 지금 막 기도를 한 힐랄의 바이올린 안에 존재합니다."

갑자기 타티아나가 울음을 터뜨린다. 나와 힐랄은 어쩔 줄을 몰라한다. 우리는 타티아나가 울음을 그치고 그녀가 느끼는 바를 이야기해주길 기다린다.

"고마워요." 그녀가 말한다. "선생님이 생각하기에 이런 기도가 소용없다고 하더라도, 고마워요. 나는 세상에서 가장 행복한 사람인 척 억지로 행동하고 있지만, 내 안에는 너무 많은 상처가 있어요. 그런데 적어도 오늘 나는 느꼈어요. 누군가 내 손을 잡고, 당신은 혼자가 아니야, 우리와 함께 가자, 당신이 알고 있는 것을 우리에게 보여줘, 라고 말하고 있구나 하고요. 나 자신이 사랑받고 있고, 쓸모 있고, 중요한 사람이라고 느낀 거예요."

그녀는 힐랄을 향해 계속 말한다.

"심지어 당신이 여기서 태어나 쭉 살아온 나보다 이 도시를 더잘 안다고 단언했을 때도, 나는 무시당했다거나 모욕당했다고 느끼지 않았어요. 내가 더이상 혼자가 아니라고, 누군가 내게 내

가 모르는 것을 보여줄 거라고 믿었어요. 그동안 한 번도 이 분수를 눈여겨본 적이 없었죠. 하지만 이제부터는 힘든 일이 있을 때마다 이곳에 와 나를 지켜달라고 신께 기도드릴 거예요. 알고 있어요, 말이 중요한 게 아니라는 걸요. 살아오면서 이미 수도 없이 비슷한 기도를 드렸지만 한 번도 응답받지 못했죠. 믿음은 점점 더 멀어져가고 있었어요. 그런데 오늘, 어떤 일이 일어난 거예요. 당신들은 외국인이지만 내게는 이방인이 아니기 때문이죠."

타티아나는 말을 이었다.

"당신은 나보다 훨씬 어리고, 내가 겪은 고통을 겪지 않았고, 아직 인생을 몰라요. 운이 좋은 사람이죠. 당신은 한 남자를 사랑하고 있어요. 그렇기 때문에 내가 다시 삶을 사랑할 수 있도록 해줄 수 있었어요. 덕분에 나는 다시 누군가와 사랑에 빠질 수 있을 거예요."

힐랄은 눈을 내리깐다. 이건 그녀가 듣고 싶었던 이야기가 아니다. 어쩌면 그녀도 같은 말을 하려고 계획하고 있었는지도 모른다. 그런데 여기 러시아 노보시비르스크에서 다른 사람이 그 말을 하고 있다. 애초에 신께서 이 땅에 창조해놓은 모습과는 무척 다르지만, 우리가 그러하리라고 상상하는 현실 속에서. 지금 이 순간 그녀의 머릿속은 갈등하고 있다. 한편으로는 타티아나의 가슴에서 우러나온 말들을 받아들이고 싶지만, 다른 한편으로는 "다들 알고 있어. 기차에 있는 사람들도 눈치챈 거라고"라는 경고로 이 특별한 순간을 멈추고 싶은 것이다.

"그러니까 지금 나는 스스로를 용서했고, 마음이 한결 가벼워졌어요." 타티아나가 계속 말한다. "당신들이 여기 왜 왔는지, 왜 내게 함께하자고 제안했는지는 몰라요. 하지만 당신들은 내가 느껴온 바를 확인시켜주었어요. 만나야 할 사람들은 결국 만나게 된다는 사실을. 나는 방금 나 자신을 구원한 거예요."

정말로 그녀의 표정은 변해 있었다. 여신은 이제 요정이 되어 있었다. 그녀는 힐랄을 향해 두 팔을 활짝 벌리고, 힐랄은 그녀에게 다가간다. 두 여자는 포옹한다. 타티아나가 나를 보며 나도 가까이 오라고 고갯짓을 하지만 나는 가지 않는다. 나보다는 힐랄에게 그녀의 포옹이 더 필요하다. 힐랄은 마법을 보여주고 싶어했지만 그녀가 보여준 것은 판에 박힌 형식에 지나지 않았다. 하지만 그 판에 박힌 형식이 마법으로 변했다. 그 에너지를 성스러운 것으로 변화시킬 줄 아는 한 여자가 있었기 때문이다.

여전히 두 여자는 끌어안고 있다. 나는 분수대의 얼어붙은 물을 바라본다. 저 물은 언젠가 녹아 흐를 것이고, 이윽고 다시 얼어붙고, 다시 또 흐를 것임을 나는 알고 있다. 우리의 마음도 그러하다. 시간에는 순응하지만, 영원히 멈추지 않는다.

타티아나는 가방에서 명함을 꺼낸다. 그리고 잠시 머뭇거리더니 힐랄에게 내민다.

"잘 가요." 타티아나가 말한다. "여기 내 전화번호예요. 다시는 당신들을 볼 수 없다는 걸 알아요. 어쩌면 방금 내가 한 말들은 한순간 구제불능의 낭만적인 기분에서 나온 것에 지나지 않고, 모든 것은 곧 예전처럼 돌아갈지도 모르죠. 하지만 내겐 무척 중요한 경험이었어요."

"잘 있어요." 힐랄이 말한다. "이 분수대로 오는 길을 알았으니까, 호텔로 돌아가는 길도 내가 찾을 수 있을 거예요."

힐랄이 내 팔짱을 낀다. 우리는 추위 속을 함께 걷는다. 만난 후 처음으로 그녀를 여자로서 원한다. 그녀를 호텔 문 앞까지 데려다주고 그녀에게 말한다. 나는 혼자서 생각을 하며 좀더 걸어야겠다고.

화和의 도道

안 된다. 그럴 수 없다. 그리고 나 스스로에게 천 번도 넘게 다짐해야 한다. 나는 원하지 않는다고.

야오는 옷을 벗고 팬티 차림으로 선다. 일흔 살이 넘었는데도 그의 몸은 근육으로 단단하다. 나도 옷을 벗는다.

내겐 이것이 필요하다. 기차 안에 틀어박혀 여러 날을 보내기 때문이 아니라, 내 안의 욕망이 통제할 길 없이 커져가고 있기 때문이다. 비록 그 욕망은 서로 떨어져 있을 때, 가령 그녀가 자기 방으로 가거나 내가 업무 약속으로 바쁠 때 가장 커지지만, 나는 알고 있다, 내가 그 욕망에 쉽게 굴복할 것임을. 우리의 첫 만남이었을 것으로 짐작하는 그 전생의 만남에서도 그랬다. 그녀와 떨어져 있으면 그녀 말고는 아무것도 생각할 수 없었다. 그러다가 그녀가 가까이에, 볼 수 있고 만질 수 있는 곳에 있게 되면 나 자신을 억제할 필요도 없이 악마의 유혹은 저절로 사라졌다.

그러니 그녀는 여기 있어야 한다. 바로 지금, 너무 늦기 전에.

야오가 도복으로 갈아입고 나도 그렇게 한다. 우리는 야오가 전화를 서너 통 걸어 찾아낸 도장을 향해 아무 말 없이 걸어간다. 도장 안에는 연습하고 있는 사람들이 많다. 우리는 빈 공간을 찾아간다.

"화和에 이르는 길은 광대하며 눈에 보이는 세계와 보이지 않는 세계를 아우르는 커다란 그림을 드러내 보인다. 무도인은 신성함의 정점에 도달한 자로서, 언제나 더 큰 이상에 헌신해야 한다." 백여 년 전 우에시바 모리헤이*는 아이키도 기술을 개발하며 이렇게 말했다.

그녀의 육체에 이르는 길은 바로 옆의 저 문 너머에 있다. 나는 두드릴 것이고, 그녀는 문을 열 것이고, 내가 정확히 무엇을 원하는지 묻지도 않을 것이다. 내 눈에서 다 읽을 테니까. 아마도 그녀는 두려워하리라. 아니면, 이렇게 말할지도 모른다. "들어와요. 이 순간을 기다리고 있었어요. 내 몸은 신성함의 정점이고 우리가 다른 차원에서 살아내고 있는 모든 것을 드러내기 위

---

* 일본의 전통 무예인 아이키도의 창시자.

해 여기 존재하는 거예요."

야오와 나는 고개를 숙이고 전통 방식의 인사를 나눈다. 우리의 눈빛이 달라진다. 이제 우리는 대련할 준비가 되었다.

그리고 내 상상 속 그녀 역시 고개를 숙인다. "네, 준비가 됐어요. 나를 안고 내 머리카락을 움켜잡아요"라고 말하는 것처럼.

야오와 나는 가까이 다가서서 서로의 도복 뒷덜미 부분을 잡고, 자세를 취하고, 대련을 시작한다. 일 초 후 나는 바닥에 누워 있다. 그녀를 생각할 수 없다. 우에시바의 영靈을 부른다. 우에시바는 그의 가르침을 통해 나를 도와주고, 나는 도장으로, 내 대련 상대에게로, 대련으로, 아이키도로, 화의 도로 가까스로 돌아온다.

"마음과 우주를 조화롭게 하라. 육체와 우주가 함께 호흡하게 하라. 우주와 하나가 되어라."

하지만 공격의 힘은 나를 더욱 그녀에게 가까이 데려간다. 나도 공격한다. 그녀의 머리채를 잡아 침대에 쓰러뜨린다. 그녀의 몸 위에 내 몸을 던진다. 우주와의 조화란 바로 이것이다. 한 남자와 한 여자가 하나의 에너지로 전환되는 것.

바닥에서 몸을 일으킨다. 워낙 오랜만에 하는 대련이고, 내 머릿속 상념은 먼 곳을 헤매고 있고, 균형을 잡는 법조차 잊어버렸다. 야오는 내가 다시 자세를 취하기를 기다린다. 그의 자세를 보면서 발을 놓아야 할 위치를 기억해낸다. 그의 앞에 제대로 자세를 잡고 서고, 우리는 다시 서로의 도복 뒷덜미 부분을 움켜잡는다.

다시 한번, 내 앞에 있는 사람은 야오가 아닌 힐랄이다. 처음에는 손으로 잡고, 그다음에는 무릎으로 눌러, 나는 그녀의 팔을 움직이지 못하게 하고 블라우스 단추를 풀기 시작한다. 영문도 모르는 사이에 나는 다시 날아간다. 바닥에 누워 형광등이 매달려 있는 천장을 바라본다. 어떻게 이렇게 어이없을 정도로 방어를 하지 못하는지 알 수가 없다. 야오가 나를 일으켜주려고 손을 내밀지만 나는 거절한다. 혼자 일어날 수 있다.

다시 도복 목덜미를 잡는다. 또다시 나의 상상은 이곳을 떠나 먼 곳을 여행한다. 나는 침대로 돌아온다. 그녀의 블라우스는 이미 풀어져 있다. 젖꼭지가 단단하게 솟은 작은 젖가슴 위로 입을 맞추려고 고개를 숙이자, 그녀는 다음 동작에 대한 흥분과 쾌감이 섞인 짧은 몸부림을 친다.

"집중하십시오." 야오가 말한다.

"집중하고 있어요."

거짓말이다. 야오도 알고 있다. 내 생각을 읽지는 못하지만, 그는 내가 여기 없다는 것은 알고 있다. 나의 몸은 후끈 달아올라 있다. 두 번 패대기쳐지고 일격을 받을 때마다 멀리 바닥에 내던져진 그녀의 블라우스, 청바지, 운동화로 인해 분출된 아드 레날린 때문이다. 다음번 공격을 예상하기란 불가능하지만, 본 능과 집중력에 따라 대처하는 것은 가능하⋯⋯

야오가 옷깃을 놓더니 내 손가락 하나를 잡고 고전적인 방식으로 꺾는다. 손가락 하나만 잡혔을 뿐인데 온몸이 마비되어버린다. 손가락 하나 때문에 다른 모든 기능이 멈춘다. 소리를 지르지 않으려고 안간힘을 다하지만, 극심한 통증 때문에 눈앞에 별들이 보이고 도장이 갑자기 사라져버리는 것 같다.

처음에는 그 고통이 내가 몰두해야 할 대상인 화의 도에 집중하도록 만드는 것 같다. 그러나 곧 고통은 우리가 입 맞추는 동안 그녀가 내 입술을 깨무는 느낌에 자리를 내주고 만다. 이제 내 무릎은 그녀의 팔을 누르고 있지 않다. 그녀의 손은 나를 꽉 붙잡고 있고, 그녀의 손톱은 내 등을 파고들고, 내 왼쪽 귀에 그녀의 신음소리가 흘러들어온다. 앙다문 그녀의 이가 긴장을 늦추고, 그녀는 살짝 고개를 틀었다가 다시 내게 입을 맞춰온다.

"자신의 마음을 닦으라. 그것은 모든 무사에게 필요한 규율이니. 마음을 다스릴 수 있는 자만이 적을 제압할 수 있다."

내가 하려는 것이 바로 그것이다. 나는 그의 기술에서 겨우 빠져나와 다시 야오의 도복을 잡는다. 그는 지금 내가 굴욕을 느낀다고 생각하고 있다. 그리고 내 수년간의 수련이 아무것도 아니라는 걸 알았으니, 이번에는 틀림없이 내가 공격하도록 허용할 것이다.

나는 그의 생각을 읽었다. 그녀의 생각을 읽었고, 나를 지배하도록 내버려둔다. 힐랄은 나를 침대로 눕히더니 내 몸 위에 올라타 내 허리띠를 풀고 바지를 내리기 시작한다.

"화의 도는 흐르는 강물과 같아서 그 무엇도 거스르지 아니하니, 시작하기도 전에 승리하는 길이다. 누구나 다른 사람이 아닌 자기 자신과 싸우는 것이니, 화의 도는 패하지 않는다. 자신을 이기는 자만이 세상을 이길 수 있다."

그렇다. 내가 지금 하고 있는 것이 그것이다. 온몸의 피가 어느 때보다 빠르게 흐른다. 땀이 눈으로 흘러드는 바람에 앞을 제대로 볼 수 없다. 하지만 내 적수는 이 유리한 상황을 이용하지 않는다. 두 합 만에 그가 바닥에 쓰러진다.

"그러지 마십시오." 내가 말한다. "나는 무슨 일이 있어도 이겨야 하는 어린아이가 아닙니다. 이 순간 나의 싸움은 다른 차원에서 벌어지고 있어요. 내가 더 잘하지도 않았는데 이기게 양보하지 마세요."

그는 내 뜻을 이해하고 사과한다. 우리는 여기서 대련을 하는 것이 아니라 '도'를 수련하고 있는 것이다. 그가 다시 내 도복을 잡고, 나는 오른쪽으로 올 공격에 대비한다. 그러나 마지막 순간, 공격은 방향을 바꾼다. 야오의 한 손이 내 팔을 붙잡아 비트는데, 팔이 부러지지 않으려면 나는 무릎을 꿇을 수밖에 없다.

아프기는 하지만 기분은 훨씬 나아진다. 화의 도는 일견 대립처럼 보이지만 그런 게 아니다. 화의 도는 부족한 것은 채우고 넘치는 것은 비우는 기술이다. 내 모든 힘을 거기에 집중하자, 차츰 나의 상상은 침대를 떠나고, 내 바지를 내리며 내 성기를 애무하는, 젖꼭지가 단단하게 선 작은 가슴의 여자를 떠난다. 이 싸움 안에 나 자신과의 대결이 있다. 수없이 넘어지더라도 다시 일어나 반드시 이겨야 한다. 나눈 적 없는 입맞춤과 도달하지 못한 오르가슴과 아무런 제약도 편견도 없는, 거칠고 야성적이고 낭만적인 섹스 후의 존재하지 않는 애무…… 이 모든 것들이 사라져간다.

나는 화의 도에 서 있다. 내 모든 에너지는 여기, 아무것도 거스르지 않는 강물 속으로 쏟아져들어가, 그 길을 끝까지 따라 흘러가 처음 목표한 대로 바다에 이른다.

나는 다시 일어선다. 그리고 다시 또 넘어진다. 거의 한 시간 동안 우리는 주위 사람들과 완벽하게 유리되어 대련을 한다. 도장 안의 사람들 역시 우리와 마찬가지로, 하루하루의 삶에서 완벽한 자세를 취하게 해줄 정확한 위치를 찾기 위해 집중하고 있다.

마침내 우리 둘 다 땀에 흠뻑 젖고 기진맥진한다. 그는 내게 절을 하고, 나는 그에게 절을 하고, 우리는 샤워장으로 향한다. 대련을 하는 내내 두들겨 맞았지만 내 몸에는 흔적 하나 없다. 상대에게 상처를 주는 것은 자기 스스로를 상처 입히는 것과 다르지 않다. 다른 이가 다치지 않도록 공격을 제어하는 것, 그것이 화의 도다.

나는 몸 위에 흘러내리는 물이 내 상상 속에서 쌓이고 또 흐려진 모든 것들을 씻어가도록 내버려둔다. 이미 그러리라는 것을 알고 있지만 다시 욕망이 돌아오면, 나는 야오에게 아이키도를 수련할 장소를 찾아달라고 부탁할 것이다. 우리가 처음에 얘기했던 것처럼 그 장소가 기차 안의 복도가 되더라도 나는 화의 도를 다시 찾을 것이다.

산다는 것, 그것은 수련을 하는 것이다. 우리는 수련할 때 우리 앞에 있는 것에 대비한다. 삶과 죽음은 의미를 잃고, 존재하는 것은 오직 도전이다. 기쁜 마음으로 맞아들이고 평정심을 가지고 극복하는 도전만이 있을 뿐이다.

* * *

"어떤 사람이 선생과 얘기를 좀 하고 싶다고 합니다." 옷을 입는 동안 야오가 말한다. "내가 신세를 진 적이 있는 사람이라서, 만남을 주선해보겠다고 했어요. 나를 봐서 만나주셨으면 합니다만."

"하지만 내일 아침 일찍 출발하잖습니까." 일정을 떠올리며 내가 말한다.

"다음번 정차할 곳에서요. 물론 나야 그저 통역자일 뿐이니, 내키지 않으면 말씀하십시오. 바빠서 안 된다고 할 테니까요."

그 자신도 알고 있듯, 그는 그저 통역자가 아니다. 그는 내가 도움이 필요할 때, 그 이유는 알지 못해도 도움이 필요하다는 것을 알아채는 사람이다.

"좋습니다. 말씀하신 대로 하지요." 나는 그의 청을 받아들인다.

"나는 평생 무술을 공부하고 수련해온 사람입니다." 그가 말을 시작한다. "화의 도를 개발했을 때, 우에시바는 상대를 물리적으로 제압하는 것만 생각한 게 아니었습니다. 배움의 길에 있는 자가 분명한 목표만 가진다면, 그 사람은 내면의 적 역시 극복할 수 있습니다."

"나는 대련을 한 지 꽤 오래되었습니다."

"믿을 수 없군요. 수련을 안 한 지는 꽤 되었을지 몰라도, 화의 도는 언제나 선생 안에 있습니다. 한번 배우면 잊을 수가 없지요."

나는 야오가 무슨 말을 하려는지 알고 있다. 이쯤에서 대화를 끊을 수도 있지만, 나는 그가 계속 말하도록 놔둔다. 그는 경험

206

이 풍부하고 명석하고 역경으로 단련된 사람이고, 이번 생에서만 여러 번 세계를 바꿔야 했음에도 불구하고 살아남은 사람이다. 그에게 뭔가 숨기려 해봐야 소용없는 일이다.

나는 하던 이야기를 계속해달라고 청한다.

"선생은 나와 싸우고 있던 것이 아닙니다. 그 젊은 여자와 싸우고 있었지요."

"맞습니다."

"그렇다면 여행하는 동안 시간이 될 때마다 수련을 계속해야 할 겁니다. 그리고 일전에 기차에서 선생이 해준 이야기에 감사하고 있습니다. 삶과 죽음을 한 객차에서 다른 객차로 옮겨가는 것으로 비유하고, 우리가 한 생에서 그런 일을 여러 번 경험하게 된다고 설명해주었지요. 그날, 아내를 먼저 보낸 후 처음으로 평화로운 밤을 보냈습니다. 꿈속에서 아내를 만났고, 그녀가 행복하다는 걸 알았지요."

"아시겠지만, 나는 나 자신에게도 말하고 있었습니다."

나 역시 그에게 고마움을 표한다. 대련에서 정당한 상대가 되어주고, 내가 이길 자격이 없었던 싸움에서 승리하지 않게 해준 것에 감사하다고.

불의 고리

"자기 주위에 있는 모든 것을 활용하는 전략을 개발하라. 도전을 준비하는 최상의 방법은 무한히 다양한 반응을 이끌어낼 능력을 기르는 것이다."

마침내 인터넷 접속이 가능해졌다. 화의 도에 대해 배운 모든 것을 기억해두어야 했다.

"화를 추구하는 것은 빛과 열을 발생시키는 기도의 한 방식이다. 자신에 대해서는 잠시 잊어두고, 빛 속에는 지혜가 있고 열 속에 공감이 깃들어 있음을 이해하라. 이 행성을 여행하면서 하늘과 땅의 진정한 모습을 인식하고자 노력하라. 이는 두려움에 마비되지 않고, 모든 몸짓과 태도를 그대가 생각하는 바와 일치시킬 때에 가능해지리라."

누군가 문을 두드린다. 나는 너무 몰두하고 있던 터라 무슨 일인지 이해하는 데 시간이 걸린다. 처음에는 아무 대답도 하지 말까 하는 충동이 일었다가, 급한 문제일 수도 있다는 생각이 든다. 이 시간에 남을 깨울 강심장이 누가 있겠는가.

문을 향해 가는 동안, 그럴 강심장을 가지고도 남을 사람이 하나 있다는 생각이 머리를 스친다.

힐랄이 밖에 서 있다. 잠옷 바지에 빨간색 티셔츠 차림이다. 아무런 말 없이, 그녀는 내 방으로 들어오더니 내 침대에 눕는다.

나도 그녀 옆에 눕는다. 힐랄이 가까이 다가오고 나는 그녀를 품에 안는다.

"어디 있었어요?" 그녀가 묻는다.

'어디 있었느냐'는 말은 단순한 질문 이상의 것이다. 이 질문을 하는 사람은 동시에 "당신이 보고 싶었다" "당신과 같이 있고 싶다" "앞으로는 가는 곳을 내게 말하고 다녀라"고 말하는 것이다.

나는 아무 대답도 하지 않고 그녀의 머리만 쓰다듬는다.

"타티아나에게 전화를 해서 오후를 함께 보냈어요." 그녀는 내가 묻지도 대답하지도 않은 질문에 답한다. "그 여자는 슬픈 사람이에요. 슬픔은 전염이 되죠. 내게 말하기를, 쌍둥이 언니가 있는데 마약중독자인데다 직업도 정상적인 애정관계도 오래 유지하지 못하는 사람이래요. 하지만 타티아나가 슬픈 건 그 때문이 아니에요. 그녀는 성공했고 아름답고 남자들한테 인기도 있고 좋아하는 일을 하고 있고, 비록 이혼은 했지만 벌써 그녀를 사랑하는 새 남자도 만났어요. 문제는, 타티아나가 자기 언니를 볼 때마다 지독한 죄책감을 느낀다는 거죠. 첫째, 그녀가 할 수 있는 게 아무것도 없어서예요. 둘째, 자신의 성공이 언니의 패배를 더욱 쓰라리게 만들어서죠. 말하자면 우리는 어떤 상황에 놓이더라도 결코 행복할 수 없는 거예요. 그런 식으로 생각하면서 사는 사람이 이 세상에 타티아나 혼자는 아니죠."

나는 계속해서 그녀의 머리를 쓰다듬는다.

"대사관 만찬에서 내가 한 이야기 기억하죠? 모든 사람들이 내가 비범한 재능을 갖고 있다고, 훌륭한 바이올리니스트인데다 앞으로 경력을 인정받고 영광을 누릴 거라 확신해요. 우리 선생님도 그렇게 말하고 이렇게 덧붙였죠. '힐랄은 너무 자신감이 없고 불안정해요.' 하지만 그건 사실이 아니에요. 나는 연주 테크닉에 통달했고, 영감을 얻기 위해 집중해야 할 포인트를 잘 알고 있어요. 하지만 나는 바이올린을 위해서 태어나지 않았고, 아무도 그게 아니라고 나를 설득할 수 없어요. 내게 악기는 현실에서 도망치기 위한 수단이고, 나를 나 자신으로부터 아주 먼 곳으로 데려가주는 불의 전차예요. 그것 덕분에 나는 살아 있어요. 내가 지금까지 살아남을 수 있었던 건, 내가 느끼는 모든 증오로부터 나를 구원해줄 그 한 사람을 만나기 위해서였어요. 그리고 당신의 책을 읽었을 때 나는 알았어요. 그 사람이 바로 당신이라는 걸. 확실해요."

"확실하다."

"타티아나를 도와주고 싶어서 나는 얘기했죠. 어린 소녀였을 때부터 내게 다가오는 모든 남자들을 파괴시키는 데만 몰두했는데, 그건 단지 그중 한 명이 생각 없이 나를 파괴하려 했기 때문이었다고요. 하지만 그녀는 내 이야기를 믿지 않아요. 내가 그저 어린아이라고 생각하고 있죠. 그녀가 나를 만난 건 당신에게 접근하고 싶어서였어요."

힐랄은 몸을 움직여 내게 더 가까이 온다. 그녀의 체온이 느껴진다.

"그녀는 우리와 같이 바이칼 호수까지 가도 되느냐고 물어왔어요. 그곳으로 가는 기차가 매일 노보시비르스크를 지나가지만 한 번도 탈 이유가 없었는데, 이제 그 이유가 생겼다는 거예요."

생각했던 대로, 우리가 함께 침대 위에 누운 지금 내가 옆에 있는 젊은 여자에게 느끼는 것은 다정함뿐이다. 나는 불을 끈다. 이제 방 안을 밝히는 빛은 맞은편 공사현장에서 발산하는 용접 불꽃뿐이다.

"그럴 수 없다고 했어요. 기차에 오른다고 해도 당신이 있는 객차에 갈 수 없을 거라고요. 기차 승무원들이 다른 등급의 객차로 건너가도록 놔두지 않는다고요. 그녀는 내가 자신이 끼어들지 않았으면 한다는 걸 알았어요."

"여기 사람들은 밤새 일하는군." 내가 말한다.

"내 얘기 듣고 있어요?"

"듣고는 있지만 이해하진 못해요. 누군가 나를 만나러 왔어요, 당신이 나를 만나러 온 것과 같은 이유로. 그런데 그녀를 도와주는 대신 밀어내버리다니."

"두려우니까요. 그녀가 너무 가까이 접근할까봐, 그래서 당신이 내게 흥미를 잃을까봐 두려워요. 내가 누구인지, 지금 여기서 무엇을 하고 있는지 확실히 모르기 때문에, 이 모든 것들이 갑자기 사라져버릴까봐 두려워요."

왼팔을 움직여 담배를 찾는다. 그리고 한 개비는 나를, 또 한 개비는 그녀를 위해 불을 붙인다. 재떨이를 내 가슴 위에 올려놓는다.

"나를 원하나요?" 그녀가 묻는다.

나는 이렇게 말하고 싶다. '그래. 당신이 내 곁에 없을 때, 당신이 내 머릿속 환상으로만 존재할 때 나는 당신을 원해. 오늘 거의 한 시간 동안 아이키도 대련을 하면서 당신을, 당신의 몸을, 당신의 다리를, 당신의 가슴을 생각하느라 정작 대련에는 아주 적은 양의 에너지밖에 소모하지 못했어요. 나는 내 아내를 사랑하고 원하는 남자요. 그런데, 당신을 원해. 나는 당신을 원하는 유일한 남자가 아니고, 아내가 있으면서도 다른 여자를 원하는 유일한 남자도 아니오. 우리 모두는 상상 속에서 불륜을 저지르고, 용서를 구하고, 또다시 똑같은 일을 저지르지. 내가 당신을 품에 안고 있으면서도 당신 몸을 만지지 않는 것은 죄가 두려워서가 아냐. 그런 죄책감은 없어요. 하지만 지금 당신과 사랑을 나누는 것보다 훨씬 중요한 무언가가 있어요. 바로 그것 때문에 내가 지금 당신 옆에 평화롭게 누워 있는 거요. 옆 건물 공사현장의 용접 불꽃이 밝혀주는 이 호텔 방 안을 바라보면서.'

그러나 대신 나는 이렇게 대답한다. "물론 당신을 원해요. 그것도 무척. 나는 남자고, 당신은 무척 매력적인 여성이오. 그뿐 아니라 나는 당신을 향해 날로 커가는 깊은 애정을 품고 있어요. 당신이 얼마나 능란하게 여성에서 소녀로, 소녀에서 여성으로 바뀌는지 감탄스러워. 바이올린의 활이 현을 건드려 신성한 멜로디를 만들어내는 것과도 같아요."

두 개의 담뱃불이 빨갛게 달아오른다. 그리고 뿜어져나오는 두 줄기의 담배연기.

"왜 내 몸에 손대지 않는 거죠?"

나는 담배를 끈다. 그녀도 제 담배를 끈다. 계속 그녀의 머리를 쓰다듬으며 나는 과거로 여행을 떠나려 한다.

"나는 지금 우리 두 사람을 위해 무척 중요한 일을 하려고 해요. 알레프를 기억해요? 나는 우리를 두렵게 한 그 문 안으로 들어가야 해."

"그럼 나는 무엇을 해야 하죠?"

"아무것도. 그저 내 옆에 있으면 돼."

내 몸 위로 황금빛으로 빛나는 고리가 오르내리는 모습을 상상하기 시작한다. 고리는 발부터 시작해 머리까지 올라갔다가 다시 내려간다. 처음에는 집중하는 것이 힘들지만 차츰 속도가 붙는다.

"말해도 되나요?"

물론. 말해도 된다. 불의 고리는 이 세상 너머에 있다.

"거절당하는 여자가 되는 것보다 나쁜 건 세상에 없어요. 당신 영혼의 빛은 다른 영혼의 빛을 만나고, 당신은 이제 창문이 열리고 햇빛이 들어오고 마침내 과거의 상처가 치유되리라고 기대하죠. 그런데 갑자기 기대했던 일도 아무것도 일어나지 않는 거예요. 어쩌면 지금 나는 수많은 남자들에게 준 상처에 대한 대가를 치르고 있는 건지도 모르겠어요."

순전히 내 상상의 노력으로 만들어진 황금빛은 이제 스스로의 힘으로 움직이고 있다. 전생으로 데려간다고 알려진, 고전적인 수련이다.

"아니, 당신은 아무 대가도 치르지 않아요. 기차에서 내가 한 이야기를 기억해요. 우리는 지금 이 순간 과거와 현재에 존재하는 모든 것을 살고 있어요. 바로 이 순간, 노보시비르스크에 있는 한 호텔 안에서 세상이 만들어지고 또 파괴되고 있는 거요. 우리가 원하기만 한다면 우리는 모든 죄를 속죄할 수 있어요."

노보시비르스크뿐 아니라 우주의 모든 장소에서, 시간은 신의 거대한 심장처럼 팽창과 수축을 반복하며 박동하고 있다. 그녀는 더욱 가깝게 몸을 밀착해오고, 나는 내 옆에서 점점 더 세차게 뛰는 그녀의 작은 심장을 느낀다.

내 몸을 둘러싼 황금빛 고리는 점점 빨리 움직인다. '전생의 신비를 발견하는 법'에 관한 책을 읽고 얼마 지나지 않아 처음으로 이 수련을 했을 때, 나는 19세기 중반의 프랑스로 곧장 이동해 내가 지금도 쓰고 있는 것과 동일한 주제에 대한 책을 쓰고 있는 나를 보았다. 내가 어디에 사는 누구이고, 어떤 종류의 깃털 펜을 쓰고, 심지어 방금 무슨 문장을 썼는지도 알 수 있었다. 나는 너무나 놀란 나머지 즉시 현재로 돌아왔다. 코파카바나의 해변으로, 내 아내가 내 옆에서 곤히 자고 있는 침실로. 그다음 날 나는 전생의 나인 그 작가에 대해 가능한 한 모든 자료를 조사했고, 일주일이 지난 후 나를 다시 만나러 가기로 결심했다.

하지만 성공하지 못했다. 아무리 애를 써도 다시는 성공할 수 없었다.

나는 그 일에 대해 J.에게 이야기했다. J.는 언제나 '초심자의 행운'이라는 것이 존재하는데, 단지 어떤 일이 가능하다는 것을 증명해 보이기 위해 신이 고안한 것이라고 설명해주었다. 그러나 그후로는, 상황은 거꾸로 돌아가 예전과 같이 되어버린다는 것이다. 그는 내게 돌아가 꼭 해결해야 할 중대한 문제가 전생에 있는 것이 아니라면 순전히 시간낭비일 뿐이니 더는 시도하지 말라고 조언했다.

몇 년 후, 나는 상파울루에 사는 한 여인을 알게 되었다. 그녀는 매우 성공한 동종요법 의사로, 자기 환자들에게 깊은 관심을 갖고 있는 사람이었다. 우리가 만날 때마다 나는 전부터 이미 그녀를 알고 있는 것 같은 느낌이 들었다. 그것에 대해 얘기하자 그녀도 같은 느낌이라고 말했다. 어느 화창한 날, 내가 묵고 있던 호텔 발코니에서 함께 시내 정경을 바라보다가 나는 그녀에게 고리 수련을 같이 해보는 게 어떻겠느냐고 제안했다. 우리 두 사람은 힐랄과 내가 알레프를 발견했을 때 본 그 문 앞으로 던져졌다. 그날 여의사는 웃는 얼굴로 나와 작별인사를 나누었지만, 그후 두 번 다시 그녀를 만날 수 없었다. 더이상 내 전화를 받지 않았고, 병원까지 찾아가도 만나기를 거부했다. 나는 더 간청해봐야 소용이 없다는 걸 깨달았다.

그러나 그 문은 열려 있었다. 둑에 뚫린 작은 틈새는 이제 점점 더 거세게 물이 쏟아져나오는 구멍으로 변해 있었다. 그후 세월이 흐르는 동안 그것과 똑같은 느낌을 불러일으키는 여자를 세 명 더 만났지만, 다시는 그 여의사에게 했던 것 같은 실수를 반복하지 않았고 나 혼자 수련을 했다. 그들 중 누구도 내가 그들 전생에서 일어난 어떤 끔찍한 일에 책임이 있다는 걸 알지 못했다.

그러나 내가 잘못을 저질렀다는 것을 알게 되었음에도 나는 포기하지 않았다. 그 잘못을 바로잡겠다고 굳게 결심했다. 여덟 명의 여자가 그 비극의 희생자였고, 나는 그들 중 한 명이 내게 그 일이 정확히 어떻게 끝났는지 이야기해줄 것이라는 확신이 있었다. 나는 내게 드리운 저주 말고는 거의 모든 것을 알고 있었기 때문이다.

이것이 십 년도 더 지난 지금 내가 시베리아 횡단철도에 몸을 싣고, 다시 알레프에 뛰어들게 된 연유다. 그들 중 다섯번째 여자는 지금 내 곁에 누워 뭐라고 얘기하고 있지만 내 귀에는 들어오지 않는다. 불의 고리가 내 몸 위에서 점점 빨리 돌고 있기 때문이다. 안 된다. 그녀를 우리가 전에 만났던 그곳으로 데려가고 싶지 않다.

"여자들만이 사랑을 믿어요. 남자들은 믿지 않아요." 그녀가 말한다.

"남자들도 사랑을 믿어요." 나는 대답한다.

나는 여전히 그녀의 머리를 쓰다듬고 있다. 그녀의 심장박동이 약해지기 시작한다. 나는 그녀의 눈이 감겨 있는 모습을, 그녀가 지금 사랑받고 보호받는다고 느끼고 있음을, 거절당했다는 생각은 떠올랐을 때만큼이나 빠르게 사라져갔을 거라고 상상한다.

그녀의 호흡이 점점 느려진다. 그녀는 다시 몸을 뒤척이는데, 이번에는 좀더 편안하게 눕기 위해서다. 나도 몸을 움직여 가슴에서 재떨이를 치워 머리맡 탁자 위에 놓는다. 그리고 몸을 돌려 그녀를 품에 안는다.

이제 황금빛 고리는 믿을 수 없으리만큼 빠른 속도로 내 발에서 머리로, 머리에서 발로 오르내리고 있다. 그리고 갑자기, 내 주변 공기가 진동하는 것이 느껴진다. 마치 무언가가 폭발한 것처럼.

안경이 흐릿하다. 손톱은 지저분하다. 촛불 빛이 간신히 주위를 밝힐 정도밖에 안 되지만 내가 입고 있는 투박하고 조잡한 옷의 소맷자락은 볼 수 있다.

내 앞에는 편지 하나가 놓여 있다. 항상 같은 편지다.

1492년 7월 11일, 코르도바

형제여,

우리에게 남은 무기가 별로 없다. 격렬한 공격의 대상이 되어버린 저 이단 심문 외에는. 믿음이 부족한 이들과 편견을 가진 이들이 이단 심문관을 괴물로 몰아가고 있다. 소위 말하는 종교개혁이라는 것이 가정에서의 분란과 거리에서의 소요를 부추기고, 그리스도 법정의 명예를 훼손하고 고문을 일삼는 야만 집단이라며 법정을 비난하고 있는 이 어렵고 민감한 시기에도 우리는 지도자다! 그리고 지도자에게는, 병든 몸에서 감염된 사지를 잘라내듯, 공공의 선을 심각하게 해치고 있는 이들을 가장 무거운 벌로 다스려 다른 이들이 그 선례를 모방하지 않도록 막을 의무가 있다. 그런 이유로, 끈질기게 이단을 설파하여 수많은 영혼들을 지옥 불에 떨어지게 하는 자들에게 사형을 언도하는 것이야말로 합당한 일이다.

이 여자들은 자신들의 그릇된 신앙의 독을 퍼뜨리고 악마숭배와 색욕을 설파할 전적인 자유가 있다고 생각하고 있다. 마녀, 이것이 이들의 정체다! 영적 처벌만으로는 충분치 않다. 대부분의 사람들은 이들을 제대로 이해하지 못하고 있다. 교회는 그릇된 신앙을 고발하고 지도자들에게 근본적 대처를 촉구할 권리를 가져야 마땅하고, 실제로 가지고 있다.

이 여자들은 남편과 아내를, 형제와 자매를, 부모와 자식 사이를 갈라놓으려고 온 자들이다. 물론 교회는 언제나 용서할 준비가 되어 있는 자애로운 어머니 같은 존재다. 우리의 유일한 걱정은 어떻게 이들을 참회시켜 정화된 영혼으로 조물주 앞에 인도하느냐는 것이다. 그들이 자신들의 의식儀式과 음모,

그리고 마을을 혼돈과 무질서로 몰아넣은 마법을 제 입으로 고백할 때까지, 교회는 마치 그리스도의 계시를 받은 말씀이 깃든 신성한 기술을 행하듯 엄정하게 형벌을 가해야 한다.

올해 우리는 그리스도의 승리의 팔이 인도해주신 덕분에 이슬람교도들을 아프리카의 저 끝까지 몰아내는 데 성공했다. 그들은 유럽을 거의 장악할 뻔했으나 신앙이 우리를 도와주었고, 우리는 모든 전투에서 승리했다. 유대인들 역시 도망쳤고, 여기 남은 자들은 무력으로라도 개종될 것이다.

유대인과 무어인들보다 더 나쁜 것은, 그리스도를 믿는다고 말하면서 우리의 등에 칼을 꽂은 이들의 배신이다. 하지만 그들은 자신들이 가장 예기치 못한 때 처벌을 받으리라. 오로지 시간문제일 뿐이다.

지금 이 시점에는 양의 가죽을 쓴 늑대들처럼 우리 무리 속에 은밀하게 침투한 자들에게 우리의 힘을 집중해야 한다. 악은 반드시 드러나게 되어 있다는 것을 보여줄 좋은 기회다. 만일 이 여자들이 성공한다면 그 소식은 널리 퍼질 것이고, 나쁜 선례로 남을 것이고, 죄악의 바람은 폭풍이 될 것이다. 그러면 우리는 약해질 것이고, 무어인들이 돌아오고 유대인들은 다시 단결하여 그리스도 평화를 위해 투쟁해온 천오백 년간의 세월은 땅속에 묻히고 말 것이다.

종교재판소의 법정에서 고문이 조직적으로 가해지고 있다는 소문이 돌고 있다. 그야말로 새빨간 거짓말이다! 그와는 반대로, 로마법이 고문을 합법화했을 때 교회는 처음에는 이를 거부했다. 그러나 지금은 그 필요성 때문에 어쩔 수 없이 그것을 받아들이기는 했으되, 그 사용은 엄격히 제한되고 있다! 교황 성하께서는 아주 예외적인 경우에 고문을 사용할 것을 허가했을 뿐 명령하지 않았다. 또한 이 허가는 어디까지나 이단을 상대하는 경우에만 국한된다. 너무도 부당한 불신을 받고 있는 이 이단 심문 법정에서, 우리의 법전은 지혜와 정직, 그리고 신중함이다.

고발 후, 우리는 모든 죄인들에게 우리가 알지 못하는 비밀이 모두 밝혀질 하늘나라 심판을 받기 전에 고해성사를 할 자비를 허락한다. 우리가 가장 큰 관심을 기울이는 것은 이 가여운 영혼들을 구원하는 것이다. 그리고 이단 심문관은 죄인이 고백을 하도록 취조하고, 이에 필요한 방법을 정할 권한이 있다. 이 경우 때때로 고문이 적용되기도 하지만, 앞서 지적한 범위 안에서이다.

그럼에도 불구하고, 신성한 영광을 적대하는 이들은 우리를 피도 눈물도 없는 백정 취급을 하고 있다. 이단 심문 법정은 세속의 법정들에서는 생각지도 못할 관용과 절도를 가지고 고문을 적용한다는 것도 알지 못하면서 말이다. 고문은 각 재판에 오직 한 번만 허용되니, 나는 그대가 우리가 가지고 있는 이 유일한 기회를 낭비하지 않기를 기대한다. 만약 그대가 올바른 행동을 보이지 않는다면, 그대는 법정에 불신을 가지고 올 것이고 오직 죄악의 씨를 뿌리기 위해 이 세상에 온 이 여자들을 석방해줘야 할 수밖에 없는 상황이 올 것이다. 우리는 모두 나약한 존재들이고 오직 주님만이 강하시다. 하지만 우리에게 주님 이름의 영광을 위해 싸울 영광을 주실 때 그분께서는 우리를 강하게 만들어주신다.

그대에게는 실수할 권리가 없다. 이 여자들이 죄인이라면, 우리가 그녀들을 하느님 아버지의 자비에 맡길 수 있기 전에 먼저 이들이 죄를 고백하도록 해야 한다.

그리고 이번이 그대의 첫 경험이고 그대의 마음이 동정심이라고 주장하고 싶겠지만 사실은 나약함에 불과한 감정으로 가득 차더라도, 예수께서 성전의 장사치들에게 채찍을 휘두르는 데 주저함이 없으셨음을 기억하라. 그대의 상급자가 올바른 시범을 보여줄 것이므로, 장차 차례가 오면 그대는 영혼이 나약해지는 일 없이 채찍과 수레바퀴와 그 밖의 도구들을 사용할 수 있을 것이다.

화형대에서의 죽음보다 더 자비로운 것은 없음을 기억하라.

화형은 가장 정당한 형태의 정화이다. 불은 그들의 살을 태우지만 영혼을 씻겨주어, 그 영혼이 하느님의 영광을 향해 올라갈 수 있게 할 것이다!

근본적으로 그대의 일은 질서가 유지되고, 나라가 내부의 어려움을 극복하고, 사악한 존재의 위협으로부터 교회가 힘을 회복하고, 그리스도의 말씀이 다시 사람들의 마음속에 메아리치기 위함이다. 때로는 영혼이 제 길을 찾도록 두려움을 이용해야 할 것이다. 때로는 궁극적인 평화를 얻기 위해 전쟁을 치러야 할 것이다. 지금 우리가 어떤 평가를 받는지는 조금도 중요하지 않으니, 미래가 우리의 잘잘못을 가릴 것이고 우리의 과업을 인정해줄 것이기 때문이다.

그리고 만일 먼 훗날 우리가 한 일이 이해받지 못하고, 모든 이들이 독생자께서 말씀하신 온유함 안에서 살 수 있도록 우리가 가혹할 수밖에 없었다는 사실이 망각된다 하더라도, 우리는 천국에 우리를 위한 보상이 기다리고 있음을 알고 있다.

악의 씨앗은 뿌리를 내리고 자라기 전에 땅에서 뽑아내야 하는 법. 그대의 상급자가 성스러운 의무를 다할 수 있도록 도우라. 그 불쌍한 존재들에게 증오를 품어서는 안 되지만, 또한 사악한 자들에게 동정을 느껴서도 안 될 것이다.

그리고 하늘나라에는 또다른 법정이 있고, 그 법정에서 그

대가 지상에서 하느님의 뜻을 얼마나 잘 수행했는지 물을 것임을 기억하라.

F.T.T., O.P.[*]

---

[*] Ordo Praedicatorum. 이후 도미니크 수도회로 불리게 된 가톨릭 수도 집단이다. 도미니크 회의 수도사는 자신의 이름을 서명할 때 뒤에 O.P.를 붙인다. F.T.T.는 스페인의 대 종교재판관으로 재직하며 종교재판소의 기틀을 잡은 악명 높은 이단 심문관인 토마스 데 토르케마다의 서명이다.

아무도 당신을 믿어주지 않을 때조차 믿으라

우리는 그 자세 그대로 움직이지 않고 밤을 보낸다. 황금빛 고리 수련을 하기 전과 똑같이 그녀를 품에 안은 채 잠에서 깨어난다. 움직이지 않고 잠을 잤더니 목이 아프다.

"일어납시다. 해야 할 일이 있어요."

그녀는 몸을 뒤척이면서 "일 년 중 이 시기 시베리아에서는 해가 너무 일찍 뜬다"는 것 비슷한 말을 한다.

"자, 일어납시다. 지금 나가야 해요. 방에 가서 옷을 갈아입고, 아래층에서 만납시다."

* * *

　호텔 프런트에 있는 남자가 지도를 한 장 주면서 어디로 가야 할지 알려준다. 걸어서 오 분 정도 걸리는 거리다. 힐랄은 호텔 아침 뷔페가 아직 시작하지 않은 것을 두고 투덜거린다.

　우리는 거리 두 개를 지나 내가 가려고 했던 곳 앞에 도착한다.

　"여기는…… 성당이잖아요!"

　그렇다. 성당이다.

　"난 아침에 일찍 일어나는 게 싫어요. 게다가 이건…… 더 싫어요." 그녀는 꼭대기에 황금 십자가가 서 있고 양파 모양을 한 파란색 돔을 손으로 가리킨다.

　성당 문은 열려 있고 노부인 몇 명이 들어가고 있다. 주위를 둘러보니 거리는 인적이 없고 아직 차들도 오가기 전이다.

　"나를 위해 당신이 꼭 뭔가 해줬으면 좋겠어요."

　마침내 그녀가 그날 처음으로 미소를 짓는다. 내가 그녀에게 무언가 부탁하고 있다! 그녀는 내 삶에서 필요한 존재다!

　"오직 나만 할 수 있는 건가요?"

　"그래요. 오직 당신만. 다만 내가 왜 이 부탁을 하는지는 묻지 말아줘요."

* * *

나는 그녀의 손을 잡고 성당 안으로 이끈다. 정교회 성당에 들어온 것이 이번이 처음은 아니다. 양초에 불을 붙이고 성인들과 천사들에게 나를 보호해달라고 기도하는 것 외에는 무엇을 해야 하는지 제대로 배운 적이 없다. 그럼에도 불구하고 이상적인 건축 설계도를 실현하고 있는 이런 성당의 아름다움은 나를 언제나 매혹시킨다. 하늘 모양의 천장, 의자 한 개 없는 중앙 홀, 측면의 아치들. 화가들이 단식기도를 하며 금으로 그린, 지금 막 성당에 들어온 부인들이 머리를 숙이고 보호 유리 위로 입을 맞추고 있는 이콘*들.

언제나 그렇듯, 원하는 것에 집중하자 모든 것이 절대적인 완벽함으로 들어맞기 시작한다. 지난밤 경험한 모든 것에도 불구하고, 내 앞의 그 편지를 읽는 것 이상으로 나아가지 못했음에도 불구하고, 블라디보스토크에 도착하기까지는 아직 시간이 있고 내 마음은 평온하다.

---

* 주로 동방 정교회에서 발전한, 예배를 드리는 용도의 작은 성화. 판화, 모자이크 등 다양한 기법이 사용되며, 러시아에서는 전통예술로도 취급받는다.

힐랄도 성당의 아름다움에 반한 것 같다. 우리가 성당 안에 있다는 것도 잊어버렸음이 분명하다. 나는 한구석에 앉아 있는 한 부인에게 초 네 자루를 사갖고 온다. 그리고 성 게오르기우스*로 보이는 이콘 앞으로 다가가서, 나와 내 가족과 내 독자들과 나의 일을 위해 세 개의 초에 불을 밝힌다.

네번째 초에 불을 붙여 힐랄에게 다가간다.

"내가 부탁하는 대로 해줘요. 이 초를 잡아요."

힐랄은 본능적으로 주위를 둘러보며 누가 우리를 보고 있는지 살핀다. 아마도 내가 부탁한 일이 이 장소에 적절하지 않거나 모욕적인 건 아닐까 생각하는 게 분명하다. 하지만 곧 더는 신경쓰지 않는다. 힐랄은 성당을 싫어하는 사람이고, 그러니 남들처럼 행동할 이유가 없다.

그녀의 눈 속에 촛불 빛이 비친다. 나는 고개를 숙인다. 죄책감은 전혀 아니다. 나는 오직 다른 차원에서 일어나는 고통, 내가 맞아들여야 할 오래된 고통과 용납만을 느낀다.

"나는 당신을 배신했어요. 이제 용서를 구합니다."

"타티아나가!"

_____

* 초기 기독교의 순교자이자 14성인 가운데 한 사람. 카파도키아의 기사였다고 전해진다. 미술작품에서 그는 종종 갑옷을 입은 기사로 등장하는데, 흰 바탕에 붉은색 십자가가 장식된 깃발이 매달린 창으로 용을 죽이고 있다.

그녀의 입술에 손가락을 갖다 댄다. 그녀가 가지고 있는 의지력과 투지, 재능에도 불구하고 그녀가 겨우 스물한 살임을 잊어서는 안 된다. 다른 방식으로 말했어야 했다.

"아니요, 타티아나가 아닙니다. 부탁이니, 그냥 나를 용서해 줘요."

"뭔지도 모르면서 어떻게 용서할 수 있나요."

"알레프를 기억해봐요. 그 순간 당신이 느꼈던 것을 떠올려요. 당신이 알지는 못하지만 당신 마음속에 있는 그 무언가를 이 성스러운 장소로 가져오도록 노력해요. 필요하다면 즐겨 연주하는 교향곡을 떠올리고, 그 음악이 당신이 가야 할 곳으로 데려가도록 몸을 맡겨봐요. 지금 중요한 것은 그뿐이오. 말과 설명과 질문은 이미 복잡한 문제를 더욱 혼란스럽게 만들 뿐 아무 도움이 안 돼요. 그냥 나를 용서해줘요. 이 용서는 한 육체에서 다른 육체로 옮겨가고, 존재하지 않는 시간과 무한한 공간을 여행하면서 배워나가는 당신 영혼의 깊은 곳에서 우러나오는 것이어야 합니다.

우리는 절대로 신에게 상처를 줄 수 없는 것처럼 영혼에 상처를 줄 수도 없어요. 우리는 행복해지기 위한 모든 것을 갖고 있으면서도 기억 속에 갇혀 있기 때문에 불행한 삶을 살아가고 있어요. 우리가 이제 막 이 지구에서 깨어나 이 황금빛 사원 안에서 만난 것처럼 여기 온전히 존재할 수 있다면 얼마나 좋겠습니까. 하지만 우리는 그러지 못해요."

"왜 내가 사랑하는 남자를 용서해야 하는지 모르겠어요. 단 한 가지 이유 때문이 아니라면요. 날 사랑한다는 말을 그 사람에게서 결코 들어본 적이 없다는 이유 말예요."

향 내음이 퍼지기 시작한다. 새벽 기도를 하러 사제들이 들어온다.

"지금 이 순간 당신이 누구인지는 잊어버리고 언제나 당신이었던 그 사람이 있는 곳으로 가세요. 그곳에서 당신은 용서를 위한 정확한 말들을 찾게 될 것이고, 그 말들로 나를 용서할 수 있을 거요."

힐랄은 금박을 입힌 벽에서, 기둥에서, 이 시간 성당에 들어오는 사람들에게서, 촛불 빛에서 영감을 얻으려고 노력한다. 그녀는 눈을 감는다. 어쩌면 내 조언에 따라 어떤 음악을 상상하고 있는지도 모른다.

"아마 못 믿을지도 모르지만, 지금 한 소녀가 보이는 것 같아요…… 이제는 여기 존재하지 않지만 돌아오고 싶어하는 소녀……"

그 소녀가 뭐라고 말하는지 들어보라고 부탁한다.

"그 소녀는 당신을 용서한대요. 성녀가 되어서가 아니라, 더

이상 그 증오를 짊어지는 게 너무 힘들어서래요. 증오는 사람을 힘들게 해요. 하늘과 땅의 무언가가 변했는지, 내 영혼이 구원을 받았는지 아니면 벌을 받았는지 모르지만, 지금 나는 너무 지쳐 있고 이제야 그 이유를 이해해요. 내 나이 열 살 때 내 인생을 파괴하려 했던 그 남자를 용서해요. 그 남자는 무슨 일을 하고 있는지 알았고 나는 몰랐어요. 하지만 나는 그게 내 잘못이라고 생각했고, 그 남자와 나 자신을 증오했고, 내게 접근하는 모든 남자들을 증오했지요. 이제 내 영혼은 자유로워요."

아니다. 내가 기대하던 것은 그게 아니다.

"모든 것을 용서하고 모든 사람을 용서해줘요. 하지만 나도 용서해줘요." 나는 간청한다. "당신의 용서 안에 나를 포함시켜 줘요."

"나는 모든 것을 용서하고 모든 사람을 용서해요. 당신을 포함해서요. 비록 당신의 죄가 무엇인지는 알지 못하지만. 내가 당신을 사랑하기 때문에, 당신이 나를 사랑하지 않기 때문에 당신을 용서해요. 내가 몇 년째 생각하지 않고 있었던 내 악마 가까이에 항상 머물도록 도와준 당신을 용서해요. 나를 거절하고 내 힘을 낭비하게 만든 당신을 용서해요. 내가 누구이고, 여기서 무엇을 하고 있는지 이해하지 못하는 당신을 용서해요. 나는 당신을, 그리고 내가 아직 인생이 무엇인지 알기도 전에 내 몸을 건드렸던 그 악마를 용서해요. 그 악마가 건드린 것은 내 몸이었지만, 망가진 것은 내 영혼이었어요."

그녀는 기도하듯 두 손을 모은다. 나는 그녀의 용서가 오직 나만을 위한 것이기를 바랐는데, 힐랄은 자신의 세계 전부를 용서해주고 있다. 어쩌면 그 편이 더 나은지도 모른다.

그녀의 몸이 떨리기 시작한다. 눈에는 눈물이 그렁그렁하다.

"꼭 여기여야만 하나요? 성당이어야만 해요? 밖으로 나가요. 하늘이 열린 곳으로요. 제발!"

"성당이어야 해요. 언젠가는 하늘이 열린 곳에서 같은 일을 하겠지만 오늘은 여기 성당 안이어야 해요. 제발, 나를 용서해 줘요."

그녀가 눈을 감고 두 손을 천장을 향해 들어올린다. 성당 안에 들어서던 한 여인이 그 모습을 보더니, 머리를 저으며 안 된다는 신호를 보낸다. 우리는 신성한 장소에 있고, 이곳의 의식은 다르다. 전통을 존중해야 한다. 나는 여인의 신호를 못 본 척한다. 그리고 안도한다. 이제 힐랄이 기도와 진정한 법칙을 주관하는 '영靈'과 대화를 하고 있고, 그러므로 이 세계의 그 무엇도 그녀를 방해할 수 없음을 깨달은 것이다.

"나는 이제 용서와 사랑을 통해 증오에서 자유로워집니다. 피할 수 없는 고통은 내가 영광을 향해 나아가게 하기 위한 것임을 이해합니다. 모든 것은 교차하고, 모든 길은 서로 만나고, 모든 강은 같은 바다를 향해 흘러간다는 걸 이해합니다. 이 순간 나는 용서의 도구입니다. 그들이 저지른 죄, 내가 알고 있는 하나의 죄와 내가 알지 못하는 또다른 죄에 대한 용서의 도구입니다."

그렇다. 영이 그녀와 말하고 있었다. 나는 오래전 브라질에서 배워서 그 영과 그 기도문을 알고 있다. 그때 영은 소녀가 아니라 소년의 모습으로 왔다. 하지만 지금 힐랄은 필요한 순간 우리가 사용해주기만을 우주에서 기다리고 있는 그 말들을 되풀이하고 있었다.

힐랄은 낮은 목소리로 말하지만, 성당 안의 음향효과가 어찌나 완벽한지 그녀가 말하는 한 마디 한 마디가 사방 벽에 메아리치는 것 같다.

"사람들이 내게 흘리게 했던 눈물을 용서합니다.
아픔과 실망을 용서합니다.
배신과 거짓말을 용서합니다.
중상과 음모를 용서합니다.
증오와 박해를 용서합니다.
내게 상처 입힌 폭력을 용서합니다.
짓밟힌 꿈들을 용서합니다.

꺾여버린 희망들을 용서합니다.

비정함과 질투를 용서합니다.

무관심과 악의를 용서합니다.

정의의 이름으로 저질러진 불의를 용서합니다.

분노와 학대를 용서합니다.

부주의와 망각을 용서합니다.

세상을, 그 안의 모든 악을, 나는 모두 용서합니다."

그녀는 팔을 내리고 눈을 뜨더니, 두 손으로 얼굴을 감싼다. 그녀를 끌어안기 위해 가까이 다가갔지만 그녀는 손짓으로 나를 제지한다.

"아직 끝나지 않았어요."

그녀는 다시 눈을 감고 얼굴을 위로 향한다.

"나는 또한 나 자신을 용서합니다. 과거의 불행이 더이상 내 마음에 짐이 되지 않도록 해주소서. 슬픔과 원한이 있던 자리에 나는 이해와 분별을 놓습니다. 분노가 있던 자리에 나는 내 바이올린에서 나오는 음악을 놓습니다. 고통이 있던 자리에는 망각을 놓습니다. 복수가 있던 자리에 승리를 놓습니다.

사랑받지 못하더라도 나는 사랑할 수 있고,

모든 것을 빼앗겨도 줄 수 있고,

역경 속에 있더라도 행복하게 일할 수 있고,

완벽하게 홀로 버려지더라도 손을 내밀 수 있고,

눈물이 흘러넘칠 때에도 눈물을 마르게 할 수 있고,

아무도 나를 믿어주는 이가 없을지라도 믿을 수 있습니다."

그녀는 눈을 뜨고, 두 손을 내 머리 위에 얹고는 천상으로부터 내려오는 모든 권위를 갖고 말한다.

"그렇게 되었습니다. 그렇게 될 것입니다."

* * *

멀리서 닭 우는 소리가 들린다. 표지다. 그녀의 손을 잡고 성당에서 나와 이제 막 잠에서 깨어나고 있는 도시를 바라본다. 그녀는 자신이 말한 모든 것 때문에 약간 놀란 상태다. 나는 그 용서가 지금까지 이번 여행에서 가장 중요한 순간이라고 느낀다. 하지만 그것이 마지막 발걸음은 아니다. 그 편지를 읽은 후에 무슨 일이 일어나는지 알아야 한다.

우리는 제때 호텔에 돌아와 나머지 일행들과 아침식사를 한 후, 짐을 챙겨 기차역으로 향한다.

"힐랄은 내 방 옆 빈방을 사용할 겁니다." 내가 말한다.

아무도 뭐라고 하지 않는다. 무슨 생각들을 하는지 짐작할 수 있지만, 전혀 그런 것이 아니라고 애써 설명할 필요를 못 느낀다.

"코르크마즈 기트." 힐랄이 말한다.

통역자인 야오를 비롯해 모두 의아해하는 걸로 봐서 러시아어가 아닌 것 같다.

"코르크마즈 기트." 그녀가 다시 말한다. "터키어로, '그녀는 두려움을 모른다. 가라'는 뜻이죠."

찻잎

모두들 여행에 익숙해진 것 같다. 거실 테이블은 이제 이 우주의 중심이 되었다. 우리는 날마다 테이블 주위에 모여 세 끼 식사를 하고, 인생에 관한 대화를 나누고, 다가올 앞날에 대한 기대를 이야기한다. 힐랄은 이제 같은 객차에 타고 있다. 그녀는 우리와 함께 식사를 하고, 내 욕실에서 샤워를 하고, 낮에는 강박적으로 바이올린을 켜고, 대화에는 점점 덜 끼고 있다.

오늘 우리는 다음 도착지인 바이칼 호수에 사는 샤먼들에 관한 이야기를 하고 있다. 야오는 내가 그들 중 한 명을 만나봤으면 좋겠다고 말한다.

"도착해서 한번 생각해봅시다."

'별 관심이 없는데요'라는 뜻이다.

하지만 야오가 그냥 물러설 것 같진 않다. 무술에서 가장 잘 알려진 원칙 중 하나는 저항하지 않는 것이다. 고수는 언제나 그를 공격한 이의 힘을 이용한다. 그러니 내가 말에 에너지를 더 많이 실을수록, 나는 내가 하는 말에 점점 더 확신을 잃고 얼마 안 가 설복당하게 될 것이다.

"노보시비르스크에 도착하기 전에 했던 우리 대화가 생각나네요." 여자 편집자가 말한다. "알레프가 우리 바깥에 존재하는 어떤 지점이지만, 두 사람이 서로 사랑에 빠져 있으면 이 지점을 원하는 장소에 위치시킬 수 있다고 했잖아요. 샤먼들은 자신들이 특별한 능력을 갖고 있어서 그들만이 그런 환영을 볼 수 있다고 믿는다던데요."

"마법 전승에 대해 이야기하는 거라면, 그 대답은 '그렇다'입니다. 알레프는 우리 바깥에 존재해요. 그런데 만약 인간세상에서 통용되는 대로 이야기하는 거라면, 사랑에 빠진 사람들은 어떤 특정한 순간에, 하지만 아주 특별한 상황에 '전체'를 경험할 수 있어요. 실제의 삶에서 우리는 우리를 서로 다른 존재로 보고 있지만, 사실 우주 전체는 단 하나의 존재이자 하나의 영혼입니다. 그럼에도 알레프를 그렇게 불러오기 위해서는 매우 강력한 무언가가 있어야 해요. 격렬한 오르가슴, 커다란 상실, 극단까지 치닫는 갈등, 아주 보기 드문 아름다움 앞에서 느끼는 황홀경 같은 것 말이죠."

"갈등이라면 얼마든지 있죠." 힐랄이 말한다. "지금 이 객차 안에서처럼 우리는 늘 갈등에 둘러싸여 사는 걸요."

그동안 조용히 있었으니 여행의 처음으로 돌아가 이미 해결된 문제를 다시 건드리고 싶은 모양이다. 그녀는 영역을 확보했고, 새로 얻은 힘을 증명해 보이고 싶어한다. 여자 편집자는 그 말이 자신을 향한 것임을 알아듣는다.

"갈등은 분별력이 없는 영혼들한테나 생기는 문제지요." 일반적인 이야기를 하는 것처럼 들리지만 사실은 명확히 과녁을 겨냥한 화살이다. "세상은 나를 이해하는 사람과 나를 이해하지 못하는 사람들로 나뉘죠. 후자의 경우, 나는 그들이 내 공감을 얻으려 애쓰느라 괴로워하도록 그냥 놔둬요."

"재미있네요. 나랑 아주 비슷하세요." 힐랄이 되받는다. "나는 언제나 그래왔고 언제나 내가 원하는 것을 얻었어요. 그 분명한 예가 지금 내가 이 객차에 머물고 있다는 것이죠."

야오가 일어선다. 이런 종류의 대화를 견딜 기분이 아닌 모양이다.

남자 편집자가 나를 쳐다본다. 나더러 어쩌라는 거지? 편을 들라고?

"지금 무슨 말을 하고 있는지 모르는군요." 이제 여자 편집자는 힐랄을 똑바로 바라보며 말한다. "나도 내가 모든 것에 대비하고 있다고 생각했어요. 내 아들이 태어나기 전까지는요. 그랬는데, 그때 세상이 나를 향해 무너져내리기 시작했죠. 내가 나약하고 보잘것없는 존재이고 아들을 보호할 능력이 없다고 느끼게 됐어요. 모든 것이 가능하다고 믿는 건 어린애들뿐이죠. 어린아이는 뭐든 믿고 두려움이 없으니까요. 어린아이는 자신의 힘을 믿고, 자신이 원하는 바로 그것을 얻어내요.

하지만 성장하면서, 그 아이는 자신이 생각했던 것만큼 강하지 않다는 것을, 살아남기 위해서는 다른 사람들이 필요하다는 것을 깨닫기 시작하죠. 그러면서 아이는 사랑을 하고, 응답받기를 원하게 되고, 삶이 계속되면서 점점 더 많이 응답받고 싶어해요. 그리고 자기가 준 만큼의 사랑을 돌려받기 위해 자신의 힘을 포함한 모든 것을 희생할 각오를 하죠. 그리고 이렇게, 오늘 우리가 처한 이 상태에 이르는 거예요. 인정받고 사랑받기 위해서라면 무엇이든 다 하는 어른."

야오가 돌아온다. 그는 잔 다섯 개를 얹은 쟁반을 들고 돌아와 균형을 잡고 서 있다.

"그래서 내가 알레프와 사랑에 대해서 질문한 거예요." 여자 편집자가 계속한다. "나는 남자와의 사랑에 대해 말하려던 게 아니에요. 가끔 잠자는 아들의 모습을 보면서, 나는 이 세상에서 일어나는 모든 것을 볼 수 있었어요. 그 아이가 어디서 왔는지, 어디로 갈 것인지. 훗날 아이가 이루었으면 하고 내가 꿈꾸는 것을 얻기 위해 그애가 어떤 시련에 맞닥뜨려야 하는지. 아들은 자랐고, 그 아이에 대한 내 사랑은 여전하지만, 알레프는 사라져버렸어요."

그래, 그녀는 알레프를 이해한 것이다. 그녀의 말이 끝나자 정중한 침묵이 흘렀다. 힐랄은 완벽하게 무장해제를 당했다.

"내가 졌어요." 힐랄이 인정한다. "지금 내가 있는 이곳까지 오기 위해 가졌던 동기들이 이제 사라져버린 것 같네요. 다음 역에서 내려 예카테린부르크로 돌아가, 남은 인생 동안 바이올린을 연주하면서 이 모든 것을 이해하지 못하고 살 수도 있겠죠. 그리고 마지막 숨을 거두는 날, 나는 스스로에게 이렇게 물을 거예요. 난 거기서 무엇을 하고 있었던 걸까?"

나는 그녀의 팔을 건드린다.

"나를 따라와요."

나는 자리에서 일어나 그녀를 알레프로 데려가려 했다. 그녀가 왜 아시아 대륙을 기차로 횡단할 마음을 먹게 되었는지 일깨우기 위해서. 그녀가 어떤 반응을 보이든, 어떤 결정을 내리든 나는 받아들일 준비가 되어 있었다. 함께 전생을 여행한 이후 다시는 만날 수 없었던 그 여의사를 떠올렸다. 어쩌면 힐랄 역시 그럴지 모른다.

"잠깐만요." 야오가 말한다.

그는 모두 앉아달라고 부탁하고는, 찻잔을 하나씩 나눠주고 테이블 중앙에 찻주전자를 내려놓는다.

"일본에 살았을 때 나는 단순함의 아름다움을 배웠습니다. 내가 경험한 가장 단순하고 세련된 것은 다도였지요. 내가 자리에서 일어난 건 오직 한 가지, 우리가 가진 모든 갈등과 고난과 악의와 관대함에도 불구하고 우리는 단순한 것들을 사랑할 수 있다는 이야기를 하고 싶어서입니다. 사무라이들은 칼을 바깥에 두고 방으로 들어가서 정좌를 한 채 엄격하고 정교한 의식에 따라 차를 마셨습니다. 그 짧은 시간 동안 그들은 전쟁을 잊어버리고 아름다움을 감상하는 데만 집중할 수 있었지요. 지금 그걸 해봅시다."

그는 각자의 찻잔을 채운다. 모두 조용히 기다린다.

"내가 차를 가지러 간 것은, 두 명의 사무라이가 싸울 준비를 하고 있어서였습니다. 그런데 돌아와보니 영예로운 전사 대신, 이런 차가 전혀 필요 없이 서로를 이해하는 두 영혼이 자리하고 있군요. 그렇기는 해도 차는 마십시다. 일상의 불완전한 동작들을 통해 완벽에 이르고자 우리의 모든 힘을 기울입시다. 진정한 지혜는 우리가 하는 단순한 일들을 존중하는 데 있습니다. 그 단순한 일들이 바로 우리를 가야 할 곳으로 데려다주기 때문이죠."

우리는 야오가 따라준 차를 경건하게 마신다. 용서받았으므로 이제 나는 어린 찻잎의 맛을 음미하며, 찻잎과 함께 태양 아래서 건조되고 굳은살이 박인 손에 거둬져 차로 변해 내 주위의 조화를 이룰 수 있다. 아무도 서두르지 않는다. 이 여행을 하는 동안, 우리는 끊임없이 우리 자신을 부수고 다시 세우고 있다.

차를 다 마신 후, 나는 힐랄에게 따라오라고 다시 청한다. 그녀는 모든 것을 알고 스스로 결정할 권리가 있다.

우리는 객차를 연결하는 통로에 있다. 내 나이 정도의 한 남자가 어떤 부인과 바로 알레프가 있는 그 자리에서 대화중이다. 그 장소의 에너지를 생각하면 그들은 꽤 오래 그곳에 머물러 있을 듯하다.

우리는 잠시 기다린다. 세번째 사람이 나타나 담배에 불을 붙이고는 두 사람의 대화에 합류한다.

힐랄은 거실로 돌아가자고 한다.

"제대로라면 이곳은 우리가 사용할 공간이에요. 저 사람들은 여기 말고 앞 객차의 통로에 있어야 한다고요."

그녀에게 가지 말고 있어달라고 부탁한다. 기다리면 된다.

"여자 편집자는 화해하고 싶었던 것 같은데, 왜 그렇게 공격적이었던 거요?" 그녀에게 묻는다.

"모르겠어요. 혼란스러워요. 기차가 멈출 때마다, 하루하루가 지날 때마다, 점점 더 알 수가 없어져요. 반드시 산꼭대기에 불을 피워야 한다고, 당신 곁을 지켜야 한다고, 그래서 내가 모르는 어떤 사명을 당신이 완수할 수 있도록 도와야 한다고 생각했어요. 난 그녀가 지금까지 했던 대로 그렇게 내게 반응할 거라고 생각했어요. 내가 당신 곁에 있지 않도록 그녀는 최선을 다할 거라고 생각했죠. 그래서 나는 기도했어요. 이 모든 난관을 이겨낼 수 있는 힘을 달라고, 결과를 받아들이고, 모욕과 멸시와 거절과 따돌림의 눈빛을 견딜 수 있는 힘을 달라고, 존재하는지 상상도 못했지만 실재하는 사랑의 이름으로 기도했어요.

그리고 마침내 나는 그것을 이루기 직전에 와 있어요. 바로 당신 옆방에 머무르게 된 거죠. 그 방을 쓰기로 한 사람이 마지막 순간 여행을 포기하기를 신께서 원하셨기 때문에 비게 된 그 방이에요. 여행을 포기한 건 그 여자의 결정이 아니에요. 저 높은 곳의 뜻이죠. 그런데 태평양으로 향하는 이 기차에 오른 후 처음으로 여행을 계속하고 싶다는 욕망이 사라져버렸어요."

한 명이 더 와서 일행에 합류한다. 그는 맥주 캔 세 개를 들고 있다. 보아하니 그들이 나누는 대화가 길어질 것 같다.

"무슨 말을 하는지 알겠소. 끝에 도달한 것 같겠지만 아직은 아니에요. 그리고 여기서 자신이 무엇을 하고 있는지 이해하고 싶은 건 당연해요. 당신은 나를 용서하기 위해 여기에 온 거요. 나는 그 이유를 당신에게 보여주고 싶어요. 하지만 말은 효과가 없게 마련이고, 직접 경험해야만 당신은 모든 것을 이해할 수 있을 거요. 아니, 정확히 말하자면 우리 두 사람이 모든 것을 이해할 수 있어요. 나도 그 이야기의 결말을, 마지막 문장을, 마지막 단어가 무엇인지 알지 못하니까."

"그럼 저 사람들이 떠날 때까지 기다렸다가 알레프에 들어가요."

"그럴 생각이었는데, 저 사람들이 금방 떠날 것 같지 않군요. 바로 저곳이 알레프이기 때문이오. 저들은 의식하지 못할지 모르지만, 왠지 모를 행복과 충만함을 느끼고 있을 거요. 저 사람들을 보는 동안 든 생각인데, 당신에게 단 한 번에 모든 것을 보여줄 것이 아니라 어쩌면 내가 당신을 인도해야 할지도 모르겠소.

오늘 밤 내 방으로 와요. 어차피 이 객차에서 편안한 잠을 이루기는 힘들지만, 그냥 내 옆에서 긴장을 풀고 눈을 감고 누워 있어요. 노보시비르스크에서 했던 것처럼 당신을 안게 해줘요. 나 혼자 그 이야기의 마지막까지 가보고, 정확하게 무슨 일이 벌어졌는지 말해주겠소."

"바로 그 말을 듣고 싶었어요. 당신 방으로의 초대요. 제발 부탁이에요, 다시는 나를 거절하지 마요."

다섯번째 여인

"잠옷을 세탁할 시간이 없었어요."

힐랄은 내게서 방금 빌린 티셔츠만 입고 다리를 다 드러낸 모습이다. 티셔츠 밑에 다른 옷을 입고 있는지는 알 수 없다. 힐랄이 이불 속으로 들어온다.

그녀의 머리를 쓰다듬는다. 모든 것을 말하면서 아무것도 말하지 않기 위해, 나는 내가 가진 모든 전술과 섬세함을 사용해야 한다.

"이 순간 나한테 필요한 것은 포옹뿐이오. 포옹은 인류의 존재만큼이나 오래된 몸짓이자, 두 육체의 만남 그 이상을 의미하지요. 포옹은 내가 당신에게 위협받지 않는다는 것, 이렇게 가까이 접근해도 두렵지 않다는 것, 편안하게 마음 놓을 수 있다는 것,

보호받고 있으며 나를 이해하는 누군가의 존재를 느끼고 있다는 감정을 가져도 된다는 의미를 가지고 있어요. 옛말에, 누군가를 기쁜 마음으로 포옹할 때마다 수명이 하루씩 늘어난다는 말도 있지요. 부탁건대 지금 나를 안아줘요."

그녀에게 청한다.

나의 머리를 그녀의 가슴에 얹고, 그녀는 두 팔로 나를 감싸 안는다. 그녀의 심장이 빠르게 뛰고 있는 것을, 브래지어를 하고 있지 않다는 것을 느낀다.

"지금부터 내가 하려는 것에 대해 정말 말해주고 싶은데, 어떻게 말해야 할지 모르겠소. 나는 한 번도 끝까지, 모든 일이 풀리고 설명되는 지점까지 가본 적이 없어요. 언제나 같은 순간에, 우리가 나가고 있을 때 멈춰버리고 말아요."

"우리가 나가고 있을 때라뇨?" 힐랄이 묻는다.

"모두 다 광장에서 나가고 있을 때예요. 더 알아듣게 설명해달 라고는 하지 마요. 거기에 여덟 명의 여자들이 있는데, 그중 한 명이 내게 뭔가 말했는데 알아들을 수가 없었어요. 지난 이십 년 동안 그중 네 명과 만났는데 아무도 나를 그 결말까지 데려가주 지 못했어요. 당신은 내가 만난 다섯번째 여자요. 이 여행이 우 연이 아니고 신께서는 우주를 두고 주사위놀이를 하지 않듯이, 나는 그 신성한 불에 관한 우화가 왜 당신을 내게 이끌었는지 이해하게 됐어요. 우리가 함께 알레프에 들어갔을 때 비로소 깨달은 거요."

"담배 한 대 주세요. 좀더 명확하게 말해줘요. 나는 당신이 나랑 같이 있고 싶어하는 줄만 알았는데요."

우리는 침대에 앉아 담배 한 대씩을 피워 문다.

"나 역시 모든 것을 좀더 명확하게 이야기할 수 있었으면 좋겠소. 언제나 첫 장면으로 나타나는 편지 다음에 무슨 일이 일어나요. 그 이후에, 여덟 여자가 나를 기다리고 있다고 상급자가 내게 말하는 목소리가 들려요. 그리고 마지막에 여덟 여자 중 하나가 내게 뭐라고 말하는 것도 알아요. 그런데 나는 그게 축복인지 저주인지 모르겠소."

"그러니까 지금 전생에 대해서, 전생의 편지에 대해 말하는 거죠?"

바로 이것을 그녀가 이해했다면 됐다. 어떤 전생을 말하고 있는 건지 설명해달라고 묻지 않는다면.

"모든 것은 여기 현재에 있어요. 우리는 언제나, 지금, 여기에서, 우리 자신을 정죄하거나 구원하고 있어요. 우리는 끊임없이 위치를 바꿔가면서, 한 객차에서 다른 객차로, 하나의 평행우주에서 다른 우주로 이동하면서, 매 순간 우리 자신을 정죄하고 구원하고 있어요. 당신은 그걸 믿어야 해요."

"믿어요. 무슨 이야기를 하는지 알 것도 같아요."

반대 방향으로 달리는 기차 한 대가 지나간다. 불 밝힌 창문들이 전속력으로 지나가고, 소음이 들리고, 공기의 진동이 느껴진다. 우리가 타고 있는 객차가 평소보다 더 심하게 흔들린다.

"지금 내가 하려고 하는 일은 다른 쪽으로 가는 것이오. 시간과 공간이라고 하는 '기차'의 다른 객차로 가야 해요. 어려운 일은 아니오. 몸 위로 황금빛 고리가 처음에는 천천히, 그러다가 점점 빠르게 위아래로 오르내리는 상상을 하면 되니까. 우리가 노보시비르스크에서 바로 이런 자세로 있었을 때, 놀라우리만치 명확하게 효과가 있었어요. 그래서 다시 그렇게 해보고 싶어요. 당신은 나를 껴안고, 나는 당신을 껴안고, 그러면 고리가 힘들이지 않고 과거로 나를 보내줘요."

"그냥 고리를 상상하기만 하면 된다는 건가요?"

방 안 작은 탁자 위에 있는 내 노트북이 보인다. 나는 자리에서 일어나 노트북을 침대로 가져온다.

"우리는 이 컴퓨터 안에 사진과 글과 이미지가 가득 차 있고, 세계를 향한 진짜 창문이 있다고 생각하지만 사실 우리가 보고 있는 이 스크린 뒤에 존재하는 것은 0과 1의 연속일 뿐이에요. 프로그래머들이 이진언어라고 부르는 것이죠.

이렇게 우리는 우리 주변에 시각적인 현실을 만들 필요가 있어요. 그러지 않았더라면 인류는 결코 포식자로부터 살아남지 못했을 거요. 그래서 우리는 컴퓨터에 메모리가 있듯이 '기억'이라는 것을 발명했어요. 기억은 우리를 위험으로부터 보호하고, 사회적 존재로 살 수 있도록 하고, 양식을 구하게 해주고, 성장하게끔 하고, 우리가 배운 모든 것을 다음 세대에 물려줄 수 있게 하지요. 하지만 기억이 삶의 가장 중요한 요소는 아니오."

노트북을 탁자 위에 다시 놓고 침대로 돌아온다.

"이 불의 고리는 우리를 기억으로부터 자유롭게 하는 요령에 불과해요. 이 주제에 관한 글을 읽은 적이 있는데 누가 썼는지 기억나지 않아요. 어쨌든 그 글에서는 우리가 매일 밤 무의식적으로 그걸 수행한다고 했어요. 가깝거나 먼 과거로 가는 것. 잠에서 깨어나면서 말도 안 되는 황당한 꿈을 꿨다고 생각하지만, 사실은 그게 아니에요. 우리는 다른 차원에 있었던 거죠. 그곳에선 사건이 이곳과 정확히 다른 방식으로 일어나죠. 잠에서 깨어남과 동시에 우리는 현재를 이해하는 방식인 '기억'에 의해 조직된 세상으로 돌아오기 때문에 그 꿈이 아무런 의미가 없다고 생각해요. 꿈에서 우리가 본 것은 머릿속에서 빠르게 사라지죠."

"전생으로 돌아가거나 다른 차원으로 가는 게 그렇게 간단한 일이라는 건가요?"

"꿈을 꾸거나 일부러 그런 상태를 유발할 땐 간단한 일이오.

하지만 그런 상태를 유발하는 것은 권하고 싶지 않아요. 고리가 당신의 몸을 감싸고 나면 당신의 영혼은 속박에서 풀려나고, 누구의 것도 아닌 영역으로 들어가요. 하지만 이때 어디로 가야 할지 모르면 아주 깊은 꿈에 빠지게 되고, 환영받지 못하는 곳으로 가게 될 수도 있어요. 그러면 아무것도 배울 수 없고, 오히려 과거의 문제를 현재로 가져올 수도 있어요."

우리는 담배를 끈다. 나는 침대 옆에 놓고 협탁으로 쓰는 의자 위에 재떨이를 내려놓고, 그녀에게 다시 안아달라고 청한다. 그녀의 심장은 어느 때보다 강하게 뛰고 있다.

"내가 그 여덟 여자 중 하나인가요?"

"그래요. '과거'에서 우리와 문제가 있었던 모든 사람들은 계속해서 우리 삶에 나타나는데, 신비주의자들은 그걸 시간의 수레바퀴라고 불러요. 매번 새로운 삶을 살 때마다, 우리는 그 문제에 대해 더 명확하게 인식하게 되고, 갈등들은 점차 해결되어 나가는 거죠. 그리고 모든 이들의 모든 갈등이 사라지게 되면, 인류는 새로운 단계로 접어들게 될 거요."

"우리는 왜 과거에 갈등을 만들었을까요? 단지 다음 생에서 그걸 해결하기 위해서?"

"아니요. 인류가 어떤 지점을 향해, 우리도 아직 그 정체를 알지 못하는 지점을 향해 발전하기 위해서요. 우리 모두가 이 행성을 뒤덮고 있는 유기질 액체였을 때를 생각해봐요. 세포들이 수백만 년 동안 같은 방식으로 번식을 해오다가 그중 하나가 변화한 거요. 그 순간 수십억 개의 다른 세포들은 말했을 거요. '저 세포는 틀렸어. 저 세포는 나머지 우리와 갈등을 조장하고 있어.' 그러는 동안에도 그 돌연변이 때문에 그 주위의 다른 세포들도 변하게 되었을 거요. 그렇게 '실수'에 '실수'를 거듭해 유기질 액체는 아메바가 되고, 물고기가 되고, 육상동물이 되고, 인간으로 변해왔을 거요. 갈등은 진화의 기반이었던 거죠."

힐랄이 새 담배에 불을 붙인다.

"그런데 왜 지금 그 갈등을 해결해야 하는 거죠?"

"왜냐하면 신의 심장인 우주가 수축과 이완을 하니까. 연금술사들의 가장 중요한 원칙은 '솔베 에트 코아굴라solve et coagula', 즉 '분리하고 합쳐라'였어요. 그 이유는 묻지 마요. 나도 모르니까.

오늘 오후에 당신은 내 편집자와 언쟁을 벌였어요. 그 대립 덕분에 당신들 두 사람은 각자 상대가 보지 못하고 있던 불을 밝힐 수 있었지요. 당신들은 갈라섰다가 하나로 합쳐졌고, 우리 모두가 그 덕을 보았어요. 사태가 정반대로 흘러갈 수도 있었지요. 아무런 긍정적 결과를 가져오지 못하는 갈등으로 끝날 수도 있었어요. 그런 경우는, 그 화제가 별로 중요하지 않아서였거나 아니면 나중에 해결돼야 하는 것이기 때문이지요. 어쨌든 해결되지 않고 남아 있진 않았을 거요. 그러지 않았으면 두 사람 사이의 증오의 에너지가 객차 전체를 오염시켰을 테니까. 물론 이 객차는 생에 대한 은유예요."

그녀는 이론에는 별 관심이 없다.

"시작하세요. 당신과 같이 가겠어요."

"아니요. 당신은 나와 같이 가지 않아요. 이렇게 당신 품에 안겨 있기는 하지만 당신은 내가 어디로 가는지 알 수 없어요. 당신은 하지 마요. 고리를 상상하지 않겠다고, 나와 함께 가지 않겠다고 약속해요. 내가 완전한 해답을 찾지 못하더라도 내가 어디서 당신을 만났는지는 얘기해줄게요. 그게 내 모든 전생에 걸쳐 단 한 번 일어난 일인지는 모르겠지만, 내가 확신을 가질 수 있는 것은 이번이 유일해요."

그녀는 대답하지 않는다.

"내게 약속해요." 나는 다그친다. "오늘 당신을 알레프로 데려가려고 했는데 거기 사람들이 있었지요. 이건 내가 당신보다 먼저 거기 가야 한다는 뜻이오."

그녀는 팔을 풀더니 일어나려고 한다. 나는 그녀를 침대에 붙잡아 앉힌다.

"나와 함께 지금 알레프로 가요." 그녀가 말한다. "이 시간에는 거기 아무도 없을 거예요."

"제발, 나를 믿어요. 다시 나를 품에 안고, 잠자기가 좀 불편하더라도 움직이지 않도록 노력해줘요. 내가 먼저 해답을 얻을 수 있는지 봅시다. 나를 위해 산꼭대기에 불을 피워줘요. 내가 가려는 곳은 죽음처럼 추운 곳이오."

"내가 그 여자들 중 하나로군요." 힐랄이 다시 말한다.

"그렇소." 나는 그녀에게 말한다. 그녀의 심장 소리를 들으며.

"나는 성스러운 불을 피우고, 여기서 당신의 힘을 북돋워줄게요. 잘 다녀와요."

고리를 상상한다. 그녀가 용서해준 덕분에 나는 한결 자유롭다. 잠시 후 고리가 저절로 내 몸 위아래로 움직이기 시작하고, 내가 알고 있지만 가고 싶지 않은, 그러나 돌아가야만 하는 곳으로 나를 보낸다.

아드 엑스티르판다*

편지에서 눈을 들어 내 앞에 있는, 잘 차려입은 남녀 한 쌍을 관찰한다. 남자는 얼룩 한 점 없는 흰 리넨 셔츠 위에 소매에 금실로 수놓은 벨벳 외투를 입었다. 여자도 긴소매의 흰 블라우스 차림이다. 금수가 놓인 높은 목깃은 수심에 찬 그녀의 얼굴을 감싸고 있다. 블라우스 위에는 진주 장식이 수놓인 모직 보디스를 입었고, 어깨에는 모피를 걸쳤다. 그들은 내 상급자와 대화중이다.

"우리는 오래된 친구잖아요." 여자는 입가에 억지웃음을 지으

---

* Ad extirpanda. 1252년 교황 인노켄티우스 4세가 선포한 칙서. 이단은 곧 신앙과 성전을 훔치는 자이자 영혼을 죽이는 살인범이라 논하고, 종교재판관이 증거가 명백하다고 생각할 경우 피고인에 대해 고문을 할 수 있다는 내용을 담고 있다.

며 말한다. 아무것도 변하지 않았고 모든 것이 오해라고 우리를 설득하려는 듯하다. "직접 그 아이에게 세례를 주고 신앙의 길로 이끈 분은 수사님이세요."

그리고 나를 향해 몸을 돌린다.

"누구보다도 그 아이를 잘 알지 않습니까. 함께 놀며 같이 자랐잖아요. 수사님께서 성직을 택해 집을 떠나지만 않았다면 헤어지지 않았을 텐데."

이단 심문관은 아무 표정이 없다.

그들은 애원하는 눈빛으로 나를 바라본다. 수많은 날을 그들의 집에서 잠을 잤고, 그들이 만들어준 음식을 먹었다. 우리 부모님이 페스트로 세상을 떠난 후, 그들이 나를 돌봐주었다. 나는 고갯짓으로 알았다는 신호를 보낸다. 내가 다섯 살이 더 많긴 하지만, 그렇다, 나는 누구보다 그녀를 잘 알고 있다. 우리는 함께 놀았고, 함께 자랐고, 내가 도미니크 수도회에 입회하기 전까지는 그녀는 내가 남은 생을 함께하고 싶은 여자였다.

"그애 친구들 이야기를 하는 게 아닙니다." 이번에는 그녀의 아버지가 심문관을 향해 말한다. 그 역시 거짓 확신이 담긴 미소를 짓고 있다. "그 아이들이 무얼 하는지, 뭘 하고 다녔는지 저는 모릅니다. 교회가 무어인들의 위협을 끝장내버렸듯이, 이단을 박멸할 의무가 있다고 생각합니다. 그 여자들은 분명 죄가 있을 겁니다. 교회는 언제나 정의로우니까요. 그러나 여러분께서 아시다시피 우리 딸은 결백합니다."

전날, 연례 일정에 따라 수도회 상급자들이 마을을 방문했다. 전례에 따라 모든 주민들이 중앙 광장에 모였다. 의무는 아니었지만, 모습을 보이지 않는 사람은 즉각 의심을 받았다. 모든 계층의 가족들이 성당 앞에 북적거리며 모였고, 상급자 중 하나가 방문 이유에 관한 문서를 읽었다. 이단을 밝혀 그들에게 지상과 천상의 심판관 앞으로 인도하겠다는 것. 이어서 자비의 시간이 왔다. 신성한 교리에 대한 공경심이 부족했다고 느낀 자들이 자발적으로 한 발 앞으로 나서서 죄를 고백하고 가벼운 형벌만을 받을 수 있는 기회가 주어지는 자비의 시간. 모두의 눈에 공포가 떠올랐지만 아무도 움직이지 않았다.

이번에는 누구든 수상한 행동을 한 이웃을 고발하라는 요구가 내려졌다. 그러자 소작인 하나가 앞으로 나서더니, 여덟 명의 소녀를 하나하나 지목하기 시작했다. 그는 평소 자기 딸들을 구타한다고 알려져 있지만, 주말이면 마치 주님의 어린양인 듯 꼬박꼬박 미사에 참례하는 사람이었다.

* * *

심문관이 나를 바라보며 고갯짓으로 신호를 보낸다. 나는 그에게 그 편지를 내민다. 심문관은 그 편지를 책더미 옆에 놓는다.

부부는 기다린다. 추위에도 불구하고, 남자의 이마는 땀에 젖어 있다.

"우리 가족 중 아무도 나서지 않은 것은, 우리는 신을 경외하는 사람들이기 때문이었습니다. 그 아이들 모두를 구하러 온 것이 아닙니다. 그저 우리 딸만 데려가고 싶습니다. 모든 성인들께 맹세코, 딸아이가 열여섯 살이 되는 대로 수녀원에 보내겠습니다. 그 아이의 몸과 영혼은 오로지 주님을 공경하는 데만 바쳐질 것입니다."

"그 남자는 모든 마을 사람들 앞에서 그녀들을 고발했소." 마침내 심문관이 입을 연다. "만일 거짓말이었다면, 그렇게 모든 마을 사람들 앞에서 불명예의 위험을 무릅쓰지는 않았을 거요. 보통 우리는 익명의 고발을 더 많이 받소. 그런 용기는 보기 드문 것이오."

심문관이 침묵을 깬 것이 너무 반가워서 잘 차려입은 남자는 이제 대화가 될 것이라는 가능성을 믿어본다.

"그 사람은 제 적입니다. 수사님도 아시잖습니까? 그가 제 딸에게 눈독을 들이기에 일자리를 빼앗고 내보냈습니다. 이것은 신앙과는 아무 상관 없는 순전히 그의 보복일 뿐입니다."

그건 사실이라고, 그 순간 나는 말하고 싶었다. 그녀를 위해서뿐 아니라 다른 일곱 명의 여자들을 위해서 그렇게 말하고 싶었다. 그 소작인은 자기 딸 둘과 성관계를 가졌다는 소문도 있었다. 그는 어린 여자애들을 통해서만 욕망을 채우는 성도착자였다.

심문관이 책상 위에 쌓인 책더미에서 한 권을 꺼낸다.

"나도 그 말을 믿고 싶소. 그리고 당장이라도 그 사실을 증명해보고 싶소만, 먼저 올바른 절차를 거쳐야 하오. 만일 결백하다면 그녀는 아무것도 두려워할 필요가 없을 거요. 여기 쓰인 것 외에 아무 일도, 절대로 아무 일도 행해지지 않을 것이오. 초기에는 과도한 부분이 있었지만, 이제 우리는 더 잘 정비되었고 신중해졌소. 오늘날에는 아무도 우리 손에서 죽는 일이 없어요."

심문관은 책을 건넨다. 『디렉토리움 인퀴시토룸directorium inquisitorum』[*]. 소녀의 아버지는 책을 받아들지만 펼치지는 않는

---

[*] 니콜라스 에메리히가 1376년에 작성한 지침서. 마술과 마법을 이단으로 규정하고, 마녀와 마법을 정의하는 수많은 행위를 상세한 예시와 함께 기록했다. 또한 원시적인 정신조작이나 고문 등을 통해 자백을 얻어내는 방법도 상세히 기술하고 있다.

다. 자신의 손이 떨리고 있는 걸 감추려는 듯 긴장한 손으로 책을 꼭 쥔다.

"거기에 우리의 행동규범이 들어 있소." 심문관은 말을 잇는다. "그리스도교 신앙의 근원. 이단의 사악함. 그리고 우리가 이 두 가지를 어떻게 구별해야 하는지도."

여인은 공포와 울음을 삼키려는 듯 손을 입으로 가져가 손가락을 깨문다. 그녀는 여기서 어떤 것도 아무 소용이 없을 것임을 깨달았다.

"그녀가 어린 시절 '보이지 않는 친구들'이라고 부르는 것과 대화를 하는 모습을 보았다고 재판정에서 증언할 사람은 내가 아니오. 그녀와 친구들이 근처 숲에 가서 손가락을 유리잔에 대고 생각의 힘으로 움직이려 했다는 것은 마을에서 이미 알려진 이야기외다. 그중 이미 네 명이 미래를 보여줄 망령을 소환하려고 했었다고 고백했소. 그리고 '자연의 힘'이라고 부르는 것과 교통하는 등의 악마적 힘을 가지고 있다는 것을 고백했소. 오직 주 예수 그리스도만이 단 하나의 힘이며 단 하나의 권능이오."

"그건 애들이라면 다 하는 놀이잖아요!"

심문관은 자리에서 일어나 내 책상으로 와서 다른 책 한 권을 집어들고 책장을 넘기기 시작한다. 그와 이 가족 사이의 우정— 그것이 그가 이 만남을 수락한 유일한 이유다—에도 불구하고,

그는 일요일 전에 이 모든 일을 끝내고 싶어 초조한 상태다. 나는 눈빛으로 그들 부부를 안심시키려 애쓴다. 지금 나는 상급자와 함께 있고, 그 앞에서는 내 의견을 낼 수 없기 때문이다.

하지만 그들에게 내 존재는 안중에도 없다. 그들은 심문관의 일거수일투족에 온 신경을 집중하고 있다.

"제발 부탁입니다." 이제 소녀의 어머니는 절망감을 감추려는 기색 없이 애원한다. "우리 딸을 살려주세요. 그애 친구들이 고백을 했다면 그건 단지 그애들이……"

남편이 아내의 손을 잡으며 말을 끊으려 한다. 하지만 심문관이 대신 문장을 완성한다.

"고문을 받았기 때문에? 이것 보시오. 당신들은 나와 오랜 세월을 알고 지내왔고, 신학의 모든 측면에 대해 함께 이야기를 나누었소. 그러니 알 것 아니오? 하느님께서 그들 곁에 계신다면, 결코 그들이 고통받게 하지도, 있지도 않은 것을 자백하게 하지도 않으시리라는 것을. 약간의 고통이 그들 영혼으로부터 가장 끔찍한 추문을 짜낼 수 있으리라고 생각하는 거요? 고문은 이미 삼백 년 전 교황 인노켄티우스 4세 성하께오서 아드 엑스티르판다를 통해 허용하셨소. 우리도 좋아서 고문을 하는 것이 아니오. 우리가 하는 일은 신앙의 증명이오. 고백할 것이 없는 이들은 성령에 의해 보호받고 힘을 얻을 것이오."

부부의 화려한 옷차림은 방 안 온도를 조금이나마 높이려고 피워놓은 불 말고는 아무런 장식도 없는 방 안 모습과 극명한 대조를 이룬다. 돌벽 틈으로 새어들어온 햇살이 여인의 반지와 목걸이 위에서 반짝인다.

"이단 재판정이 이 마을에 온 것은 이번이 처음이 아니오." 심문관이 말을 잇는다. "과거 여러 차례 방문에서는 당신들 중 누구도 불평하거나 우리가 하는 일이 부당하다고 말한 적이 없었소. 그러기는커녕 우리와 함께했던 만찬에서, 삼백 년을 이어온 이 관행이야말로 악의 힘이 퍼지는 것을 막는 유일한 방법이라며 칭송했소. 우리가 이단들로부터 도시를 정화할 때마다 당신들은 갈채를 보냈소. 우리를 두고 잔인한 압제자가 아니라, 진실을 추구하는 이들이라고 했소. 마땅히 그래야 하지만 언제나 투명하지만은 않은 진실을."

"그렇지만……"

"그렇지만 그건 다른 이들의 경우였다? 당신들이 판단하기에 고문과 화형을 당해 마땅한 사람들의 경우였다는 말이겠지. 언젠가," 심문관이 남자를 손으로 가리켰다. "당신이 한 가족을 고발한 적이 있었지. 그 집 안주인이 흑마법을 사용해 당신 가축들을 병들어 죽게 했다고 말이오. 우리는 그것이 사실임을 밝혀냈고, 그들은 유죄 선고를 받았소. 그리고……"

그는 마무리를 하기 전에 단어를 고르는 듯 잠시 뜸을 들인다.

"……나는 당신이 이웃이었던 그 집의 땅을 헐값에 사들이는 걸 도와주었소. 당신의 신심은 충분한 대가를 받았어요."

그는 나를 돌아본다.

"말레우스 말레피카룸*을 가져오게."

나는 그의 책상 뒤에 있는 책장으로 간다. 그는 자신이 하는 일에 깊은 확신을 가지고 있는 선한 사람으로, 개인적인 복수심이 아닌 자기 신앙의 이름으로 일한다. 그는 감정을 털어놓는 법이 없지만, 나는 그가 멍하니 먼 곳을 응시하며 왜 자신의 등에 이토록 무거운 짐을 지우셨는지 신께 질문하는 듯한 모습을 여러 번 보았다.

나는 그에게 가죽 장정에 제목을 불도장으로 찍은 두꺼운 책을 건넨다.

"이 책, 말레우스 말레피카룸 안에 모든 것이 있소. 이교도의 시대를 다시 불러오려는 모든 음모에 대해서 말이오. 자연이야

---

* Malleus Maleficarum. 라틴어로 '마녀를 향한 망치'라는 뜻. 하인리히 크래머가 1487년에 쓴 신앙 지침서로, 마법과 마녀가 존재하지 않는다고 주장하며 그 사실성에 회의를 품는 사람들을 공박하기 위해 쓴 책이다. 이 책은 마법과 마녀에 대해 자세히 설명하며, 법정에서 그들을 상대하는 사람들을 위한 조언도 담고 있다. 종교개혁과 반종교개혁의 소용돌이 속에서 마녀사냥의 광기에 한층 더 불을 지핀 책들 중 하나다.

말로 유일한 구원이라고 여기는 믿음, 전생의 존재를 주장하는 미신, 이미 유죄선고를 받은 점성술, 그리고 더욱 무거운 유죄선고를 받은, 신앙의 신비에 반하는 과학. 이 모든 것들에 대한 자세하고 긴 조사서요. 악마는 저 혼자 일할 수 없다는 걸 알고 있소. 그래서 세상을 현혹하고 타락시키기 위해 마녀들과 과학자들을 필요로 하는 거요.

남자들이 신앙과 천년왕국을 지키기 위해 싸우고 죽어가는 동안, 여자들은 자신들이 다스리기 위해 태어났다고 생각하기 시작했고, 스스로를 현자라고 믿는 비겁자들은 성서에서 얼마든지 찾을 수 있는 해답을 구하기 위해 도구나 과학 이론에 매달리기 시작했소. 이런 일을 막는 것이 우리의 책무요. 이 여자아이들을 여기 데려온 것은 내가 아니오. 나는 단지 그들이 결백한지, 아니면 죄에서 구원받아야 하는지 알아내는 책임이 있을 뿐이오."

심문관은 자리에서 일어나 내게 따라오라고 명한다.

"이제 가봐야겠소. 당신들 딸이 결백하다면 내일 해가 뜨기 전에 집으로 돌아갈 수 있을 것이오."

여인이 바닥에 몸을 던지며 심문관 발 앞에 무릎을 꿇는다.

"이렇게 애원합니다! 수사님께서는 그 아이가 어렸을 때 안아주신 분이에요!"

남자는 자신의 마지막 카드를 내민다.

"제가 가진 모든 땅과 재산을 교회에 봉헌하겠습니다! 바로 지금 이 자리에서요! 펜과 종이를 주십시오. 바로 서명하겠습니다. 제 딸의 손을 잡고 이곳을 나가고 싶습니다!"

심문관은 여인을 밀어낸다. 그녀는 계속 무릎을 꿇은 채, 얼굴을 두 손에 묻고 주체할 수 없이 흐느끼고 있다.

"도미니크 수도회는 바로 이런 일이 벌어지지 않게 하기 위해 선택받은 거요. 예전의 심문관들은 쉽사리 돈에 매수되었소. 하지만 우리는 언제나 걸식으로 사는 수도사들이고, 앞으로도 그럴 것이오. 돈은 우리를 현혹할 수 없소. 오히려 당신의 그런 불명예스러운 제안은 당신 딸에게 악영향을 끼칠 것이오."

남자가 내 어깨를 움켜잡는다.

"자네는 우리 아들이나 다름없었네! 자네 부모님이 돌아가신 후 자네 삼촌이 자네를 학대하지 못하도록 우리 집안에 자네를 데려와 키우지 않았나!"

"걱정하지 마세요." 나는 심문관이 들을까 두려워하면서 남자의 귀에 속삭인다. "걱정 마세요."

그가 나를 키워준 것이 자기 땅에서 노예처럼 부려먹기 위한 것이었음에도 불구하고. 실수만 했다 하면 나를 구타하고 모욕을 주었음에도 불구하고.

나는 그의 손아귀에서 몸을 빼내어 문으로 걸어간다. 심문관은 부부를 향해 마지막 말을 던진다.

"언젠가는 당신들 딸을 영원한 징벌에서 구원해준 것에 대해 내게 고마워하게 될 것이오."

"옷을 벗겨라. 완전히 발가벗겨라."

심문관은 여러 개의 빈 의자들이 나란히 놓여 있는 커다란 테이블 앞에 앉아 있다.

경비병 둘이 앞으로 나서는데 소녀가 손을 들어 제지한다.

"그러실 필요 없어요. 혼자 할 수 있어요. 제발 저를 다치게 하지만 말아주세요."

그녀는 어머니가 입었던 옷만큼 우아한, 금실로 수놓인 벨벳 치마를 천천히 벗는다. 방 안에 있는 스무 명의 남자들은 아무렇지도 않은 척하지만, 그들의 머릿속에 무슨 일이 벌어지고 있는지 나는 안다. 음탕한 생각, 색욕, 탐욕, 타락.

"상의도."

그녀는 블라우스를 벗는다. 어제까지는 흰색이었을 옷은 더러워지고 구겨져 있다. 그녀의 동작은 부자연스럽고 지나치게 느리지만, 나는 그녀가 무슨 생각을 하고 있는지 알고 있다. '그가 날 구해줄 거야. 이걸 당장 멈춰줄 거야.' 나는 아무 말도 하지 않는다. 그리고 침묵중에 신께 묻는다. 이 모든 것이 과연 정의로운 일인지. 나는 아버지 하느님께서 그녀와 내 상급자가 깨닫게 해주시기를 빌며 강박적으로 주기도문을 외우기 시작한다. 그가 무슨 생각을 하고 있는지 알고 있다. 이 고발은 시기심이나 복수심 때문만이 아니라, 그녀의 믿을 수 없으리만치 뛰어난 아름다움 때문이다. 그녀는 하늘나라에서 가장 아름답고 가장 사악한 천사 루시퍼의 모습 그대로다.

이 자리에 있는 모든 남자들은 그녀의 아버지를 알고 있다. 그가 얼마나 강력한 힘을 가진 사람인지, 자기 딸을 건드린 사람에게 어떤 피해를 입힐 수 있는지를. 그녀는 나를 바라보고, 나는 얼굴을 돌리지 않는다. 다른 이들은 이 거대한 지하실 곳곳에 흩어져 그늘에 몸을 숨기고 있다. 그녀가 살아서 이곳을 나갈 경우 그들을 고발할까 두려워서다. 비겁자들! 그들은 대의를 위해 봉사하도록 부름받았고, 세상을 정화하는 일을 돕는 중인 것을. 그런데 왜 아무 힘도 없는 소녀가 두려워 숨는단 말인가?

"속옷까지 다 벗어라."

그녀는 여전히 나를 뚫어져라 바라본다. 그리고 손을 들어 몸을 감싸고 있는 푸른색 속치마의 매듭을 풀어 그것이 천천히 땅에 떨어지도록 놔둔다. 그녀의 눈은 뭐라도 해서 이 일을 멈추게 해달라고 내게 애원하고 있다. 나는 다 괜찮을 거라고, 걱정하지 말라고 작은 고갯짓으로 대답한다.

"사탄의 표지를 찾아라." 심문관이 내게 명령한다.

나는 촛불을 들고 그녀에게 다가간다. 추워서인지, 아니면 모두 앞에서 발가벗은 채 서 있어서 본의 아니게 흥분해서인지 작은 가슴의 젖꼭지는 단단하게 서 있다. 살갗에는 소름이 돋아 있다. 높은 곳에 난 두꺼운 유리창으로는 거의 빛이 들어오지 않지만, 희미하게 들어오는 그 빛이 그녀의 티 없이 흰 몸을 비춰준다. 오래 찾을 필요도 없다. 나의 가장 사악한 상상 속에서 수없이 입맞춤을 퍼부었던 곳, 그녀의 성기 근처, 왼쪽 윗부분의 음모 사이에 숨어 있는 사탄의 표지가 보인다. 그것을 보니 두려워진다. 어쩌면 심문관이 옳은지도 모른다. 이것은 악마와 이미 관계를 가졌다는, 반박할 수 없는 증거다. 혐오감과 슬픔, 분노가 한꺼번에 몰려온다.

확실히 해야 한다. 나는 그녀의 나신 옆에 무릎을 꿇고 다시 한번 그 표지를 살핀다. 초승달 모양의 반점.

"그건 제가 태어날 때부터 거기 있었어요."

아까 그녀의 부모가 그랬던 것처럼, 그녀는 여기서 대화라는 것이 가능하고 여기 있는 모두에게 자신의 결백을 설득할 수 있다고 생각하고 있다. 나는 이 방에 들어올 때부터 하느님께 간절히 기도하고 있다. 제발 내게 힘을 달라고. 조금 고통스럽겠지만 모든 것은 반시간 안에 끝날 것이다. 이 표지가 부인할 길 없이 그녀 죄의 증거라 할지라도, 나는 내 몸과 영혼을 하느님께 바치기 전까지 그녀를 사랑했다. 그녀의 부모가 귀족의 딸과 농노의 혼인을 결코 허락할 리가 없다는 걸 알았기 때문에 성직을 택하기 전까지는.

그리고 그 사랑은 내가 억누를 수 없으리만큼 여전히 강하다. 나는 그녀가 고통받는 것을 보고 싶지 않다.

"나는 한 번도 악마를 불러낸 적이 없어요. 당신은 나를 잘 알고 내 친구들도 알잖아요. 저분한테 얘기해줘요." 그녀가 내 상급자를 가리킨다. "내가 결백하다고 말해줘요."

그러자 심문관이 놀랍도록 부드러운 목소리로, 하느님의 자비로부터 나왔다고 볼 수밖에 없는 목소리로 말한다.

"나도 네 가족을 잘 알고 있다. 하지만 교회는 잘 알고 있지. 사탄이 하수인을 고를 때 사회계층이 아니라 언변이나 거짓 아름다움으로 사람들을 현혹할 수 있는 능력을 본다는 것을. 예수께서도 말씀하셨다. 악은 사람의 입에서 나온다고. 만약 악이 네 안에 있다면 너의 비명을 통해 정화되어 나올 것이고, 그것은 우리가 기다리는 고백이 될 것이다. 만약 네 안에 악이 없다면, 너는 고통을 견딜 수 있을 게다."

"너무 추워요. 혹시……"

"내가 먼저 묻기 전에는 입을 열지 마라." 심문관은 여전히 부드럽지만 단호하게 말한다. "고개를 끄덕이거나 저으면 된다. 너의 친구 네 명이 무슨 일이 있었는지 모두 말해주었느냐?"

그녀가 고개를 끄덕인다.

"자리에 앉으시오, 여러분."

이제 비겁자들이 얼굴을 보이기 시작한다. 이때까지 심문관 혼자 앉아 있던 테이블에 재판관들과 서기들, 귀족 참관인들이 착석한다. 나와 경비병들과 소녀만이 서 있다.

이 쓰레기 같은 인간들이 여기 없다면 얼마나 좋을까. 우리 세 사람만 있을 수 있다면 심문관의 마음을 움직여볼 수도 있을 것이다. 대부분의 고발은 이웃의 구설이 두려워 익명으로 이루어지기 때문에 공개적인 고발은 매우 드물다. 이번 고발 역시 공개적이지만 않았다면, 이 모든 일이 벌어지지 않았을 것이다. 하지만 운명은 일이 다른 방식으로 전개되기를 원했으니, 교회는 이 너절한 인간들을 필요로 하고 있고, 이 재판은 적법한 절차를 거쳐야 한다. 과거 우리가 과도했다고 비난받은 이후로는, 모든 것이 적법하게 공식 기록으로 남겨져야 한다고 공포되었다. 그리하여 후세의 모든 사람들은 그리스도 교회 권력이 품위를 지키며 정당하게 신앙을 방어했다는 것을 알게 될 것이다. 심문관들은 죄 지은 자를 가려낼 뿐, 형을 내리는 것은 국가의 일이다.

"두려워할 필요 없다. 나는 방금 네 부모와 이야기를 나눴고, 네가 고발당한 그 의식에 결코 참여하지 않았다는 것을 입증하기 위해 모든 노력을 다하겠다고 약속했다. 네가 망자의 영혼을 불러낸 적이 없고 미래의 일을 알아내려 한 적이 없고 전생을 방문하려 한 적이 없고 자연을 숭배하지 않았고, 네 육신에 뚜렷하게 있는 그 표지에도 불구하고 사탄의 부하들이 결코 네 육신을 건드리지 않았다는 것을 입증하기 위해서 말이다."

"있잖아요……"

자리에 있는 모든 이들, 이제 피고에게 얼굴을 드러낸 이들이 심문관에게 비난의 눈길을 보낸다. 소녀의 행동에 심문관의 엄격한 반응을 기대하는 것이다. 하지만 그는 입술에 손가락을 갖다 대며 그녀에게 재판정을 존중해줄 것을 요구할 뿐이다.

나의 기도가 응답받은 것이다. 나는 하느님께 기도드린다. 나의 상급자가 인내심과 관용을 갖기를, 그래서 그녀에게 바퀴를 사용하지 않기를 기도드린다. 바퀴 고문은 견뎌낼 수 있는 자가 아무도 없기 때문에 유죄를 확신하는 경우에만 사용된다. 재판정에 끌려온 네 명의 소녀 가운데 지금까지 이 극단적인 형벌을 받은 자는 아무도 없다. 죄인은 뾰족한 못이 박혀 있고 뜨거운 숯이 달려 있는 바퀴 테두리에 몸이 묶인다. 그리고 바퀴가 돌아가면 몸이 천천히 타들어가고 못에 살이 갈가리 찢기는 것이다.

"침대를 가져와라."

주님께서 나의 기도를 들으셨다. 경비병 한 명이 큰 소리로 명령을 전달한다.

소용없다는 것을 알면서도 소녀는 도망치려 한다. 그녀는 돌벽에 몸을 부딪쳐가며 맞은편에 있는 문으로 달려가지만, 경비병들이 그녀를 앞으로 밀쳐버린다. 춥고 축축한 지하실이지만, 땀에 젖은 그녀의 몸은 희미한 불빛 속에서 빛난다. 그녀는 다른 여자아이들처럼 소리를 지르지 않는다. 다만 도망치려 할 뿐이다. 결국 경비병들이 소녀를 붙잡는다. 그런 아수라장 속에서 그들은 일부러 그녀의 작은 가슴과 풍성한 음모에 가려진 성기를 더듬는다.

다른 두 남자가 네덜란드의 이단 재판정에서 특별 제작한 나무침대를 가져온다. 오늘날 여러 나라에서 사용이 권장되고 있는 침대다. 그들은 침대를 테이블 가까이에 놓고 입을 다문 채 저항하는 소녀를 붙잡아 다리를 벌리고, 두 발목을 양쪽 끝에 있는 두 개의 고리로 고정시킨다. 이어서 소녀의 두 팔을 머리 위로 들게 해서 손잡이에 연결된 밧줄로 손목을 결박한다.

"제가 손잡이를 맡겠습니다." 내가 말한다.

심문관이 나를 바라본다. 대체로 이 일은 참석한 병사들 중 한 명이 맡게 되어 있다. 하지만 나는 그 야만인들이 그녀의 근육을 찢어버릴지도 모른다는 걸 알고 있고, 그는 이미 지난 네 번의 재판에서 내게 이 일을 맡긴 바 있다.

"그렇게 하게."

나는 침대 한쪽 끝으로 가서 수차례 사용해 닳아버린 나무조 각 위에 손을 얹는다. 남자들이 고개를 앞으로 뺀다. 이 벌거벗 은 소녀가 다리를 벌린 채 침대에 묶여 있는 모습은 지옥의 풍경 인 동시에 천국의 풍경이다. 악마가 나를 유혹하고 도발한다. 오 늘 밤 나는 악마를 내 몸에서 쫓아낼 때까지, 지금 이 순간 그녀 를 끌어안고 저들의 색욕의 눈길과 웃음으로부터 보호하고 싶어 했다는 이 기억도 악마와 함께 쫓아낼 때까지 나를 채찍질할 것 이다.

"주 예수의 이름으로 명하노니, 물러가라!"

나는 악마에게 외치고, 무의식적으로 손잡이를 누르고, 그녀 의 몸이 뒤로 꺾인다. 척추가 활모양으로 휘는데도 그녀는 신음 소리만 낸다. 힘을 풀자 그녀의 몸은 제자리로 돌아간다.

나는 하느님께 자비를 간구하며 쉴 새 없이 기도한다. 고통의

임계점을 넘으면 영혼은 강인해진다. 일상의 모든 욕망은 그 의미를 잃고, 인간은 정화된다. 번민은 고통에서 오는 것이 아니라 욕망에서 오는 것이다.

나는 평온하고 위안을 주는 목소리로 말한다.

"친구들이 이게 어떤 것인지 너에게 말했을 것이다. 그렇지? 내가 이 손잡이를 누르면 네 팔이 뒤로 꺾이고 어깨가 탈골되고 척추가 부러지며, 피부는 갈가리 찢길 것이다. 내가 그렇게까지 하게 만들지 마라. 네 친구들이 그랬듯 그냥 고백하라. 나의 상급자가 너의 죄를 사해줄 것이고, 너는 속죄의 고행을 할 의무만을 갖고 집으로 돌아갈 수 있을 것이고, 모든 것이 예전으로 돌아갈 것이다. 이단 재판정은 한동안 이 마을을 다시 방문하지 않을 것이다."

옆에서 서기가 내가 하는 말을 제대로 기록하고 있는지 확인한다. 이 모든 것이 미래를 위해 기록되고 있는지.

"고백할게요." 그녀가 말한다. "내 죄가 무엇인지 말해줘. 고백할게요."

나는 아주 조심스럽게, 그러나 그녀가 고통으로 비명을 지를 만큼만 손잡이를 움직인다. 제발 내가 여기서 더 나아가게 하지 마라. 제발 나를 도와 어서 고백해다오.

"너의 죄가 무엇인지 말하는 자는 내가 아니다. 설사 내가 너의 죄를 알고 있다 해도, 재판정에 그 죄를 고해야 하는 것은 너다."

소녀는 고문할 필요도 없이 우리가 기대하는 모든 것을 말하기 시작한다. 하지만 그녀는 스스로 사형판결을 내리고 있는 셈이었고, 나는 그것을 막아야 한다. 손잡이를 눌러 그녀의 입을 다물게 해보려 하지만, 고통에도 불구하고 그녀는 계속 말한다. 그녀는 예지력에 대해, 앞으로 일어날 일을 앞서 느낀 것에 대해, 자연이 그녀와 친구들에게 얼마나 많은 의술의 비밀을 알려주었는지에 대해 말한다. 나는 절박함에 손잡이에 힘을 주지만, 그녀는 말하는 사이사이 고통의 비명을 지르면서도 멈추지 않는다.

"잠깐만." 심문관이 말한다. "이 아이가 하는 말을 들을 수 있도록 힘을 풀게."

그러더니 다른 이들을 향해 말한다.

"여기 있는 모든 이들이 증인입니다. 교회는 여기 악마의 불쌍한 희생자를 화형에 처할 것을 요구합니다."

안 된다! 그녀에게 그만 입을 다물라고 말하고 싶지만 모두가 나를 바라보고 있다.

"재판정은 동의합니다." 재판관들 중 한 명이 말한다.

그녀도 그 말을 들었다. 그녀는 이제 완전히 희망을 잃은 것이다. 이 방에 들어온 후 처음으로 그녀의 눈빛이 오직 악에서 기인했다고밖에 할 수 없는 결의로 가득 찬다.

"고백할게요. 이 세상의 모든 죄악을 저질렀어요. 고백해요. 남자들이 내 침대에 찾아와 내 성기에 입 맞추는 꿈을 꾸었어요. 당신이 그 남자들 중 한 사람이고, 나는 꿈속에서 당신을 유혹했다는 걸 고백해요. 내 친구들과 함께 모여 망자의 영혼을 소환한 것은 평생을 내 곁에 두고 싶었던 그 남자와 내가 언젠가 결혼할 수 있을지 알고 싶어서였어요."

그녀는 머리를 내 쪽으로 돌린다.

"그 남자가 바로 당신이에요. 내가 좀더 나이가 들면 당신이 수도생활을 단념하게 할 수 있을 거라고 생각했어요. 내 편지와 일기들을 다 태웠던 건, 그 글들이 내 부모님을 제외하고는 내게 연민을 보인 유일한 사람, 내가 사랑한 남자를 향한 것이었기 때문이에요. 고백해요. 그 사람은 바로 당신이에요……"

나는 손잡이를 더욱 세게 누른다. 그녀는 고통으로 비명을 지르며 실신한다. 하얀 육체는 온통 땀에 젖어 있다. 경비병들이 그녀가 고백을 다시 시작할 수 있게 정신을 차리도록 찬물을 얼굴에 끼얹으려 하자 심문관이 제지한다.

"그럴 필요 없다. 재판정은 필요한 만큼 다 들었다고 본다. 속옷만 입혀서 감옥으로 데려가라."

경비병들은 죽은 듯이 늘어진 그녀의 몸을 침대에서 풀고, 바닥에 떨어져 있는 흰 속옷을 집어들고 그녀를 데려간다. 심문관은 그 자리에 있는 몰인정한 사람들에게 고개를 돌린다.

"여러분, 이제 판결문이 서면으로 작성되기를 기다리겠습니다. 여기 있는 분들 중 한 분이라도 피고를 변호하실 말씀이 있지 않다면요. 만일 있다면, 기소를 재고하겠습니다."

심문관을 제외한 모두가 나를 바라본다. 어떤 이들은 내가 아무 말 하지 않기를 바라고 있고, 또 어떤 이들은 그녀가 말했듯 그녀를 잘 아는 내가 그녀를 구해주기를 기대하고 있다.

그녀는 왜 여기서 그 말을 해야 했을까? 내가 하느님께 헌신하고 세상을 등질 것을 결심했을 때 그토록 극복하기 힘들었던 감정들을 왜 불러일으키려 했을까? 왜 내가 그녀의 목숨을 구해줄 수 있을 때 내가 변호하도록 놔두지 않았을까? 만약 지금 내가 그녀를 변호한다면 당장 내일 이 도시 전체에, 그녀가 나를 사랑해왔다고 말했기 때문에 내가 그녀를 구해주었다고 소문이 날 것이다. 나의 평판과 경력은 영영 망가질 것이다.

"만약 한 사람이라도 그녀를 변호한다면, 나는 성스러운 어머니 교회의 관용을 보여줄 준비가 되어 있습니다."

여기서 그녀의 가족을 아는 사람은 나만이 아니다. 어떤 이들은 그들의 은혜를 입었고, 어떤 이들은 돈을 빌렸고, 어떤 이들은 그 가족을 시기한다. 아무도 입을 열지 않는다. 그들 중 빚을

지지 않은 사람만이 말할 수 있으리라.

"폐정을 선포해도 되겠습니까?"

나보다 학식이 높고 믿음이 깊은 심문관조차 내 도움을 바라는 듯하다. 어쨌든 그녀는 여기 모두의 앞에서 나를 사랑한다고 말했으니까.

"그저 한 말씀만 하시면 제 권속이 치유될 것입니다." 로마의 백인대장이 예수께 한 말이다. 한 마디 말이면 나는 그녀를 구할 수 있다.

내 입술은 열리지 않는다.

심문관은 겉으로 드러내지 않고 있지만, 나는 그가 내게 느끼는 것이 무엇인지 알고 있다. 바로 경멸이다. 그가 사람들을 향해 돌아선다.

"이곳에서 이 비천한 수호자인 저에 의해 대표되는 교회는 사형판결의 확정을 기다립니다."

남자들이 한곳에 모이고, 나는 그날 하루 종일 그랬듯이 나를 혼란스럽게 하기 위해 내 귀에 대고 점점 큰 소리로 고함지르는 악마의 목소리를 듣고 있다. 나는 다른 네 소녀 중 아무에게도 다시 돌이킬 수 없을 정도의 상처를 남기지 않았다. 나는 수도회 형제들 중 어떤 이들은 손잡이를 끝까지 누르는 것을 보았다. 결국 고문받는 자들은 장기가 다 터지고, 피를 토하고, 몸이 30센

티미터 이상 늘어난 채 죽었다.

남자들이 모두의 서명을 담은 종이를 들고 돌아온다. 판결은 이미 심문을 받은 다른 네 명의 소녀와 동일하다. 화형.

심문관은 모두에게 감사를 표한 뒤, 내게는 한 마디 말도 하지 않고 나가버린다. 법과 정의를 관장하는 남자들도 떠난다. 어떤 이들은 이웃에 떠도는 소문을 이야기하며 나서고, 어떤 이들은 고개를 숙인 채 말없이 떠난다. 나는 화로로 가서 붉게 달아오른 숯 몇 조각을 손으로 집어 수도복 아래 피부에 가져다댄다. 살이 타는 냄새가 나고, 손이 타오르고 온몸이 고통으로 죄어들지만, 나는 움직이지 않는다.

"주여," 마침내 고통이 잦아들었을 때 나는 말한다. "이 흉터가 영원히 제 몸에 남아 오늘 제가 어떤 인간이었는지 결코 잊지 못하게 하소서."

움직이지 않고 힘을 무력화하기

보통보다 살이 찐 편인—솔직히 말하자면 많이 뚱뚱한—한 여자가 지나치게 진한 화장에 전통의상을 입고 지방 민요를 부르고 있다. 모두가 즐거운 시간을 보내고 있기를 바란다. 파티는 훌륭하고, 철도를 일 킬로미터씩 나아갈수록 나는 점점 더 기분이 좋아진다.

오늘 오후 한때, 이 여행을 시작하기 전에 나였던 사람의 우울함에 나도 모르게 빠져든 순간도 있었지만 곧 생기를 되찾았다. 힐랄이 용서해주었는데 왜 내가 죄책감을 느껴야 하는가? 과거로 돌아가 거기 있는 오랜 상처를 다시 열어보는 것은 쉬운 일도, 중요한 일도 아니다. 그것에 대한 유일한 정당화는 그로 인해 알게 된 것들이 내가 현재를 더 잘 이해하도록 도와준다는 것뿐이다.

저녁에 열린 사인회가 끝날 무렵부터 나는 힐랄을 진실로 이끌어줄 적확한 단어를 찾고 있다. 언어의 문제점은 우리가 누군가를 이해시킬 수 있고, 누군가를 우리가 이해할 수 있다는 느낌을 준다는 것이다. 하지만 돌아서서 운명과 마주서고 나면 언어로는 충분하지 않음을 발견하게 된다. 말로는 인생에 통달해 있지만 자신들이 설파하는 내용을 삶으로 실현하지는 못하는 사람들이 얼마나 많은가! 그뿐 아니라, 어떤 상황에 대해 이야기하는 것과 경험하는 것은 전혀 다른 일이다. 오래전부터 나는 잘 알고 있다. 꿈을 찾아가는 전사戰士는 자신이 하고 있다고 상상하는 것이 아닌, 자신이 실제로 행하는 일에서 영감을 받는다는 사실을. 힐랄에게 우리가 함께 겪은 일을 말해봤자 아무 소용이 없을 것이다. 그 말들은 내 입을 떠나기도 전에 이미 죽어 있을 테니까.

그 지하감옥에서 겪은 일, 고문과 화형을 경험하는 일은 그녀에게 조금도 도움이 되지 않을뿐더러, 오히려 끔찍한 해악을 끼칠 수도 있다. 아직 여행은 며칠 더 남아 있으니, 그 고통을 다시 겪게 하지 않고도 우리의 관계를 이해하게 만들 더 나은 방법을 찾을 수 있을 것이다.

나는 그녀가 계속 아무것도 모르도록 입을 다물고 있을 수도 있다. 하지만 딱히 논리적으로 설명할 수는 없지만, 그녀 역시 진실을 알게 되면 이번 생에서 겪고 있는 많은 것들로부터 자유로워질 수 있으리라는 예감이 든다. 나의 생이 더이상 바다로 향하는 강물처럼 흐르지 않는다는 걸 깨달았을 때 여행을 떠나기로 결심한 것은 우연이 아니다. 내 주위에 있는 모든 것이 정체되고 있다는 위협을 느꼈기 때문에 떠났다. 그녀 역시 같은 것을 느끼고 있다고 말한 것 역시 우연이 아니다.

그러므로 신께서 나를 도와 내게 진실을 말하는 방법을 알려줄 것이다. 나와 같은 객차를 타고 있는 사람들은 매일 자기 생의 새로운 단계를 경험하고 있다. 여자 편집자는 더욱 인간적이되었고 좀 덜 방어적이 된 것 같다. 지금 내 옆에서 담배를 피우면서 댄스홀의 사람들을 바라보고 있는 야오는 내가 잊고 있던것들을 보여주었다. 그리고 그것을 통해 자신이 배운 것을 되새기는 것에 대해 매우 만족스러워하고 있다. 우리는 오늘 아침 여기 이르쿠츠크에서 찾아낸 체육관에서 아이키도를 수련했다. 대련이 끝난 후 그가 내게 말했다.

"우리는 언제나 적의 공격에 대비하고 있어야 하고, 죽음의 눈을 들여다볼 수 있어야 합니다. 그래야 죽음이 우리의 길을 밝혀줄 수 있으니까요."

우에시바는 화의 도를 따르고자 하는 이들의 발걸음을 안내하는 많은 명언들을 남겼다. 그중에서도 야오가 고른 그 문장은 지난밤 내가 겪은 일과 정확히 맞아떨어졌다. 힐랄이 내 품에서 잠들어 있는 동안 나는 그녀의 죽음을 보았던 것이다. 그것은 내 길을 비춰주고 있었다.

야오가 평행세계로 들어가는 절차를 알고 있고 내게 벌어지고 있는 일에 대해서도 알고 있는지는 모르겠다. 나와 가장 많은 대화를 나누는 사람이지만(힐랄은 나와 매우 특별한 경험을 함께하면서도 점점 말수가 줄어들고 있다), 나는 여전히 그를 잘 모르겠다. 사랑하는 사람은 사라지는 것이 아니고 다만 다른 차원으로 옮겨가는 것뿐이라고 말했던 것이, 그에게 얼마나 큰 도움이 되었는지도 잘 모르겠다. 그는 여전히 자기 아내만 생각하고 있는 것 같고, 이제 내가 해줄 수 있는 일이라고는 런던에 있는 뛰어난 영매를 찾아가보라고 말해주는 것뿐이다. 그는 거기서 필요한 모든 해답을 찾고, 내가 시간의 영원성에 대해 말한 것이 사실임을 확인해줄 모든 표지를 만날 것이다.

아시아 대륙을 기차로 횡단하겠다는 결정은 처음에는 충동적이었을지 모르지만, 이제는 우리 각자가 이곳 이르쿠츠크에 와있어야 하는 나름의 이유를 가지게 되었다고 확신한다. 이런 일은 관련된 모든 사람이 과거의 어딘가에서 만난 적이 있고, 함께 자유를 향해 여행하고 있을 때에나 일어나는 일이다.

힐랄은 지금 자기 또래의 한 청년과 춤을 추고 있다. 그녀는 술을 좀 마셨고, 열정적으로 즐거워하고 있다. 오늘 밤에 바이올린을 가지고 올 걸 그랬다고, 그녀는 내게 와서 두 차례나 푸념을 했다. 그건 정말 안타까운 일이다. 여기 있는 사람들은 러시아에서 가장 유명한 음악학교의 훌륭한 스팔라가 연주하는 마법과 매혹에 빠져볼 자격이 충분한데 말이다.

* * *

뚱뚱한 여가수가 무대에서 내려가고, 악단은 연주를 계속하고, 파티에 온 사람들은 펄쩍펄쩍 뛰며 "칼라시니코프! 칼라시니코프!"라는 후렴구를 외친다. 고란 브레고비치의 노래가 그렇게 유명하지 않았다면 밖에 지나가는 사람이 듣고 테러리스트들의 축하 파티라도 열린 줄 알 것이다. 그 말은 미하일 칼라시니코프가 만든 유명한 총기인 AK-47의 이름이기 때문이다.

청년과 힐랄은 서로를 꼭 끌어안고 입을 맞추기 직전이다. 그들이 바로 옆에 있는 건 아니지만, 내 길동무들은 그 광경에 내가 기분이 나빠질까봐 신경쓰고 있다는 것을 나는 알고 있다.

하지만 사실 나는 기쁘다.

바라건대 힐랄이 자신을 행복하게 해주고, 음악가로서의 빛나는 경력을 방해하려 들지 않고, 해가 지면 그녀를 안아줄 수 있고, 그녀가 도움이 필요할 때 성스러운 불을 밝혀주는 것을 잊지 않을 남자를 만나기를 기원한다. 그녀는 그런 것을 누릴 자격이 있는 사람이다.

"선생 몸에 남아 있는 흉터는 치료할 수 있습니다." 춤추는 사람들을 함께 바라보면서 야오가 말한다. "중국 의학에 그걸 치료하는 방법이 있지요."

아니, 그것은 불가능하다.

"그렇게 심각한 것은 아닙니다. 가끔 나타났다가 사라지는데 점점 뜸해집니다. 이 화폐상습진은 치유가 불가능해요."

"중국문화에서는, 전생에 전쟁터에서 화상을 입은 병사였던 사람들에게서만 그 상처가 생긴다고 하지요."

나는 미소를 짓는다. 야오가 나를 보며 마주 미소를 짓는다. 그가 지금 자신이 하는 말을 이해하고 있는지 알 수 없다. 지하 감옥에서의 그날 이후 내게 항상 남아 있을 그 자국이 거기 있다. 19세기 중반의 프랑스 작가였던 전생의 나 자신을 보았을 때도, 깃털 펜을 쥐고 있는 내 손에 화폐상습진이 있었다. 이 원형 습진을 화폐상습진이라고 부르는 이유는, 상처의 모양이 '누물루스nummulus'라고 하는 작은 로마 동전과 비슷하기 때문이다.

혹은 숯으로 지진 화상과.

음악이 멈춘다. 이제 저녁식사를 하러 갈 시간이다. 나는 힐랄에게 다가가 그녀와 춤추던 청년에게 우리와 함께 식사를 하자고 초대한다. 우리와 동행할 독자 중 한 명으로 선택된 거라면서. 힐랄이 의아해하는 눈으로 나를 바라본다.

　"이미 다른 독자들을 초대했잖아요."

　"한 명 정도 추가할 여유는 항상 있어요." 내가 말한다.

　"늘 그렇지는 않죠. 인생의 모든 것이 누구에게나 승차권을 파는 기차는 아니잖아요."

　청년은 정확히 이해할 순 없어도 우리의 대화에 뭔가 이상한 게 있다는 걸 눈치챈 듯하다. 그는 식구들과 저녁을 먹기로 했다며 사양한다. 나는 장난을 좀 치고 싶어진다.

　"마야콥스키*를 읽어봤나요?"

　"아뇨, 이제 그 작가의 작품은 의무교육 과정에 들어 있지 않습니다. 그는 일종의 관변 문인이었죠."

　청년의 말이 맞다. 하지만 나는 그의 나이였을 때 마야콥스키를 좋아했다. 그의 삶에 대해서도 조금 알고 있다.

　내 편집자들이 다가온다. 내가 질투 때문에 말썽이라도 일으

---

* 블라디미르 마야콥스키. 십대 때부터 혁명의 대열에 뛰어들어 갖은 풍파를 겪고, 많은 시와 희곡을 남긴 소비에트 연방의 문인. 대중의 의지를 고양시킬 선전 선동시를 쓴 것으로 유명하지만 전위주의 예술의 최전선에서 활동하기도 했다.

킬까 걱정되는 모양이다. 하지만 살아가면서 종종 경험하게 되 듯, 보이는 것은 실제와 다른 경우가 많다.

"마야콥스키는 자기 책을 펴내는 출판인의 아내이자 발레리나 였던 여인과 사랑에 빠졌지요." 나는 도발적으로 말한다. "그 격 렬하고 깊은 사랑 덕분에 그의 작품은 정치적 색채를 잃고 휴머 니티를 획득하게 되었어요. 그의 시 속에서 그녀의 이름을 바꿔 쓰긴 했지만, 출판인 친구는 자기 아내에 대한 시라는 것을 알고 있었지요. 그러면서도 그의 시집을 계속 출간했어요. 그녀는 남 편도 사랑하고 마야콥스키도 사랑했어요. 결국 세 명이 함께, 무 척 행복하게 사는 걸로 해결을 봤습니다."

"나 역시 내 남편도 사랑하고 선생님도 사랑해요!" 남자 편집 자의 아내가 농담을 한다. "러시아로 이사 오세요!"

청년이 메시지를 이해한다.

"이 아가씨가 선생님의 애인인가요?" 그가 묻는다.

"나는 이 아가씨와 사랑에 빠진 지 적어도 오백 년이 넘어요. 하지만 당신 질문에 대한 대답은 '아니요'입니다. 그녀는 자유로 워요, 한 마리 작은 새처럼. 그녀는 눈부신 경력을 앞두고 있고, 아직 그녀에게 합당한 사랑과 존중으로 대해줄 남자를 만나지 못했지요."

"무슨 엉터리 같은 말씀이세요? 정말로 나한테 남자를 구해줄 누군가가 필요하다고 생각하는 거예요?" 힐랄이 말한다.

청년은 가족과 식사 약속이 있다고 다시 한번 말하고는, 고맙다는 인사를 하고 떠나간다. 초대받은 독자들이 다가오고, 우리는 식당까지 걸어가기로 한다.

"한 가지 말씀드릴 게 있습니다만." 야오가 길을 건너며 나에게 말한다. "아까 힐랄과 그 청년, 그리고 선생 자신에게도 잘못 행동하신 겁니다. 우선 힐랄의 경우, 그녀가 선생에게 느끼고 있는 사랑을 존중해주지 않았습니다. 그리고 그 청년의 경우, 그는 선생의 독자인데 자신이 마구 다뤄졌다고 느꼈을 겁니다. 마지막으로 선생 자신의 경우, 선생은 그저 자신이 중요한 사람임을 드러내고 싶다는 오만함에 이끌려 행동했습니다. 질투 때문이었다면 용서받을 만했겠지만, 그렇지도 않았지요. 선생은 그저 친구들과 나에게 자신이 별 신경 쓰지 않는다는 걸 보여주고 싶은 것인데, 그건 사실이 아니지요."

나는 동의한다는 뜻으로 고개를 끄덕인다. 영적 성장을 이루었다고 해서 지혜도 항상 따라오는 것은 아니다.

"그리고 단지 매듭짓는 차원에서 말씀드리는 겁니다만," 야오가 말을 잇는다. "우리 시절에는 의무교육 과정에 마야콥스키의 작품이 들어 있었지요. 그래서 우리 모두는 그 세 사람의 그런 삶이 행복하게 끝나지 않았다는 걸 압니다. 마야콥스키는 겨우 서른일곱 살의 나이에 자기 머리에 권총을 쏘아 자살했지요."

* * *

우리는 지금, 출발했던 지점인 모스크바로부터 벌써 다섯 시
간이나 시차가 있는 곳에 와 있다. 이르쿠츠크에서 우리가 저녁
을 먹기 시작하는 시간에 모스크바 사람들은 점심식사를 끝내고
있다. 도시는 나름의 매력을 갖고 있긴 하지만, 일행의 분위기는
기차 안에 있을 때보다 더욱 경직되어 있는 것 같다. 아마도 이
시점에는 우리 모두 객차 테이블을 중심으로 하는 작은 세상에
모여 정해진 한 지점으로 향하는 여행에 익숙해져 있는지도 모
른다. 그리고 한 번씩 정차할 때마다 오히려 우리의 길에서 잠시
벗어나는 기분이 드는지도.

힐랄은 파티에서 있었던 일 이후로 기분이 극도로 저조한 상
태다. 남자 편집자는 휴대전화를 잠시도 손에서 놓지 않고 전화
기 너머의 누군가와 뭔가에 대해 격렬하게 말다툼을 하고 있다.
단지 도서유통 문제 때문이라고 야오가 설명하면서 나를 안심시
킨다. 오늘 초대된 독자 세 명은 평상시에 만나던 이들보다 수줍
음이 많은 편인 것 같다.

우리는 음료를 주문한다. 독자 중 한 명이 그 술은 몽골 보드

카와 시베리아 보드카를 섞은 것으로, 다음날 숙취로 고생하지 않으려면 조심해야 한다고 경고한다. 하지만 우리 모두 이 긴장을 누그러뜨리기 위해 한잔할 필요가 있다. 한 잔을 비우고, 두 잔을 비우고, 음식이 나오기도 전에 한 병을 더 시킨다. 마침내 우리에게 보드카에 대해 경고한 독자가 자기 혼자 맨정신으로 있는 건 못 참겠다면서, 우리의 박수갈채를 받으며 연거푸 세 잔을 들이켠다. 곧 분위기가 흥겨워지지만, 힐랄만은 다른 사람들과 똑같이 마시면서도 굳은 얼굴을 풀지 않는다.

"이 도시는 거지 같아요." 이 분 전까지만 해도 보드카를 사양하던, 하지만 지금은 눈이 붉게 풀린 그 독자가 말한다. "식당 앞 거리를 다들 보셨지요."

오늘날 보기 힘든, 아름다운 목재 가옥들이 늘어서 있는 모습을 보았다. 마치 야외 건축박물관과도 같았다.

"집들을 말하는 게 아닙니다. 거리 말입니다."

확실히 그곳의 도로포장은 일류라고 할 수는 없었다. 퀴퀴한 하수구 냄새가 올라오는 곳도 있었다.

"이 구역은 마피아들이 접수한 곳입니다." 그 독자가 말을 잇는다. "마피아들은 이 구역을 사들여 전부 부수고 흉측한 주택단지를 세우고 싶어해요. 지금껏 주민들이 집과 땅을 팔기를 거부해왔기 때문에 마피아들은 이 지역의 모든 정비작업을 막고 있어요. 이 도시는 역사가 사백 년이 넘었고, 중국과 교역하기 위해 찾아온 외국 이민자들을 두 팔 벌려 맞아들였고, 다이아몬드와 황금과 가죽의 중개무역으로 이름이 높았지요. 그런데 이제 이곳으로 진출한 마피아들이 그 모든 것을 끝장내려 하고 있어요. 그러는 동안 정부가 하는 일이라는 게 고작……"

'마피아'는 전 세계적인 단어다. 남자 편집자는 여전히 언제까지고 끝나지 않을 것 같은 전화 통화중이고, 여자 편집자는 메뉴에 대해서 불평을 하고 있고, 힐랄은 다른 세상에 가 있는 척하고 있다. 야오와 나는 옆 테이블에 앉아 있는 남자들이 우리 대화에 귀 기울이기 시작하는 것을 알아챈다.

피해망상. 순전히 피해망상이다.

독자는 계속해서 술을 마시며 불평을 늘어놓는다. 그의 두 친구들은 그가 하는 말마다 동의한다. 정부가 얼마나 형편없는지, 도로상태가 어떤지, 공항의 운영수준이 얼마나 질 낮은지에 대해 말한다. 누구든 자기가 사는 도시에 대해 할 수 있는 이야기이긴 하지만, 그들은 불평마다 '마피아'라는 단어를 빼놓지 않고 반복하고 있다. 나는 화제를 바꿔보려고 이 지역의 샤먼에 대해 물어본다(야오는 반기는 눈치다. 비록 내가 아무것도 약속하지는 않았지만 잊지 않고 있다는 것 때문이다). 그러나 그들은 계속해서 '샤먼 마피아'니 '여행가이드 마피아'에 대해서 이야기한다. 이제 몽골-시베리아 보드카가 세 병째 열리고, 그들은 정치에 대해 열렬히 토론한다. 내가 이해할 수 있도록, 혹은 옆 테이블 사람들이 대화 내용을 다 알아듣지 못하도록 영어로 말하는 중이다. 마침내 남자 편집자가 통화를 마치고 토론에 끼어들고, 여자 편집자는 대화에 더욱 열을 올리고, 힐랄은 보드카를 한 잔 한 잔 비우고만 있다. 야오만이 술에 취하지 않은 상태인데, 불안한 마음을 드러내지 않으려는 듯 허공을 응시하고 있다. 나는 세 잔까지만 마셨고, 더 마실 생각이 없다.

피해망상으로만 보였던 일이 현실이 된다. 옆 테이블에 앉아 있던 남자들 중 한 명이 일어서더니 우리에게 다가온다.

남자는 아무 말도 하지 않는다. 다만 우리가 식사에 초대한 독자들을 바라볼 뿐인데, 테이블 위의 대화가 뚝 끊긴다. 모두 별안간 나타난 남자 때문에 당황한다. 술도 오른데다 내내 통화하던 문제로 흥분해 있던 남자 편집자가 러시아어로 뭐라고 질문한다.

"아니요, 나는 저 친구의 아버지가 아니오." 남자가 대답한다. "하지만 그렇다고 해도, 저 친구가 이렇게 술을 마시고 전혀 사실이 아닌 이야기들을 떠들 만한 나이인지는 모르겠군요."

그의 영어는 완벽하다. 영국의 가장 비싼 사립학교에서 교육받은 상류사회 사람이 가질 법한 약간 거만한 억양이다. 그는 아무런 감정도 공격성의 낌새도 느껴지지 않는, 차가운 어조로 단어들을 발음하고 있다.

위협을 하는 것은 바보뿐이다. 그 위협을 느끼는 것은 다른 바보뿐이다. 그렇지만 누군가 저런 어조로 말한다면, 그 말 한 마디 한 마디는 한데 모여 위험이라는 단어를 만들어낸다. 필요하다면 그 말의 주어와 동사, 서술어가 즉각 행동으로 변화할 수 있기 때문이다.

"당신들은 식당을 잘못 고르셨습니다." 남자가 계속한다. "여기는 음식이 거지 같고, 서비스는 더 끔찍하지요. 다른 식당을 찾아보는 게 나을 겁니다. 여기 계산은 내가 하리다."

사실 음식은 별로 맛이 없었고, 보드카는 그 독자가 얘기한 대로 숙취를 가져올 것이 틀림없고, 서비스는 더 나쁠 수 없을 정도다. 하지만 지금 우리는 우리의 건강이나 안락함을 걱정해주는 사람 앞에 있는 것이 아니다. 우리는 쫓겨나고 있는 것이다.

"우린 가겠습니다." 젊은 독자가 말한다.

우리가 뭔가 대답하기도 전에 세 명의 독자는 사라져버린다. 남자는 만족한 기색으로 자기 자리로 돌아가기 위해 몸을 반쯤 돌린다. 아주 잠깐 동안이지만, 긴장이 사그라진다.

"글쎄요, 나는 여기 음식이 아주 맛있군요. 식당을 옮길 생각이 전혀 없소만."

야오가 그 남자처럼 아무런 감정도 위협도 실리지 않은 말투로 말한다. 그는 그 말을 할 필요가 없었다. 남자의 불만은 그 독자들에 대한 것이었고, 그 문제는 이미 해결됐고, 우리는 평화롭게 식사를 끝낼 수 있었다. 남자가 이 말을 듣고 다시 몸을 돌려 야오를 뚫어져라 바라본다. 그의 테이블에 있던 다른 남자가 휴대전화를 들고 식당 밖으로 나간다. 식당 안은 정적에 잠긴다.

야오와 남자가 서로의 눈을 뚫어져라 바라본다.

"여기 음식은 식중독을 일으켜서 당신을 즉시 죽일 수도 있어요."

야오는 자리에서 일어나지 않는다.

"통계에 따르면 지금 우리가 대화하고 있던 삼 분 동안 세상에서는 삼백이십 명이 죽고 육백오십 명이 새로 태어나지요. 그것이 생이고 세상입니다. 식중독으로 죽는 사람이 얼마나 되는지는 모르지만 몇몇은 그렇게 죽겠지요. 어떤 이들은 오랜 병고 끝에 죽고, 어떤 이들은 사고로 죽고, 또 틀림없이 일부는 총에 맞아 죽고, 또 어떤 여자들은 산고 끝에 죽을 겁니다. 그리고 그녀가 낳은 아이는 출생 통계에 포함되지요. 오직 살아 있는 자만이 죽을 수 있습니다."

휴대전화를 들고 식당 밖으로 나갔던 남자가 들어온다. 우리 테이블 앞에 서 있는 남자는 여전히 아무런 감정을 드러내지 않는다. 영원처럼 느껴지는 시간 동안, 식당 안은 정적만이 흐르고 있다.

"일 분이 또 지났군요." 남자가 마침내 입을 연다. "백 명이 죽고 이백 명이 태어나는 시간이오."

"바로 그렇습니다."

두 명의 남자가 식당 문을 열고 들어와 우리 테이블 쪽으로 다가온다. 남자가 그들을 보고 고갯짓을 하자 그들은 다시 나간다.

"음식은 형편없고 서비스는 5급이지만, 여기가 당신 마음에 든다면야 내가 할 수 있는 건 아무것도 없군요. 식사 맛있게 하십시오."

"감사합니다. 그리고 여기 식대를 지불하신다고 하신 말씀은 기꺼이 받아들이겠습니다."

"그건 걱정하지 마십시오." 그는 다른 사람은 아무도 존재하지 않는다는 듯 야오만을 향해 말한다. 그가 주머니에 손을 넣자 모두들 권총을 꺼내는가보다 생각한다. 하지만 그가 꺼내든 건 전혀 위협적이지 않은 명함 한 장이다.

"언젠가 일자리가 필요하거나 지금 하는 일이 지겨우면 연락하십시오. 우리 부동산회사는 러시아에 대규모 계열사를 갖고 있고, 당신 같은 분이 필요합니다. 죽음은 단지 통계에 불과하다는 것을 아시는 분 말이오."

남자는 야오에게 명함을 건네고, 두 사람은 악수를 하고, 남자는 다시 자기 테이블로 돌아간다. 식당은 조금씩 활기를 되찾고, 대화가 다시 분위기를 살리고, 우리는 총 한 방 쏘지 않고 적을 무너뜨린 우리의 영웅 야오를 눈부신 듯 바라본다. 힐랄은 기분이 저조했다는 걸 깨끗이 잊고 지금 모두가 열중해 있는 것 같은, 조류鳥類 박제와 몽골-시베리아 보드카의 품질에 대한 말도 안 되는 대화를 적극적으로 따라오려 하고 있다. 공포 때문에 분출된 아드레날린이 우리 모두를 갑자기 술에서 깨게 한 것이다.

이 기회를 이용해야 한다. 야오에게는 어떻게 그렇게 자신감을 가질 수 있었는지 나중에 물어볼 것이다. 지금은 이 말만 한다.

"러시아 국민들의 신앙은 정말 인상적입니다. 공산주의가 칠십 년 동안이나 종교는 인민의 아편이라고 주장했지만, 아무 효과가 없었군요."

"마르크스가 아편의 경이로움을 전혀 이해하지 못한 거죠." 여자 편집자가 말한다.

모두 웃어대고 나는 말을 잇는다.

"내가 속해 있는 교회에서도 과거에 같은 일이 있었지요. 우리는 신의 이름으로 죽이고, 신의 이름으로 고문하고, 여성은 사회에 대한 위협이라고 여기며 모든 여성성의 발현을 억압하고, 고리대금업을 행하고, 죄 없는 자들을 죽이고, 악마와 협정을 맺었습니다. 그리고 이천 년이 지난 지금도 우리는 여전히 여기 있어요."

"나는 교회가 싫어요." 힐랄이 미끼를 문다. "이번 여행에서 정말 싫었던 순간이 있었다면 당신이 노보시비르스크에서 나를 성당에 데리고 들어갔을 때였어요."

"당신이 전생을 믿는다고 치고, 당신의 전생 중 하나에서 바티칸이 강요하는 신앙의 이름으로 이단 심문을 받고 화형당해 죽었다고 상상해봐요. 그렇다면 교회가 더 싫어질까요?"

그녀는 별로 길게 생각하지 않고 대답한다.

"아뇨. 그건 여전히 나와 상관없는 일이에요. 야오는 아까 우리 테이블에 왔던 남자를 싫어하지 않았어요. 단지 원칙대로 대결하려 했을 뿐이죠."

"하지만 당신이 죄가 없었다고 가정한다면."

남자 편집자가 끼어든다. 틀림없이 이 주제에 관련된 책을 출판한 적이 있을 것이다……

"조르다노 브루노*가 기억나는군요. 교회 내의 이론가로 존경

---

* 르네상스시대 이탈리아의 철학자이자 사상가이자 수도사. 박학다식한 학자였으며, 철학, 마법, 점성학에도 조예가 깊었다. 우주는 무한하며 태양도 별들과 마찬가지로 하나의 항성일 뿐이라는 무한 우주론을 주장하다 고발당해 종교재판 후 화형당했다.

받았는데 로마의 중심가에서 산 채로 화형을 당했지요. 재판을 받던 중 그는 법정에 대고 '나는 화형을 두려워하지 않으나 당신들은 당신들의 판결을 두려워하고 있다'는 내용의 말을 했지요. 그들의 '동료'들에 의해서 죽임을 당했던 바로 그 자리에 오늘날 그의 동상이 있습니다. 그가 승리한 이유는, 그를 심판한 자가 예수가 아니라 사람들이었기 때문이죠."

"지금 불의와 범죄를 정당화하려는 건가요?" 여자 편집자가 말한다.

"결코 아니죠. 살인자들은 지도상에서 사라졌지만, 조르다노 브루노는 그의 사상으로 계속해서 세상에 영향을 미치고 있어요. 그의 용기는 보상을 받았습니다. 목적이 없는 삶은 결과가 없는 삶입니다."

마치 대화가 내가 원하는 방향으로 인도되고 있는 느낌이다.

"만약 당신이 조르다노 브루노라면 말이오." 이제 나는 힐랄을 똑바로 보며 말한다. "당신을 처형한 사람들을 용서할 수 있을까요?"

"무슨 말을 하고 싶은 건가요?"

"나는 과거에 참혹한 죄를 저질렀던 종교의 일원이오. 내가 말하고자 하는 바는 바로 이겁니다. 그 모든 일에도 불구하고, 그의 계승자라고 자처했던 이들의 증오보다 훨씬 강한 예수의 사랑이 여전히 나와 함께하고 있기 때문이지요. 그리고 나는 여전히 빵과 포도주에 일어나는 성육화의 신비를 믿고 있기 때문입니다."

"그건 당신 문제죠. 그저 나는 교회니 사제니 성사니 하는 것들과 거리를 두고 싶을 뿐이에요. 나한테는 음악과 자연에서의 고요한 명상이면 충분해요. 그런데 지금 말하는 것이 그때……" 그녀가 적절한 단어를 찾는다. "빛의 고리 수련을 할 거라고 했을 때 당신이 본 것과 관계가 있나요?"

그녀는 우리가 침대에 함께 있었다는 말은 하지 않는다. 거칠 것 없는 성격과 경솔한 말버릇에도 불구하고, 그녀는 나를 보호하려 하고 있는 것이다.

"그건 모르겠소. 내가 기차에서 얘기했던 것처럼 과거에 일어났던 일과 미래에 일어날 일 모두는 현재에서도 일어나고 있는 거니까. 어쩌면 우리가 만난 건, 내가 당신의 처형자였고 당신이 내 손에 희생당한 사람이었고, 그래서 지금 내가 당신에게 용서를 구해야 하기 때문인지도 모르는 일 아닐까요."

모두 웃고 나도 웃는다.

"글쎄요, 그렇다면 나한테 좀더 잘해줘요. 내게 더 관심을 보여주고, 지금 여기서 모두 보는 앞에서 내가 듣고 싶어하는 두 개의 단어로 된 문장을 말해줘요."

나는 그녀가 생각하는 문장은 "당신을 사랑해요"일 거라고 생각한다.

"두 단어로 된 세 개의 문장을 말해주겠소. 하나, 당신은 보호받고 있어요. 둘, 걱정하지 마요. 셋, 당신을 좋아합니다."

"나도 한 가지 말씀드리고 싶어요. '당신을 사랑합니다'라고 말할 수 있는 사람만이 '당신을 용서합니다'라고 말할 수 있어요."

모두 박수갈채를 보낸다. 우리는 몽골-시베리아 보드카를 마시면서 사랑과 박해에 대하여, 진리의 이름으로 행해진 범죄들에 대하여, 이 식당의 음식에 대해 이야기를 나눈다. 지금은 이 대화를 더 진전시키지 않을 것이다. 그녀는 아직 내가 말하는 것을 이해하지 못한다. 하지만 가장 어려운 첫걸음은 지금 막 내디뎌졌다.

* * *

식당을 나서면서 나는 야오에게 왜 그런 식으로 행동해서 모두를 위험에 빠뜨릴 뻔했느냐고 묻는다.

"그래서 무슨 일이 일어났나요?"

"아니요. 하지만 일어날 수 있었어요. 그런 사람들은 무례한 대우를 받는 것에 익숙하지 않아요."

"어렸을 때 나는 여기저기서 쫓겨난 적이 여러 번 있었죠. 그때 나는 어른이 되면 절대로 이런 일들을 용납하지 않겠다고 다짐했어요. 나는 그를 무례하게 대한 게 아닙니다. 단지 그가 대면하기를 바라는 방식 그대로 그와 대면한 것뿐이지요. 눈은 거짓말을 하지 않습니다. 그는 내가 허풍을 떠는 게 아니라는 걸 알아봤어요."

"그렇다고 하더라도 모험을 한 건 사실입니다. 우리는 작은 도시에 와 있고, 그는 자기의 권위가 위협받는다고 느낄 수도 있었어요."

"우리가 노보시비르스크를 떠났을 때 선생은 그 알레프란 것에 대해 언급했지요. 며칠 뒤에야 나는 중국인들도 거기 해당하는 말을 갖고 있다는 게 생각났습니다. 바로 '기氣'라는 말입니다. 그 남자와 나, 둘 다 같은 기의 맥점脈點에 있었습니다. 무슨 일이 일어날 수 있었는지 굳이 심각하게 생각하려는 건 아닙니다. 하지만 위험에 익숙한 사람이라면 누구나 삶의 매 순간, 상대와 맞닥뜨릴 수 있음을 압니다. 적이 아니고 상대입니다. 만약 상대가 그 남자처럼 자신의 힘에 대해 확신을 가지고 있다면, 그에게 맞서야 합니다. 아니면, 자신의 힘을 제대로 보여주지 못했으므로 약해질 것입니다. 상대의 진가를 인정하고 존중할 줄 안다는 것은 아첨꾼이나 겁쟁이, 배신자들의 행동과는 전혀 다른 것이지요."

"하지만 선생은 그 남자가 어떤 사람인지……"

"중요한 것은, 그 남자가 어떤 사람인지가 아니라 그가 자신의 힘을 다루는 방법입니다. 나는 그가 싸우는 방식이 마음에 들었고, 그는 나의 방식을 좋아했습니다. 그게 전부입니다."

황금빛 장미

제산제니 이런저런 약을 여러 알 먹었는데도, 몽골-시베리아 보드카 때문에 머리가 깨질 것만 같다. 구름 한 점 없는 맑은 날씨지만 바람은 살을 에는 듯하다. 이미 늦봄이지만, 호숫가의 자갈들 사이에는 얼음덩어리들이 섞여 있다. 두꺼운 옷을 잔뜩 껴입었는데도 추위는 참기 힘들 정도다.

하지만 떠오르는 생각은 하나다. "세상에, 마침내 고향에 온 것 같군!"

나는 맞은편 기슭이 거의 보이지 않을 정도로 드넓은 호수를 바라보고 있다. 물은 투명하기 그지없다. 저 멀리 눈 덮인 산을 배경으로 고기잡이배가 일을 나가고 있다. 저 배는 어둠이 내리고 나서야 돌아올 것이다. 나는 여기에 온전히 존재하고 싶다.

언제 다시 여기에 올 수 있을지 알 수 없다. 나는 여러 차례 심호흡을 하며 이곳의 아름다움을 내 안에 받아들이려 한다.

"살면서 본 가장 아름다운 풍경 중 하나로 꼽을 만하군요."

내 말에 힘을 얻은 야오가 더 많은 사실을 알려주고 싶어한다. 고대 중국 문서에 '북해北海'라고 기록되어 있는 바이칼 호수는 지구상에 존재하는 담수의 20퍼센트를 담고 있고, 최소한 이천오백만 년 전부터 존재해왔다고 한다. 하지만 나는 그런 사실들에 아무런 흥미도 없다.

"그런 것에 신경쓰기보다는 이 모든 풍경을 내 영혼에 담고 싶은데요."

"그러기에는 호수가 너무 크지 않나요? 그 반대를 시도해보시지요. 호수의 영혼에 빠져들어 그 일부가 되는 건 어떨까요?"

말하자면 저체온증을 일으켜 시베리아에서 얼어죽으라는 얘기다. 어쨌든 그는 결국 나의 집중을 방해하고야 말았다. 머리는 두통으로 무겁고 바람은 견딜 수 없이 매서워서 우리는 숙박할 장소로 이동하기로 했다.

"와줘서 감사합니다. 후회하지 않으실 겁니다."

우리는 비포장도로와 이르쿠츠크에서 본 것과 비슷하게 생긴 집들이 있는 작은 마을의 숙소로 들어간다. 문 앞에 우물 하나가 있고, 우물 앞에는 한 소녀가 물 양동이를 끌어올리려 애를 쓰는 중이다. 힐랄이 소녀를 도와준답시고 가서 밧줄을 당기는 대신 위험하게 아이를 우물 가장자리에 올려놓는다. 나는 그녀에게 말한다.

"주역에는 '한 마을을 움직일 수는 있어도 우물 하나를 움직일 수는 없다'는 말이 나와요. 양동이를 움직일 수는 있어도 아이를 움직일 수는 없는 거요. 조심해요."

소녀의 엄마가 달려와서 힐랄을 꾸짖는다. 나는 여자들을 놔두고 내 방으로 간다. 야오는 힐랄이 여기로 함께 오는 것을 반대했다. 우리가 샤먼을 만나기로 한 곳은 금녀의 구역이라는 것이다. 나는 어차피 샤먼을 만나는 것에 크게 의미를 두지 않는다고 말했다. 나는 지구 곳곳의 전승에 대해 잘 알고 있고, 모국에서도 샤먼들을 여럿 만났었다. 내가 이곳에 오기로 한 것은, 단지 야오가 나를 도와주었고 여행 내내 많은 것을 가르쳐주었기 때문이다.

"나는 가능한 한 힐랄과 매 순간을 함께 보내야 합니다." 이르쿠츠크에 있을 때 그에게 말했다. "나는 스스로 무엇을 하고 있는지 알고 있어요. 나는 지금 나의 왕국으로 돌아가는 길에 있어요. 그녀가 지금 나를 도와주지 않으면, 이번 '생'에서 내게 남은 기회는 세 번밖에 없을 겁니다."

그는 내가 하는 말을 정확히 이해하지는 못했지만 결국 양보

했다.

나는 배낭을 방 한구석에 내려놓고, 난방 온도를 최고로 설정한 다음 커튼을 치고 두통이 어서 가라앉기를 바라며 침대에 몸을 던진다. 바로 그때 힐랄이 방으로 들어온다.

"나를 저 여자와 말하게 내버려두고 가다니요. 내가 낯선 사람을 싫어한다는 거 알잖아요."

"여기서는 우리가 낯선 사람들이오."

"나는 언제나 사람들에게 평가받고, 나의 두려움, 감정, 나약함을 감추는 게 싫어요. 당신은 내가 재능 있고 용감하고 아무것에도 주눅들지 않는 여자라고 생각하죠? 틀렸어요! 나는 모든 것에 주눅이 들어요. 나는 다른 이들의 눈길, 미소, 너무 가깝다 싶은 접촉을 다 피하려 해요. 내가 진짜로 대화를 나누는 사람은 당신뿐이에요. 그걸 여태 몰랐나요?"

바이칼호, 설산, 시리도록 맑은 물, 이 행성에서 가장 아름다운 한 곳, 그리고 이 어리석은 언쟁!

"좀 쉽시다. 그러고 나서 산책을 나갑시다. 오늘 밤에는 샤먼을 만나러 갈 계획이오."

그녀가 내 방에 배낭을 내려놓으려고 한다.

"당신 방이 따로 있어요."

"하지만 기차에서는……"

힐랄은 끝까지 말하지 않고 문을 쾅 닫고 나가버린다. 나는 천장을 쳐다보며, 지금 이 순간 무엇을 할 것인가 스스로에게 묻는다. 죄책감에 끌려가도록 나를 놔둘 생각은 없다. 그럴 수 없고, 또 원하지도 않는다. 왜냐하면 나는 지금 이 순간 멀리 있는, 자기 남편을 잘 알면서도 신뢰하는 한 여자를 사랑하기 때문이다. 지금까지 시도한 모든 설명들이 모두 실패로 돌아갔다면, 어쩌면 이곳이야말로 이 욕심 많고, 적응력 있고, 강인하고, 그러나 연약한 젊은 여인과의 일을 모두 바로잡을 이상적인 장소일지도 모른다.

나는 지금 일어나고 있는 일에 책임이 없다. 힐랄도 그렇다. 생이 우리를 이런 상황에 놓았고, 나는 이 일이 우리에게 도움이 되기만을 바랄 뿐이다. 바란다고? 확신을 가져야 한다. 나는 그러리라고 확신한다. 나는 기도하기 시작하고, 이내 잠에 빠져든다.

잠에서 깨어난 나는 힐랄의 방으로 간다. 바이올린 소리가 들린다. 연주가 끝날 때까지 기다려 문을 두드린다.

"산책 나갑시다."

그녀는 놀라고 행복한 눈으로 나를 본다.

"두통은 괜찮아졌어요? 이렇게 춥고 바람이 부는데 나가도 돼요?"

"많이 나아졌어요. 나갑시다."

우리는 동화 속에서 튀어나온 것 같은 마을을 산책한다. 언젠가 관광객들이 여기 몰려들 것이고, 거대한 호텔이 들어서고 티셔츠니 라이터니 그림엽서니 목조가옥 미니어처니 하는 것들을 파는 가게들이 생길 것이다. 그러고 나면 곧 디지털카메라로 무장하고 메모리칩 안에 호수 전체를 넣어가겠다는 결의에 찬 관광객들을 쏟아놓을 이층버스들이 들어올 수 있도록 커다란 주차장이 지어질 것이다. 오늘 우리가 본 우물은 행여나 외국 관광객 어린이들이 들여다보다 빠지지 않도록 시청의 명령에 의해 메워질 것이고, 우물이 없어진 그 자리에는 더이상 주민들에게 물을 공급하지 않는 다른 거리 장식이 들어설 것이다. 오늘 아침 선착장에서 본 고기잡이배도 더는 볼 수 없으리라. 바이칼 호수의 물살을 가르는 것은 중식이 포함된 호수 중심부 크루즈 관광을 제공하는 현대식 요트들일 것이다. 허가증을 가진 전문 사냥꾼과 낚시꾼들이, 지역의 사냥꾼과 어부들이 일 년 동안 버는 돈을 하루 비용으로 지불하며 이곳으로 몰려올 것이다.

하지만 지금 이 순간의 이곳은 남자 한 명과 그의 나이 절반밖에 안 되는 여자가 눈이 녹아 생긴 강 옆을 걷고 있는, 시베리아의 외딴 마을일 뿐이다. 우리는 강가에 자리를 잡고 앉는다.

"어젯밤 식당에서 우리가 나눈 대화 기억하오?"

"대충은요. 술을 너무 마셨어요. 그 영국식 영어를 하는 남자가 우리 테이블에 왔을 때 야오가 대담하게 맞선 것은 기억나요."

"나는 전생에 대해 이야기했었는데."

"기억해요. 당신이 무슨 말을 하는지 난 완전히 이해했어요. 우리가 함께 알레프에 있었던 그때, 머리에 두건을 쓴 당신이 사랑과 무심함이 뒤섞인 눈빛으로 나를 바라보았고 나는 배신감과 굴욕감을 느끼고 있었어요. 하지만 나는 전생에서의 우리 관계에는 관심 없어요. 우리는 여기, 현재에 있잖아요."

"우리 앞에 강물이 보이죠? 우리 집 거실 벽에는 이것과 비슷하게 생긴 강 위에 장미 한 송이가 놓여 있는 그림이 걸려 있어요. 그림의 절반은 비와 악천후로 손상되었고 그래서 가장자리도 울퉁불퉁하지만, 그래도 금빛 배경에 놓인 아름다운 붉은 장미의 일부분을 볼 수 있어요. 그 그림을 그린 화가는 내가 아는 사람이오. 2003년에 우리는 피레네산맥에 있는 숲으로 가 그곳에서 마른 개울을 발견했고, 개울 바닥의 돌들 밑에 그 그림을 숨겨놓았지요.

그 화가는 바로 내 아내요. 지금 이 순간 그 사람은 물리적으로 수천 킬로미터 떨어진 곳에 있어요. 아내는 자고 있을 거요. 지금 여기는 오후 네시지만 그곳은 아직 날이 밝지 않았으니까. 우리는 사반세기 이상을 부부로 살고 있어요. 그 사람을 처음 만났을 때 나는 우리의 관계가 오래가지 않을 것이라고 확신했고, 처음 두 해 동안은 우리 둘 중 한 사람이 떠날 것이라 생각하고 늘 마음의 준비를 했어요. 뒤이은 오 년 동안 나는 우리가 그저 서로에게 익숙해진 거라고 생각했고, 머지않아 그 사실을 깨닫고 각자의 길을 갈 거라고 생각했죠. 어떤 진지한 약속이든 내게

서 '자유'를 앗아갈 것이고, 내가 경험하길 원하는 모든 것들을 누리지 못하도록 막을 거라고 믿었거든요."

옆에 앉아 있는 힐랄이 불편해하기 시작하는 게 느껴진다.

"그게 강하고 장미와는 무슨 상관이죠?"

"2002년 여름, 나는 이미 유명한 작가였고 돈도 많이 벌었지만, 나의 근본적인 가치기준은 변하지 않았다고 생각하고 있었어요. 하지만 확신할 수는 없었지요. 그걸 어떻게 확인할 수 있을까, 테스트해보기로 했죠. 우리는 프랑스에서 별 두 개짜리 호텔에 작은 방을 빌려서 일 년에 다섯 달씩 살아보기로 했어요. 방 안에 작은 옷장 하나밖에 없어서 꼭 필요한 옷만 가져가야 했지요. 산과 들로 돌아다니고 밖에서 식사를 하고 몇 시간이고 이야기를 나누고 매일 영화관에서 살았어요. 그런 삶을 살면서, 우리는 세상에서 가장 아름다운 것이란 모두의 손이 닿는 곳에 있는 것들이라는 사실을 확신하게 되었지요.

우리 둘은 자신이 하는 일을 열렬히 좋아하는 사람들이죠. 내가 하는 일에 필요한 것은 노트북 하나뿐이오. 반면 아내는…… 화가이고, 화가는 작품을 만들고 보관하기 위한 엄청나게 큰 아틀리에가 필요하죠. 나 때문에 아내가 자기 일을 포기하는 건 절대로 원하지 않기 때문에 나는 그곳에 작업실을 한 채 빌리자고 제안했어요. 그런데 내가 그런 생각을 하는 동안, 아내는 산과

계곡과 강과 호수와 숲을 둘러보면서 생각한 거요. 여기에 그림들을 보관하면 어떨까? 자연이 나와 함께 작업하도록 해보면 어떨까, 하고."

힐랄은 하염없이 강물만 바라보고 있다.

"그림들을 야외에 '보관'하자는 아이디어는 그렇게 해서 생겨나게 된 거요. 나는 노트북을 가져가서 글을 썼어요. 아내는 풀밭에 무릎을 꿇고 앉아 그림을 그렸고. 일 년 후 첫 작품들을 땅에서 파냈을 때 그 결과는 독창적이었고 새로운 것이었어요. 첫째로 꺼낸 그림이 그 장미 그림이었죠. 우리가 피레네산맥에 집을 가지고 있는 요즘에도 그녀는 여전히 세상을 돌아다니며 자신의 그림들을 땅에 묻고 또 파내는 일을 계속하고 있어요. 필요에 의해 생겨난 것이 그녀의 창작방법이 된 거지요. 지금 나는 강을 바라보면서 그 장미를 떠올리고, 마치 그녀가 여기에 있는 것처럼 손으로 만질 수 있고 몸으로 느낄 수 있는 사랑을 느껴요."

바람은 잦아들었고, 덕분에 햇볕이 우리의 몸을 조금 덥혀준다. 우리를 둘러싼 빛은 이보다 더 완벽할 수 없다.

"이해하고 존중해요." 힐랄이 말한다. "하지만 식당에서 당신이 전생에 대해 이야기했을 때 이 비슷한 말을 했죠. 사랑은 가장 강하다고. 사랑은 한 사람보다 더 위대하다고."

"그래요. 하지만 사랑은 선택을 통해 이루어지는 거요."

"노보시비르스크에서 당신은 내게 용서를 구했고, 나는 용서해주었어요. 이젠 내가 당신에게 부탁할게요. 나를 사랑한다고 말해줘요."

나는 그녀의 손을 잡는다. 우리는 함께 강물을 바라보고 있다.

"침묵도 하나의 대답이에요." 그녀가 말한다.

나는 그녀를 품에 안아 그녀의 머리를 내 어깨에 얹는다.

"당신을 사랑합니다. 세상의 모든 사랑은 하나의 호수로 흘러들어가는 서로 다른 강물들과도 같기 때문에, 그 호수에서 만난 강물들은 비가 되어 대지를 축복하는 하나의 사랑으로 변화하기 때문에, 당신을 사랑합니다.

나는 물길 옆으로 나무를 자라게 하고 꽃을 피우는 강처럼 당신을 사랑합니다. 목마른 이의 갈증을 풀어주고 사람들을 원하는 곳으로 데려다주는 강물처럼 나는 당신을 사랑합니다.

폭포에 이르면 다르게 흘러야 함을 알고, 낮은 땅에 이르면 쉬어가는 법을 배우는 강물처럼 당신을 사랑합니다. 우리 모두는 같은 곳에서, 언제나 풍부한 물을 끊임없이 제공하는 하나의 원천에서 태어났기 때문에 당신을 사랑합니다. 그러므로 우리는 약해지면 그저 잠시 기다리기만 하면 됩니다. 봄은 돌아오고, 겨우내 쌓인 눈이 녹아 우리를 새로운 힘으로 채워줄 테니까.

나는 산속의 작은 물방울로 시작하여 조금씩 자라나 다른 강물과 만나 하나가 되고, 이윽고 어느 순간부터는 원하는 곳에 이르기 위해 어떤 장애물도 돌아 흐를 수 있는 강물처럼 당신을 사랑합니다.

그러니, 나는 당신의 사랑을 받아들이고 당신에게 내 사랑을 드립니다. 한 여자에 대한 한 남자의 사랑도, 딸에 대한 아비의 사랑도, 피조물에 대한 신의 사랑도 아닙니다. 이름도 설명도 없는 사랑, 어디로 가는지 설명하지 못한 채 그저 앞으로 흘러나아 갈 뿐인 강물과 같은 사랑입니다. 아무것도 갈구하지 않고 주고받는 것도 없이, 다만 이곳에 존재하는 사랑입니다. 나는 결코 당신의 것이 아닐 것이고, 당신은 나의 것이 아닐 것입니다. 그럼에도 나는 진심으로 말할 수 있습니다. 당신을 사랑합니다, 당신을 사랑합니다, 당신을 사랑합니다."

오후라 그랬을 것이다. 어쩌면 햇빛 때문이었는지도 모른다. 하지만 그 순간, 우주는 마침내 조화를 이룬 것처럼 보였다. 우리는 거기 그렇게 앉아 있었다. 야오가 기다리고 있을 숙소로 돌아가고 싶은 마음은 조금도 없이.

바이칼의 독수리

곧 밤이 내릴 것이다. 호숫가의 작은 배 앞에 우리 여섯 사람이 서 있다. 힐랄, 야오, 샤먼, 나와 두 명의 부인. 그들은 러시아어로 얘기하고 있다. 샤먼이 안 된다며 고개를 젓는다. 야오가 완강히 우기는 모양이지만, 샤먼은 그에게 등을 돌리고 배에 올라타버린다.

이제는 야오와 힐랄이 옥신각신한다. 야오는 걱정스런 표정을 짓고는 있지만, 내 눈에는 이 상황을 즐기고 있는 것 같다. 우리는 화의 도를 함께 수련했고, 이제 나는 그의 몸짓 언어를 읽을 수 있다. 그는 짜증이 난 척하고 있다.

"무슨 얘기들을 하고 있는 거죠?"

"나는 갈 수 없대요." 힐랄이 말한다. "생전 처음 보는 이 여자들과 여기 있어야 한대요. 이렇게 추운데 여기서 밤을 새게 생겼어요. 숙소에 데려다줄 사람도 없는데."

"우리가 저 섬에서 하게 되는 일들을 당신은 여기서 이 여자들과 경험하는 거예요." 야오가 설명한다. "우리는 이 사람들의 전통을 존중해줘야 해요. 미리 말씀드렸는데도 선생이 당신을 여기 데려온 겁니다. 어서 가야 합니다. 때라는 것이 있으니까요. 당신들이 알레프라고 부르고 나는 '기'라고 부르는, 틀림없이 이 샤먼들은 다른 이름으로 부를 그 때 말입니다. 오래 안 걸릴 겁니다. 두 시간 안에 돌아올게요."

"갑시다." 나는 야오의 팔을 잡고 배로 향한다.

그러고는, 힐랄을 향해 돌아서서 입가에 미소를 띠고 말한다.

"숙소에 있고 싶지는 않았을 거요. 당신은 완전히 새로운 무언가를 경험할 수 있다는 걸 알면서 방에 갇혀 있을 사람이 아니지요. 이 경험이 좋을지 나쁠지는 모르지만 혼자 저녁 먹는 것보다는 나을 거요."

"혹시 그런 아름다운 사랑의 말이면 마음을 달래기에 충분하다고 생각하는 건가요? 당신이 아내를 사랑한다는 건 완벽하게 이해해요. 하지만 적어도 내가 당신의 문 앞에 펼쳐놓은 이 모든 우주에 대해 뭔가 보상해줄 수는 없는 거예요?"

나는 돌아서서 배로 향한다. 또 한 번의 어리석은 언쟁이다.

* * *

샤먼이 배의 시동을 걸고 키를 잡는다. 우리는 호숫가에서 이
백 미터 정도 떨어져 있는 바위섬으로 가고 있다. 십 분이면 도
착할 것이다.

"이제는 취소할 수도 없으니 말해봐요. 왜 그렇게 이 만남을
고집한 거죠? 여행중에 그렇게 많이 나를 도와주었으면서도 유
일하게 부탁한 일이잖아요. 아이키도 수련만을 이야기하는 게
아닙니다. 필요할 때마다 객차 안의 조화를 유지해주었고, 내가
하는 말을 선생이 하는 말처럼 완벽하게 통역해주었고, 어제는
상대에 대한 존중만으로 전투에 임하는 일의 중요성을 보여주었
지요."

야오는 약간 불편한 표정을 지어 보인다. 그는 이 작은 배의
안전이 오로지 자기 책임이기라도 한 듯 사방을 살피고 있다.

"샤먼을 만나기로 한 것은 선생이 관심이 있어서라고 생각했
는데요……"

"좋은 대답은 아니로군요. 내가 만나고 싶었다면 부탁했을 겁
니다."

그는 이윽고 나를 바라보며 고개를 끄덕인다.

"선생을 여기 데려온 건, 내가 언젠가 이 지역으로 여행을 올

때 여기 다시 오겠다는 약속을 했었기 때문입니다. 나 혼자 올 수도 있었지만 여행 내내 선생 곁에 있을 거라고 출판사와 계약을 했거든요. 제가 혼자 왔다면 출판사 사람들이 좋아하지 않았을 겁니다."

"언제나 내 옆에 누가 있을 필요는 없어요. 출판사 사람들도 나를 이르쿠츠크에 남겨두고 왔다고 해도 별 신경 쓰지 않았을 것 같습니다만."

어둠은 생각했던 것보다 빠르게 내리고 있다. 야오가 화제를 바꾼다.

"지금 키를 잡고 있는 이 사람은 내 아내와 대화할 수 있습니다. 거짓말일 수 없는 것이, 이 세상 누구도 모르는 우리만의 일들을 알고 있더군요. 그것 말고도 이 사람은 내 딸을 구해줬습니다. 모스크바, 베이징, 상하이, 런던에 있는 훌륭한 병원의 어느 의사도 하지 못한 일을 해낸 거죠. 하지만 그 대가로 아무것도 요구하지 않았습니다. 다만 자기를 만나러 다시 한번 와달라는 부탁만 했죠. 이번에는 내가 선생과 함께 오게 된 것뿐입니다. 어쩌면 이번에는 내 머리가 받아들이길 거부하는 일들을 이해하게 될지도 모르겠군요."

호수 한가운데 있는 바위섬이 점점 가까워지고 있다. 일 분이면 도착할 것이다.

"좋은 대답이군요. 나를 믿어줘서 고맙습니다. 찬란한 해질녘, 나는 세상에서 가장 아름다운 곳에서 뱃전에 부딪히는 물결 소리를 듣고 있어요. 그러니, 이 남자를 만나러 온 것은 이번 여행 중 일어난 많은 축복들 가운데 하나일 겁니다."

아내를 잃은 아픔에 대해서 말했던 날을 제외하고, 야오는 결코 감정을 드러낸 적이 없었다. 지금 그는 나의 손을 잡아 자신의 가슴에 얹고 힘주어 누른다. 배가 물가의 좁다란 자갈밭에 부딪힌다. 닻을 내리는 대신 이렇게 배를 대는 것이다.

"고맙습니다. 정말 고맙습니다."

* * *

우리는 바위섬 꼭대기까지 올라간다. 지평선 너머로 사라지는 마지막 붉은 하늘을 간신히 볼 수 있다. 가까운 주위에는 덤불만 보이고, 동쪽 편으로는 아직 새순이 돋지 않은 나무 서너 그루가 서 있다. 그중 한 그루에 제물의 잔해와 짐승의 사체가 가지에 걸려 있다. 나는 늙은 샤먼의 지혜에 깊은 경의를 느끼지만, 그럼에도 불구하고 그가 내게 새로운 무언가를 보여줄 수는 없을 것이다. 나는 이미 많은 길을 걸어왔고, 모든 길이 한곳에서 만난다는 것을 알고 있기 때문이다. 그렇기는 해도 그의 의도가 진지하다는 것은 알 수 있다. 그가 의식을 준비하는 동안, 나는 문명의 역사에서 샤먼이 맡아온 역할에 대해 배운 모든 것을 머릿속에 떠올려본다.

* * *

고대 부족에는 두 명의 중요 인물이 있었다. 하나는 지도자다. 그는 가장 용맹한 자로, 대적해오는 다른 남자들을 제압하기에 충분할 만큼 강하고, 끝없는 권력투쟁 속의 음모들을 피할 만큼 충분히 현명한 인물이다. 권력투쟁은 전혀 새로운 것이 아니고, 인류의 여명기부터 존재해왔다. 일단 지위가 공고해지면, 지도자는 물질세계에서 자기 부족민의 보호와 안위를 책임질 의무를 지게 된다. 그러나 시간이 지남에 따라, 자연의 선택으로 이루어지던 권력 이양이 점차 타락했고, 지도자의 자리는 세습으로 전해지게 되었다. 이것은 권력 영속의 법칙으로, 여기서 황제와 왕과 독재자가 태어났다.

그러나 지도자보다 중요한 인물은 샤먼이었다. 인간은 이미 인류 여명기부터 그 근원을 정확히 설명할 수 없는, 인간의 삶과 죽음을 관장하는 더 큰 힘의 존재를 감지했다. 그리고 사랑의 탄생과 더불어, 존재의 신비에 대한 해답을 찾아야 할 필요도 느꼈다. 초기 샤먼들은 생명의 원천인 여성들이었다. 그들은 사냥이나 고기잡이를 나가지 않아도 되었기 때문에 명상에 매진하며 성스러운 신비에 빠져들 수 있었다. 이 전승은 언제나 가장 능력 있는 이들, 홀로 고독하게 살며 그런 이유로 대부분 숫처녀인 이들에게 전해져왔다. 그들은 물질세계와 영적 세계 사이에서 힘의 균형을 잡으며 다른 차원에서 살았다.

의식의 절차는 언제나 거의 동일하다. 샤먼은 음악(대체로 타악기)을 통해 무아경에 들어가고, 자연에서 얻은 물약을 마시고 사용한다. 그러고 나면 샤먼의 영혼은 육신을 벗어나 평행우주로 들어간다. 샤먼은 거기서 식물과 동물과 죽은 자와 산 자들의 영혼을 만난다. 하나의 시간 속에, 야오가 '기'라고 부르고 내가 알레프라고 부르는, 모든 것이 존재하는 지점을 만난다. 이 유일한 지점에서 샤먼의 영혼은 자신의 안내자를 만나고, 힘의 균형을 바로잡고, 병을 치유하고, 비를 부르고, 평화를 회복하고, 자연이 보여주는 상징과 표지를 해석하고, 부족이 '전체'와 접촉하는 것을 방해하는 개인을 처벌하기도 한다. 식량을 찾아 끊임없이 다른 장소로 이동해야 했기 때문에 사원을 짓거나 제단을 세울 수 없던 시절, 존재하는 것은 '전체'뿐이었다. 그 모태 안에 깃든 채 부족은 앞으로 끊임없이 여행해 나아갔다.

지도자의 역할이 그랬던 것과 같이, 샤먼의 역할도 왜곡되었다. 부족의 건강과 보호는 숲과 초원과 자연과의 조화에 달려 있었기 때문에, 영적 접촉을 담당하는 여인, 즉 부족의 영혼은 점차 큰 권위를 부여받게 되었고, 종종 그 권위는 지도자의 권위를 뛰어넘었다. 그러다가 정확히 인류 역사의 어느 시점인지는 알 수 없지만(대체로 농경의 발견 직후인 유랑생활 말기라고 추정된다), 여성의 특별한 재능은 남성에게 찬탈당했다. 힘이 조화를 이긴 것이다. 그 여인들이 가지고 있는 천부적 자질은 더이상 중시되지 않았다. 중요한 것은 그들이 보유하고 있던 권력이었다.

그다음 단계는 남성의 손에 들어온 샤머니즘을 사회구조 안에 조직해 넣는 것이었다. 그럼으로써 초기 종교가 발생했다. 사회가 변했고 더이상 유랑생활을 하지 않았지만, 지도자와 샤먼에 대한 존경과 두려움은 이제 인간 영혼에 뿌리내려 계속 남게 되었다. 이 사실을 의식한 사제들은 모든 사람들을 복종시키기 위해 지도자들과 손을 잡았다. 통치자에게 도전하는 자는 신에 의해 처벌받을 것이라는 위협을 당했다. 그리고 어느 순간, 여성들이 샤먼의 역할을 돌려줄 것을 요구하는 때가 찾아왔다. 그들 없이 세상은 대립 일변도로 치닫고 있었기 때문이었다. 하지만 그럴 때마다 그들은 즉시 축출되었고, 이단자나 매춘부로 취급되었다. 위협이 심각하다 싶으면 사회체제는 주저하지 않고 화형과 돌팔매질로 그들을 처벌했고, 만만한 경우에는 추방했다. 문

명의 역사는 여성 종교의 흔적을 남겨놓지 않았다. 고고학자들이 발견한 아주 오래된 주술 관련 도구들이 여신의 형상을 하고 있다는 정도만 알고 있을 뿐이다.

하지만 그런 것들은 시간의 모래밭 속에서 잊혀져버렸다. 마법의 힘 역시 마찬가지다. 오로지 세속적 목적을 위해서만 사용되면서, 마법의 힘은 희석되고 효력을 잃어버렸다. 남은 것은 오직 신의 형벌에 대한 두려움뿐이다.

내 앞에 서 있는 사람은 여자가 아닌 남자다. 힐랄과 함께 있는 여자들 역시 같은 능력을 가지고 있음이 분명한데도 호숫가에 남았다. 여기 이 사람이 남자라고 해서 불평하는 게 아니다. 자신의 '여성적 면모'에 열려 있기만 하다면, 양성 모두 미지의 존재와 접촉할 수 있는 재능을 가지고 있다. 내가 이 만남에 그다지 열의를 보이지 않은 것은, 인류가 '신의 꿈'과의 접촉으로부터, 근원으로부터 얼마나 멀어졌는지 잘 알기 때문이다.

샤먼은 쉴 새 없이 불어오는 바람으로부터 불꽃을 보호하기 위해 땅에 파놓은 구멍 안에 불을 지핀다. 그리고 그 옆에 북 같은 악기를 놓고, 정체를 알 수 없는 액체가 든 병의 마개를 뽑는다. 샤먼이라는 단어는 바로 이 지역에서 유래되었는데, 이 시베리아 샤먼이 진행하는 의식은 아마존 정글의 파제, 멕시코의 에치세로, 아프리카의 칸돔블레 사제, 프랑스의 강신론자, 다양한 아메리카 부족들의 쿠란데로, 호주의 아보리진, 가톨릭교회의 카리스마파, 유타 주의 모르몬교도 등등이 하는 의식과 다르지 않다.

바로 이런 유사성 안에 커다란 놀라움이 존재한다. 영원히 갈등할 것처럼 보이는 전통들이 실은 매우 닮아 있다는 것. 물질계에서는 전혀 연결되어 있지 않음에도 불구하고, 그것들은 하나밖에 없는 영적 차원에서 만나고 세계의 다양한 장소에 그 모습을 드러낸다. 바로 그곳에 존재하는 '위대한 어머니'는 이렇게 말한다.

"때로 나의 자녀들은 눈이 있어도 보지 못하고, 귀가 있어도 듣지 못한다. 그런고로 나는 어떤 이들에게 요구하나니, 그들이 나를 보지 못하고 듣지 못하는 장님, 벙어리가 되지 말지어다. 값비싼 대가를 치러야 할지라도, 그들은 전승을 살리고 지키는 의무를 지게 되리라. 그리고 언젠가는 내 축복이 지상에 돌아가리라."

샤먼이 서서히 박자를 빨리하며 리드미컬하게 북을 두드리기 시작한다. 그가 야오에게 뭐라고 말하자, 야오가 바로 내게 통역해준다.

"'기'라는 단어를 쓴 건 아니지만, 이분 말로는 곧 '기'가 바람을 타고 올 거라고 합니다."

바람이 거세지기 시작한다. 특수 방한외투에 장갑에 두꺼운 양모 모자에 목도리를 친친 둘러 눈만 내놓은 중무장을 했는데도 추위를 막기에는 역부족이다. 코는 감각이 없는 것 같고, 눈썹과 턱수염에는 작은 얼음 결정들이 맺힌다. 야오는 우아한 자세로 책상다리를 하고 앉아 있다. 나도 그렇게 해보려고 했지만, 내가 입고 있는 평상복 바지로 뚫고 들어온 바람이 근육을 마비시키고 고통스러운 경련을 일으켜서 자꾸만 자세를 바꾸게 된다.

불꽃은 거칠게 춤추고 있지만 꺼지지는 않는다. 북 치는 리듬이 더욱 격렬해진다. 지금 이 순간 샤먼은 가죽 북을 두드리는 리듬과 자신의 심장박동을 맞추려 하고 있다. 북의 아랫부분은 영혼이 들어갈 수 있도록 열려 있다. 아프로브라질afro-brasil 전통에서는 이때가 영매나 사제의 영혼이 육신을 떠나고, 더 경험이 많은 존재가 그 육신에 깃들도록 하는 순간이다. 유일한 차이라면, 브라질 주술에는 야오가 말한 '기'가 나타나는 정확한 순간이 없다는 점이다.

나는 단순한 관찰자를 그만두고 무아경에 동참하기로 한다. 내 심장박동이 북소리를 따라가도록 하면서 두 눈을 감고 생각을 비우려고 하지만, 추위와 바람이 나를 방해한다. 자세를 다시 바꿔야 한다. 눈을 뜨고 보니 샤먼은 북을 잡고 있는 손으로 새의 깃털 몇 개를 쥐고 있다. 아마도 이 지역에 서식하는 희귀 조류의 깃털일 것이다. 세계 곳곳의 종교 전통에 따르면 새들은 신의 전령사다. 새들은 주술사가 높은 곳으로 올라가 영혼들과 대화하도록 돕는다.

야오도 눈을 뜨고 있다. 샤먼만이 황홀경에 빠져 있다. 바람은 점점 더 거세지고 나는 점점 더 추워죽겠는데, 샤먼은 추위와 무관해 보인다. 의식은 계속된다. 샤먼이 병을 열더니 초록색 액체를 마신다. 그리고 야오에게 내밀자, 그도 한 모금 마시고 내게 건넨다. 나는 경의를 표하며, 약한 알코올 기운이 느껴지는 달콤한 액체를 한 모금 맛보고 나서 병을 샤먼에게 돌려준다.

북소리가 계속되다가 샤먼이 땅 위에 그림을 그릴 때만 잠깐씩 중단된다. 한 번도 본 적 없는, 오래전에 사라진 문자처럼 보이기도 하는 기호이다. 그의 목에서 새 울음소리를 몇 배로 키운 것 같은 기이한 소리가 울려나온다. 북소리는 점점 커지고 빨라지고, 더이상 추위가 괴롭게 느껴지지 않는 것 같더니 불현듯 바람이 잦아든다.

설명은 필요 없다. 야오가 '기'라고 부르는 것이 이곳에 있다. 우리 세 사람이 서로 눈길을 교환하는 가운데 일종의 고요함이 내려앉는다. 지금 내 앞에 있는 사람은 배의 키를 잡았던 그 남자가, 힐랄을 호숫가에 남겨놔야 한다고 주장했던 그 남자가 아니다. 얼굴 모습도 바뀌었다. 그는 좀더 젊고, 여성스러운 얼굴을 하고 있다.

정확히 얼마인지 모를 시간 동안 그와 야오가 러시아어로 얘기를 나눈다. 지평선이 희부옇게 밝아오면서 달이 떠오른다. 나는 하늘을 가로지르는 달의 새로운 여행을 눈으로 좇는다. 은색 달빛이 어느 순간 완벽하게 고요해진 호수 위에 비치고 있다. 내 왼쪽으로 작은 마을의 불빛들이 켜진다. 마음이 고요하다. 나는 이 순간을 가능한 한 많이 흡수하려고 노력한다. 기대하지는 않았으나, 다른 많은 것들이 그랬던 것처럼, 내 길 위에 놓여 있는 이 순간을. 예기치 않은 일들이 언제나 이렇게 아름답고 평화로운 얼굴을 하고 있기만 하다면.

마침내, 샤먼은 야오의 통역을 통해 내게 왜 여기 왔는지 묻는다.

"여기 돌아오겠다고 약속한 친구를 동행해왔습니다. 당신의 예술에 경의를 표하고자 왔습니다. 그리고 그 곁에서 신비를 묵상할 수 있기 위해 왔습니다."

"당신 옆에 있는 이 남자는 아무것도 믿지 않는다오." 샤먼이 야오를 통해 말한다. "그는 자기 아내와 대화하기 위해 여러 차례 여기에 왔지만, 여전히 믿지 못하고 있지. 가엾은 여인 같으니라고! 그 여인은 '지상'으로 다시 돌아올 시간을 준비하며 신과 함께 걷는 대신, 이 불행한 사람을 위로하러 계속 돌아와야 한다오. 사랑이 그녀를 놓아주지를 않으니 신성한 태양의 온기 대신에 이 빌어먹을 시베리아의 추위를 감당해야 하는 거지!"

샤먼이 웃음을 터뜨린다.

"왜 그걸 이 사람에게 설명해주지 않습니까?"

"벌써 설명했지. 하지만 이 사람도 내가 아는 대부분의 사람들처럼 자신이 상실했다고 믿는 것을 포기할 줄 모르는 게지."

"순전한 이기주의로군요."

"그래, 순전한 이기주의야. 다들 시간이 멈추거나 거꾸로 흐르길 원한다오. 그것 때문에 자기가 사랑하는 이의 영혼이 가야 할 길을 가지 못하는데도."

샤먼이 또 깔깔 웃기 시작한다.

"야오는 아내가 다른 차원으로 떠난 그 순간 신을 죽였소. 그는 여기 몇 번이고 돌아와 그녀와 대화를 나누려 계속 시도할 거요. 그는 생을 더 잘 이해하기 위해 도와달라고 부탁한 적이 없다오. 그저 다른 일들이 자신이 삶과 죽음을 보는 방식에 맞춰주기를 바랄 뿐."

샤먼은 잠시 말을 멈추더니 주위를 돌아본다. 이미 사위는 칠흑같이 어둡고, 가운데 피워놓은 모닥불만이 우리 주위를 밝히고 있다.

"나는 절망에서 안식을 찾는 이들의 절망을 치유해줄 수 없다오."

"내가 지금 누구랑 이야기하고 있는 겁니까?"

"당신은 믿는 사람이구려."

나는 다시 같은 질문을 하고, 그가 대답한다.

"발렌티나."

여자다.

"내 옆에 있는 남자는 영적인 문제에 대해서는 좀 어리석을 수도 있지만 뛰어난 사람입니다. 그가 아내의 '죽음'이라 부르는 것을 제외한 모든 것을, 거의 모든 것을 경험할 준비가 되어 있는 사람이지요. 내 옆에 있는 남자는 선한 사람입니다."

샤먼이 고개를 끄덕이며 동의한다.

"당신도 그렇지. 당신은 옆에 있는 친구와 무척 오래전부터 함께해왔구려. 이번 생에서 만나기 훨씬 전부터. 나 역시 당신을 오래전부터 알고 있고."

다시 웃음을 터뜨린다.

"우리 세 사람은 이미 다른 곳에서 만난 적이 있다오. 함께 같은 운명에 용감히 맞서기 전이었지. 당신 친구가 '죽음'이라고 부르는 운명에. 어떤 전투에서였지. 어느 나라인지는 모르겠지만, 총탄에 맞았지. 전사들은 반드시 다시 만나게 된다오. 그것은 신성한 법칙 중 하나지."

그는 모닥불에 약초 몇 가지를 던져넣으면서 이야기한다. 우리가 다른 생에서도 이와 같은 일을 했다고, 종종 모닥불 주위에 이렇게 둘러앉아 모험담을 나누었다고.

"당신의 영혼은 바이칼호의 독수리와 얘기하고 있어요. 그 독수리는 모든 것을 굽어보며 감시하고, 적을 공격하고, 친구를 위해로부터 지켜주는 존재지."

그의 말을 확인시켜주기라도 하듯 멀리서 새 울음소리가 들려온다. 추위는 어느덧 편안함으로 바뀌었다. 샤먼이 다시 병을 우리에게 건넨다.

"발효 음료는 살아 있지. 젊음을 거쳐 노년으로 향하면서. 숙성된 음료는 억압의 영靈, 외로움의 영, 두려움의 영, 근심의 영을 무찌를 수 있다오. 하지만 너무 마시게 되면 반란을 일으켜 패배와 공격의 영을 불러들이지. 넘지 말아야 할 선을 아는 게 언제나 중요하다오."

우리는 술을 마시고 이 순간을 찬양한다.

"지금 이 순간 당신의 육체는 땅 위에 있지만 영혼은 나와 함께 여기 높은 곳에 있다오. 내가 당신에게 줄 수 있는 것은 이것, 바이칼의 하늘을 날아다니는 것이 전부요. 당신은 내게 무언가를 물으러 온 것이 아니므로 나는 이것 외에 아무것도 주지 않을 거요. 바라건대, 이것이 당신이 하는 일을 계속하는 데 영감을 주기를.

축복받을지어다. 당신의 생을 변화시키는 것처럼 당신 주위에 있는 이들의 생을 변화시키기를. 그들이 당신에게 요구하면 잊지 말고 주시오. 그들이 당신 집의 문을 두드리면 반드시 문을 열어주시오. 그들이 무언가를 잃어버리고 당신에게 오면, 당신의 모든 능력을 발휘해 그들이 잃어버린 것을 찾게 도와주시오. 하지만 그전에 당신 자신부터 요구하고, 문을 두드리고, 당신 삶에서 잃어버린 것이 무엇인지 찾아보시오. 사냥꾼은 언제나 무엇이 그를 기다리고 있는지 알고 있지. 먹느냐, 먹히느냐."

나는 머리를 끄덕여 동의한다.

"당신은 이것을 예전에도 겪었고 앞으로도 여러 차례 겪게 될 거요." 샤먼이 말을 잇는다. "당신 친구들 중 한 명은 바이칼 독수리의 친구요. 오늘 밤에는 아무 특별한 일도 일어나지 않을 거요. 당신은 미래를 보지도, 마법을 경험하지도, 산 자나 죽은 자와 대화하기 위한 무아경에 빠지지도 않을 거요. 아무런 특별한 힘도 얻지 못할 거요. 다만 바이칼의 독수리가 호수를 보여줄 때 당신 영혼은 기쁨에 겨워 환호할 거요. 이 순간 당신은 아무것도 보지 못하지만, 당신 영혼은 이 위에서 즐거움에 가득 차 있소."

나의 영혼은 이 위에서 즐거움에 가득 차 있지만, 내 눈에는 아무것도 보이지 않는다. 꼭 볼 필요는 없다. 나는 그가 진실을 말하고 있음을 안다. 내 영혼은 그 어느 때보다 현명하고 평온해져서 육신으로 돌아올 것이다.

시간이 멈춘다. 내가 더이상 시간을 가늠할 수 없기 때문이다. 불꽃이 춤추며 샤먼의 얼굴에 묘한 그림자들을 드리우지만 나는 여기에만 있는 것이 아니다. 내 영혼이 자유로이 떠돌도록 놔둔다. 내 영혼은 그럴 필요가 있었다. 그동안 내 옆에서 너무 많이 일하고, 너무 많이 애썼다. 더는 추위가 느껴지지 않는다. 이제는 아무것도 느끼지 않는다. 나는 자유로우며, 바이칼의 독수리가 호수와 눈 덮인 산 위를 날아다니는 한 언제까지나 자유로울 것이다. 내 영혼이 목격한 것을 내게 말해줄 수 없는 것은 유감이지만, 한편 생각하면 내게 일어나는 모든 일을 내가 다 알아야 할 필요는 없다.

다시 바람이 불어오기 시작한다. 샤먼은 땅과 하늘을 향해 깊은 절을 올린다. 그동안 잘 타고 있던 구덩이 속의 불이 갑자기 꺼진다. 나는 어느덧 하늘 높이 떠 있는 달을 바라보고, 우리 주변을 날아다니는 새들의 형체를 알아본다. 샤먼은 다시 늙은 남자로 돌아가 있다. 수놓인 커다란 가방에 북을 챙겨넣는 그의 얼굴에 피곤이 묻어 있다.

야오는 왼쪽 주머니에 손을 넣어 동전과 지폐 한 움큼을 꺼낸다. 나도 똑같이 한다.

"바이칼의 독수리를 위해 동냥을 했습니다. 여기 우리가 받은 것들입니다."

샤먼은 고개를 끄덕이고 돈에 대해 감사를 표한다. 우리는 천천히 배가 있는 곳으로 내려온다. 샤먼의 성스러운 섬에는 나름의 영이 있다. 지금은 몹시 어두워 우리는 제대로 발이나 디디고 있는지조차 알 수가 없다.

호숫가에 도착하자마자 힐랄을 찾지만, 두 여인은 그녀가 이미 숙소로 돌아갔다고 말한다. 그제야 나는 샤먼이 그녀에 대해서는 한 마디도 하지 않았음을 깨닫는다.

두려움에 대한 두려움

내 방의 난방장치는 최대치로 가동되고 있다. 전등 스위치를 찾기도 전에 나는 외투와 털모자와 털목도리를 벗어던지고 창문을 열어 환기를 시키려고 창으로 다가간다. 숙소는 낮은 언덕 위에 위치해 있어서 창밖으로 마을 불빛들이 꺼져가는 것을 볼 수 있다. 나는 잠시 거기 서서 내 영혼이 보았을 경이로운 풍경을 상상한다. 그리고 창에서 돌아서려는데, 목소리가 들린다.

"돌아서지 마요."

힐랄이 거기 있다. 그녀의 말투가 나를 두렵게 한다. 그녀는 진지하게 말하고 있다.

"내게 무기가 있어요."

아니다. 그럴 리가 없다. 하지만 아까 그 여인들이 무언가를 주었다면……

"뒤로 물러나요."

나는 시키는 대로 한다.

"좀더. 됐어요. 이제 오른쪽으로 한 발짝 움직여요. 거기요. 이제 움직이지 마요."

머릿속이 텅 빈다. 살고 싶다는 본능만이 나의 모든 반응을 지배한다. 이어지는 수초 동안 나는 살아남을 가능성을 머릿속에서 찾기 시작한다. 바닥에 엎드릴 것인지, 대화를 시도할 것인지, 아니면 그저 그녀의 다음 동작을 기다릴 것인지. 정말로 나를 죽일 작정이라면 오래 끌지 않을 것이고, 그러니 곧 쏘지 않는다면 나는 대화를 시작할 것이고 내 생존확률도 높아진다.

귀가 먹먹해지는 폭발음이 울리고, 나는 유리파편을 뒤집어쓴다. 내 머리 위의 전구가 산산조각 난 것이다.

"내 오른손에는 활이 있고 왼손에는 바이올린이 있어요. 움직이지 마요."

나는 돌아서지 않고 다만 안도의 한숨을 내쉰다. 지금 막 일어난 일은 마법이나 특수효과로 일으킨 것이 아니다. 오페라 가수들은 목소리로 이런 효과를 낼 수 있다. 예컨대, 그들은 주파수로 공기를 진동시켜 샴페인 잔을 깨뜨린다.

다시 활이 현을 건드리고 날카로운 소리를 낸다.

"무슨 일이 있었는지 다 알아요. 나는 봤어요. 그 여자들이 빛의 고리 같은 건 쓰지도 않고 나를 그곳으로 데려갔어요."

그녀는 본 것이다.

전구 파편으로 뒤덮인 내 등에서 엄청난 무게의 짐이 떨어져 나간다. 야오는 몰랐지만, 내가 이곳 바이칼 호수에 온 것은 내 왕국으로 돌아가는 여정의 일부이기도 하다. 나는 아무 말도 할 필요가 없었다. 그녀는 다 본 것이다.

"내가 당신을 가장 필요로 할 때, 당신은 나를 저버렸어요. 나는 당신 때문에 죽었고, 당신을 괴롭히기 위해 돌아온 거예요."

"당신은 나를 괴롭히지도, 두렵게 하지도 않고 있소. 나는 용서받았어요."

"강요해서 받은 용서예요. 나는 뭘 하는지도 모르면서 당신을 용서한 거였어요."

다시 한번, 날카롭고 불쾌한 화음.

"원한다면 용서를 철회해도 좋소."

"싫어요. 그러고 싶지 않아요. 당신은 용서받았어요. 그리고 필요하다면, 나는 일흔 번의 일곱 배라도 당신을 용서할 거예요. 하지만 내 머릿속에 나타났던 영상 때문에 너무 혼란스러워요. 정확히 무슨 일이 있었는지 당신은 내게 말해줘야 해요. 내가 벌거벗고 있고 당신이 나를 보고 있던 장면만 기억나요. 나는 그 자리의 모두에게 내가 당신을 사랑한다고, 그것이 내가 고발당한 이유라고 말하고 있었어요. 내 사랑이 내게 유죄를 선고했어요."

"돌아서도 되겠소?"

"아직 안 돼요. 먼저 나한테 무슨 일이 있었던 건지 이야기해 줘요. 내가 아는 것이라고는, 한 전생에서 내가 당신 때문에 죽었다는 것뿐이에요. 이곳일 수도 있고 세상의 다른 어딘가였을 수도 있지만, 나는 당신을 구하기 위해 사랑의 이름으로 내 목숨을 바쳤어요."

눈은 이미 어둠에 익숙해졌지만 방 안의 열기는 참기가 힘들 정도다.

"그 여자들이 정확히 무슨 일을 한 거요?"

"우리는 호숫가에 앉았어요. 그 여자들은 불을 피우고 북을 두드렸어요. 그리고 무아경에 빠졌고 내게 뭔가 마실 것을 주었어요. 그것을 마시자 혼란스러운 영상들이 보이기 시작했어요. 아주 잠깐의 일이었어요. 내가 지금 당신에게 말한 것만 기억나요. 나는 그게 그저 악몽이었다고 생각했지만, 그들은 나와 당신이 한 전생에서 함께한 것이 확실하다고 말했어요. 같은 말을 당신도 내게 했었죠."

"아니요. 그것은 현재에 일어나는, 지금 일어나고 있는 일이오. 지금 이 순간 나는 시베리아에, 이름도 모르는 어느 마을의 한 숙소 방에 있어요. 또한 동시에 나는 스페인 코르도바 부근에 있는 한 지하감옥에 있어요. 아내와 함께 브라질에 있고, 내가 만났던 수많은 여자들과 함께 있고, 그중 어떤 생에서는 나는 여자예요. 음악을 연주해줘요."

나는 스웨터를 벗는다. 힐랄이 어떤 소나타를 연주하기 시작한다. 바이올린을 위해 작곡된 곡이 아니다. 내 어머니가 나 어렸을 적에 피아노로 연주하던 곡이다.

"이 세상이 여성이었고 그 에너지는 아름다웠고 사람들이 기적을 믿었던 시절이 있었소. 그들이 가졌던 것은 현재의 순간뿐이었기 때문에 시간은 존재하지 않는, 그런 시절이. 고대 그리스인들은 시간을 의미하는 단어를 두 개 가지고 있었소. 하나는 신들의 시간, 즉 영원을 의미하는 '카이로스'요. 그런데 변화가 일어났어요. 생존을 위한 투쟁이 벌어지고, 작물을 얻기 위해 언제 경작해야 하는지 알 필요가 생긴 거요. 그때부터 시간이 우리 역사의 일부분이 된 거요. 그리스인들은 그 시간을 '크로노스'라고 불렀어요. 로마인들은 그것을 '사투르누스'라 일컬었고. 자기 자식들을 먹어치운 신의 이름이지요. 우리는 기억의 노예가 된 거요. 연주를 계속해줘요. 내가 좀더 명확하게 설명할 테니."

그녀는 계속해서 연주한다. 내 눈에서는 눈물이 흐르기 시작하지만, 나는 설명을 계속한다.

"지금 이 순간 나는 내 집 앞, 어느 빌라 정원에 있는 벤치에 앉아 하늘을 올려다보며 한 시간 전에 들은 '허공에 성을 짓는다'는 표현이 무슨 뜻인지 알아내려고 애쓰고 있어요. 나는 지금 일곱 살입니다. 황금 성을 짓고 싶은데 제대로 집중할 수가 없어요. 내 친구들은 자기 집에서 저녁을 먹고 있고, 내 어머니는 지금 이 곡을 피아노로 연주하고 있어요. 내가 느끼는 것을 당신에게 들려줘야 하지만 않는다면, 나는 지금 온전히 그곳에 있을 거요. 여름의 향기, 나무에서 우는 매미들, 그리고 내가 좋아하는 소녀를 생각하면서.

나는 과거에 있는 것이 아니오. 나는 현재에 있어요. 지금 나는 나였던 그 작은 소년입니다. 나는 언제까지나 그 작은 소년이지요. 우리 모두는 우리였고 또 앞으로도 우리일 어린아이이자 어른이자 노인이지요. 나는 기억하는 것이 아니오. 나는 그 시간을 다시 살고 있는 겁니다."

더는 계속할 수가 없다. 나는 두 손에 얼굴을 묻고 울음을 터뜨린다. 그러는 동안 그녀는 점점 더 격렬하게, 더 훌륭하게 연주하면서 나를 내 생들 속의 무수한 나에게로 데려다준다. 나는 세상을 떠난 어머니 때문에 우는 것이 아니다. 어머니는 지금 여기서 나를 위해 피아노를 연주하고 있다. 이상한 표현에 놀라서, 매 순간 사라지는 황금 성을 다시 쌓으려 하는 어린아이 때문에 우는 것도 아니다. 그 아이 역시 여기에서 쇼팽의 음악을 듣고 있다. 아이는 이 음악이 얼마나 아름다운지 알고 있고, 여러 차례 이 곡을 들었고, 앞으로도 기쁜 마음으로 듣고 또 들을 것이다. 내가 우는 것은 이 느낌을 드러내 보여줄 방법이 없어서다. 나는 지금 살아 있다는, 이 느낌을. 숨구멍 하나하나에서, 내 몸의 세포 하나하나에서 나는 살아 있다. 나는 태어나지도, 죽지도 않았다.

때로 슬프기도 하고 마음이 혼란스러울 때도 있겠지만, 내 위에는 위대한 '나'가, 모든 것을 이해하고 나의 고통에 웃는 '나'가 존재한다. 나는 덧없는 것과 영원한 것 때문에 운다. 언어는 음악보다 빈곤하여 내가 결코 이 순간을 묘사할 수 없음을 안다. 나는 쇼팽과 베토벤과 바그너에 이끌려 현재이기도 한 과거로 간다. 그들의 음악은 그 어떤 황금빛 고리보다 힘이 세다.

힐랄이 연주하는 동안 나는 울고, 그녀는 내가 울다 지칠 때까지 연주한다.

* * *

그녀가 전기 스위치를 올린다. 깨진 전구가 스파크를 일으킨다. 방 안은 여전히 어둡다. 그녀는 침대 옆 협탁으로 가서 스탠드의 불을 켠다.

"이제 돌아서도 좋아요."

내 눈이 불빛에 익숙해지자, 힐랄이 보인다. 완전히 발가벗은 채 한 손에는 바이올린을 다른 손에는 활을 들고 두 팔을 벌리고 있는.

"오늘 당신은 나를 강물처럼 사랑한다고 했어요. 지금 나는 당신에게 말하고 싶어요. 당신을 쇼팽의 음악처럼 사랑한다고. 단순하면서 심오하고, 호수처럼 푸르고, 그리고……"

"당신은 이미 음악으로 말했어요. 아무 말도 할 필요 없어요."

"두려워요. 너무나 두려워요. 내가 본 것은 정확히 뭐였나요?"

나는 그날 지하감옥에서 있었던 모든 일을 자세히 설명한다. 나의 비겁함과, 바로 지금 그녀의 모습과 똑같은 모습을 한 소녀, 다만 바이올린이나 활을 들고 있는 게 아니라 밧줄에 손이 묶여 있던 소녀에 대해 얘기한다. 그녀는 여전히 두 팔을 벌린 채 침묵 속에서 내 말 한 마디 한 마디에 귀를 기울인다. 우리는 둘 다 방 한가운데 서 있다. 그녀의 몸은 지금 이 순간 코르도바 부근의 한 마을에서 화형대로 이송되고 있는 열다섯 살 소녀의 몸처럼 하얗다. 나는 그녀를 구할 수 없을 것이다. 나는 그녀가 친구들과 함께 화염 속으로 사라져버릴 것임을 알고 있다. 이는 이미 한 번 일어난 일이고, 몇 번이고 반복해서 일어나고 있으며, 이 세계가 존재하는 한 계속해서 일어날 것이다. 나는 힐랄에게 말한다, 소녀의 음부에는 털이 있었다고. 힐랄은 면도를 해음모를 모두 제거해버렸다. 내가 싫어하는 일인데, 그것은 모든남자들이 어린 여자아이와 관계를 가지고 싶어하는 것처럼 보이게 하기 때문이다. 나는 그녀에게 다시는 그러지 말라고 말하고, 그녀는 그러겠다고 대답한다.

나는 그녀에게 내 피부 위의 습진 자국을 보여준다. 평소보다성이 난 듯 더 뚜렷하다. 나는 이것이 바로 그녀와 같은 전생의같은 장소에서 생긴 흉터라고 설명한다. 그리고 그들이 화형대로 끌려가는 도중에 그녀나 다른 소녀들이 무슨 말을 했는지 기억하느냐고 묻는다. 그녀는 고개를 젓고는 내게 묻는다.

"나를 원하나요?"

"그래요, 그것도 아주 많이. 우리는 여기, 이 행성의 유일한 지점에 단둘이 존재하고, 당신은 내 앞에 알몸으로 서 있어요. 당신을 간절히 원해요."

"나는 내 두려움이 두려워요. 나는 지금 나 자신에게 용서를구하고 있어요. 여기 이 자리에 있어서가 아니라, 내가 언제나내 고통에 이기적이었기 때문이에요. 나는 용서를 구하는 대신복수를 꿈꿨어요. 내가 강한 사람이어서가 아니에요. 언제나 나자신이 더 약한 자라고 느꼈기 때문이에요. 내가 다른 사람에게 상처를 주는 동안 나 자신에게 더 많은 상처를 주었어요. 나는 모욕감을 느끼기 위해 다른 사람을 모욕했고, 나 자신의 감정을 상하게 하기 위해 다른 이들을 공격했어요.

그날 밤 대사관 만찬에서 내가 얘기했던 것과 같은 일을 겪은 사람이 내가 유일하진 않다는 걸 알고 있어요. 가족의 친구였던 이웃으로부터 성폭행을 당한다는 건 가장 저속한 일이죠. 만찬 자리에서 나는 그런 일이 그렇게 드물지 않다고 말했지만, 지금도 그 테이블에 앉아 있던 여자들 중 한 명 이상은 어린 시절 성적 학대를 겪은 경험이 있다고 확신해요. 하지만 그들이 다 나처럼 행동하지는 않죠. 나는 단지 나 자신과 불화하고 있는 거예요."

그녀는 말을 고르는 듯 깊은 숨을 쉬고 계속 이야기한다.

"다른 사람들은 모두 극복하는 일인데, 나는 그러지 못했어요. 당신은 당신의 보물을 찾고 있고, 나는 그 일부예요. 그럼에도 나 자신이 내 몸 안에 있는 낯선 사람처럼 느껴져요. 지금 내가 당신 품에 뛰어들어 당신에게 입을 맞추고 사랑을 나누지 못하는 이유는 단 한 가지죠. 용기가 없어서예요. 당신과의 이별이 두려운 거죠. 당신이 자신의 왕국을 찾아 여행하는 동안, 나는 나 자신을 발견하고 있었어요. 그런데 어느 지점에 이르자, 더는 나아갈 수가 없는 거예요. 그래서 나는 더 공격적이 되었죠. 소외감이 느껴지고 나 자신이 쓸모없는 존재라는 생각이 들었어요. 당신이 무슨 말을 해도 이런 내 생각을 돌릴 수는 없어요."

나는 방 안에 하나뿐인 의자에 앉고는 그녀에게 내 무릎에 앉으라고 권한다. 그녀의 몸도 방 안의 열기 때문에 땀으로 젖어 있다. 그녀는 여전히 손에 바이올린과 활을 들고 있다.

"나도 많은 것들이 두렵소." 내가 말한다. "그리고 앞으로도 계속 그럴 거요. 모든 것을 설명하려 하지 않겠지만, 지금 당장 당신이 할 수 있는 일이 있어요."

"이 모든 것도 언젠가는 다 지나갈 거라고 스스로 계속 타이르기도 지겨워요. 안 지나갈 거예요. 나는 내 안의 악마와 함께 사는 법을 배워야 한다고요!"

"기다려요. 내가 이 여행을 떠난 것은 세상을 구원하기 위해서도 아니고, 당신을 구원하기 위해서는 더더욱 아니오. 하지만 마법 전승에 따르면, 고통은 이전하는 것이 가능해요. 순식간에 없어지지는 않겠지만, 다른 장소로 이전함에 따라 서서히 사라져 갈 거요. 당신은 살아오는 동안 그걸 무의식적으로 해왔어요. 지금부터는 의식적으로 해보도록 해요."

"나와 사랑을 나누고 싶지 않나요?"

"정말 그러고 싶어요. 지금 이 순간, 방 안이 뜨겁긴 하지만 당신의 성기가 닿는 내 허벅지에서는 그보다 훨씬 더한 열기가 느껴져요. 나는 슈퍼맨이 아니오. 그래서 당신에게 당신 고통과 내 욕망을 함께 다른 곳으로 이전시켜달라고 말하는 거요.

부탁건대 일어나 당신 방으로 가서 지칠 때까지 연주해요. 우리는 이곳의 유일한 투숙객이니 아무도 불평하지 않을 거요. 당신의 모든 감정을 음악에 쏟아붓고 내일도 똑같이 하도록 해요. 바이올린을 연주할 때마다, 당신에게 그토록 상처 주었던 것이 당신의 재능으로 바뀌었음을 기억해요. 당신이 말한 것과는 달리, 다른 이들도 결코 트라우마를 극복하지 못하고 살아가요. 다만 그들은 자기가 다시 가지 않을 곳에 그 트라우마를 숨긴 것뿐이지. 하지만 당신의 경우는 신께서 당신에게 길을 보여주었어요. 재생의 원천은 지금 이 순간 당신 손 안에 있어요."

"나는 쇼팽을 사랑하듯이 당신을 사랑해요. 내가 되고 싶은 건 피아니스트였지만, 그 당시 우리 부모님은 바이올린을 사줄 형편밖에 안 됐어요."

"나는 강물처럼 당신을 사랑해요."

힐랄은 일어나서 연주하기 시작한다. 그 음악소리는 천상까지 올라가 닿고, 천사들이 내려와 나와 함께 음악을 듣는다. 때로 가만히 서서, 때로 악기와 함께 몸을 흔드는 나신의 여인이 연주하는 음악을. 나는 그녀를 몹시 원했고, 그녀를 만지거나 오르가슴에 이르지도 않은 채 그녀와 사랑을 나누었다. 내가 세상에서 가장 신실한 사람이어서가 아니었다. 그것만이 천사들이 우리 둘을 굽어보고 있는 가운데 우리 육체가 만나는 유일한 방법이었다.

　그날 밤에만 세번째로 시간이 멈추었다. 내 영혼이 바이칼의 독수리와 함께 날아올랐을 때, 내 어린 시절의 음악을 들었을 때, 그리고 지금. 나는 과거도 미래도 없이 온전히 그곳에 존재했다. 그녀와 함께 음악을 경험하고, 예상치 못한 기도를 드리고, 내 왕국을 찾아 떠난 것에 고마움을 느끼며. 나는 침대에 누웠다. 그녀는 연주를 계속했다. 나는 그녀의 바이올린 소리를 들으며 잠이 들었다.

첫 햇살과 함께 잠에서 깨어나 그녀의 방으로 가서 그녀의 얼굴을 보았다. 처음으로 그녀는 자기 나이인 스물한 살처럼 보였다. 부드럽게 그녀를 깨워 야오가 아침식사를 하려고 기다리고 있으니 채비를 하라고 말했다. 서둘러 이르쿠츠크로 가야 했다. 기차 출발 시간까지 얼마 남지 않았다.

아래층으로 내려가 그 시간에 먹을 수 있는 유일한 메뉴인 절인 생선 요리를 먹고 나자, 우리를 데려다줄 차가 도착하는 소리가 들린다. 운전사가 우리에게 인사를 건네고, 우리 가방을 들어 트렁크에 싣는다.

태양은 빛나고 하늘은 맑고 바람 한점 없다. 멀리 눈 덮인 산봉우리들이 선명하게 보인다. 내 생에 두 번 다시 이곳에 돌아올 수 없을 것이다. 나는 잠시 멈춰 서서 호수와 작별인사를 나눈다. 야오와 힐랄이 차에 먼저 타고 운전사가 시동을 건다.

하지만 나는 움직일 수 없다.

"가야 합니다. 만일의 경우를 대비해 한 시간 정도 여유를 뒀습니다만, 일찍 출발하는 게 낫지요." 운전기사가 말한다.

호수가 나를 부르고 있다.

야오가 차에서 내려 내게 다가온다.

"샤먼과의 만남에 더 많은 것을 기대하셨나보군요. 하지만 내게는 중요한 일이었습니다."

아니다. 애초에 내 기대는 훨씬 덜했다. 나중에 야오에게 힐랄과 있었던 일에 대해 이야기하리라. 지금은 아침햇살과 함께 깨어나는 호수와 빛줄기 하나하나를 반사하며 반짝이는 물을 바라보고 있다. 내 영혼이 바이칼의 독수리와 함께 호수에 다녀왔지만 나는 호수를 더 잘 알고 싶다.

"가끔은 세상일들이 기대한 대로 풀려가는 건 아니지요." 야오가 계속 말한다. "하지만 선생이 함께 와주셔서 정말 감사합니다."

"신께서 계획하신 길에서 벗어나는 것이 가능할까요? 네, 가능합니다. 하지만 언제나 그건 실수입니다. 고통을 피하는 것이 가능할까요? 가능합니다. 하지만 아무것도 배우지 못할 겁니다.

무언가를 정말로 경험하지 않고도 안다는 것이 가능할까요? 네, 가능합니다. 하지만 그 일들이 진정으로 당신의 일부가 되지는 못할 겁니다."

그리고 이 말들을 가슴에 안고, 나는 나를 부르는 호수의 물을 향해 걷는다. 처음에는 천천히, 망설이면서, 거기까지 갈 수 있을지 확신하지 못한 채. 조금씩 내 이성이 나를 뒤에서 잡아당기고 있다는 걸 깨닫자 나는 속도를 높이기 시작하고, 입고 있는 겨울옷을 벗어던지며 뛰어간다. 호숫가에 이르렀을 때 나는 팬티 한 장만 걸치고 있다. 아주 짧은 한순간 망설인다. 하지만 내가 계속 더 나아가기를 그만둘 만큼 큰 망설임은 아니다. 얼음장 같은 물이 내 발과 발목을 적신다. 호수 바닥은 돌투성이라 균형을 잡기 어렵지만 그래도 계속 나아간다. 마침내 물이 충분히 깊어진다. 그리고 나는,

풍덩 뛰어든다!

내 몸은 얼음 같은 물속에 완전히 잠긴다. 수천 개의 바늘이 온몸을 찌르는 것 같다. 나는 참을 수 있는 만큼 참으며 물속에 머물러 있다. 어쩌면 몇 초 동안, 어쩌면 영원에 이르는 시간 동안. 그리고 마침내 수면 밖으로 나온다.

여름이다! 더위다!

나중에야 알게 된 것인데, 기온이 극도로 낮은 곳에서 상대적

으로 높은 곳으로 이동하게 되면 누구나 그런 감각을 느끼게 된다고 한다. 나는 거기서, 팬티 바람으로 바이칼 호수에 무릎까지 담근 채로 어린아이처럼 즐거워하고 있었다. 이제는 내 일부가 된 그 모든 힘이 나를 완전히 감싸고 있었다.

야오와 힐랄이 쫓아와 물가에 서서 말도 안 된다는 눈으로 나를 바라본다.

"이리 와요! 여기 들어와요!"

두 사람이 옷을 벗기 시작한다. 힐랄은 안에 아무것도 입고 있지 않아서 다시 완전히 나신이 되었다. 하지만 무슨 상관인가? 사람들 몇 명이 궁금해하며 방파제로 모여들어 우리를 구경한다. 하지만 그러면 또 무슨 상관인가? 호수는 우리 것이다. 세상이 우리 것이다.

야오가 먼저 물에 들어오다가 울퉁불퉁한 바닥을 미처 조심하지 않아 넘어진다. 그는 다시 일어나 좀더 걸어들어오더니 물속으로 몸을 던진다. 힐랄은 돌 사이를 날아오는 듯 우리보다 더 멀리 뛰어들어가더니, 한참 동안 몸을 담갔다가 양팔을 하늘로 치켜들고 미친 듯이 웃어댄다.

호수가 있는 방향으로 내가 뛰기 시작했을 때부터 우리가 물에서 나오기까지는 채 오 분도 걸리지 않았다. 걱정이 된 운전사가 숙소에서 급히 구해온 타월을 들고 뛰어온다. 우리 세 사람은 기쁨에 겨워 서로 끌어안은 채 팔짝팔짝 뛰고, 노래하고, 소리 지른다. "여기 밖은 너무 덥잖아!" 마치 아이들처럼, 우리가 영원히 그 모습을 잃지 않을 어린아이들처럼.

도시

시계를 맞춘다. 이번 여행에서 마지막일 것이다. 2006년 5월 30일 새벽 다섯시. 일곱 시간 차이가 나는 모스크바는 아직 29일이고, 그곳 사람들은 저녁식사를 하고 있을 것이다.

객차 안의 사람들은 모두 일찍 일어났거나 아예 잠을 이루지 못했다. 이제는 익숙해진 기차의 흔들림 때문이 아니다. 이제 곧 종착역인 블라디보스토크에 도착하기 때문이다. 우리는 마지막 이틀을 객차 안에서, 이 영원히 계속될 것만 같은 여행 동안 우리 우주의 중심이 되어준 테이블 주위에 모여 대부분의 시간을 보냈다. 우리는 식사를 하고 대화를 나눴다. 나는 바이칼 호수에 뛰어들었을 때 느꼈던 것들에 대해 자세히 이야기했지만, 사람들은 샤먼과의 만남에 더 관심을 보였다.

이번 여행에서 편집자들은 근사한 아이디어를 진행시켰다. 정차하는 도시마다 내가 탄 기차가 그곳에 몇 시에 도착할지 미리 알리는 것이었다. 밤이 됐든 낮이 됐든 나는 기차에서 내려 플랫폼에서 나를 기다리고 있는 사람들을 만났고, 그들은 내게 사인할 책을 건네고 내게 고맙다는 인사를 했고 나도 답례를 했다. 어느 때는 오 분, 어느 때는 이십 분을 머물기도 했다. 독자들은 내게 축복을 빌어주었고, 나는 긴 외투에 장화를 신고 머릿수건을 쓴 나이든 여인들부터 '내가 추위보다는 강하지'라고 말하고 싶은 듯 가벼운 재킷 차림으로 퇴근길에 기차역에 들른 청년들에 이르기까지, 그들이 빌어주는 모든 축복을 기꺼이 받아들였다.

그리고 바로 전날, 나는 기차 전체를 둘러보기로 결심했다. 진작 하고 있던 생각이었는데, 워낙 긴 여행이라 언제나 뒤로 미루기만 했던 일이었다. 마침내 종착역이 얼마 남지 않았다는 걸 깨달은 것이다.

나는 야오에게 동행해달라고 부탁했다. 우리는 몇 개인지 셀 수도 없이 끝없이 이어지는 문들을 여닫으며 앞으로 나아갔다. 그제야 나는 기차를 타고 있는 것이 아니라 한 도시, 한 나라, 하나의 우주 안에 있다는 걸 깨달았다. 이 일을 좀더 일찍 했더라면 여행은 더욱 풍성해졌을 것이다. 재미있는 사람들을 만나고, 어쩌면 책으로 써도 될 만큼 흥미로운 이야기들을 들을 수 있었을 것이다.

　잠시 정차하는 동안 독자들을 만나기 위해 기차에서 내릴 때를 빼고는, 오후 내내 나는 철로 위를 달리는 도시를 탐사했다. 세상의 다른 도시들에서 그러듯 이 도시를 걸어다녔고, 다른 도시에서 흔히 마주치던 장면들을 목격했다. 휴대전화로 통화하는 남자, 식당차에 두고 온 물건을 가지러 뛰어가는 청년, 아기를 무릎에 앉힌 엄마, 객실 옆 좁은 통로에서 차창 밖으로 흘러가는 풍경은 신경도 안 쓰고 열렬히 입맞춤을 하고 있는 젊은 연인들, 볼륨을 최대로 키워놓은 라디오, 내가 이해하지 못하는 안내판들, 뭔가를 제안하거나 부탁하는 사람들, 친구들과 어울려 금니를 드러내고 웃는 남자, 눈물 흘리며 허공을 바라보는 머릿수건을 두른 여자. 다음 객차로 통하는 좁은 공간을 지날 때는 무리지어 있는 사람들과 함께 담배 몇 대를 피우며, 온 세상의 짐을 등에 짊어진 듯 심각한 생각에 잠겨 있는 잘 차려입은 남자들을 훔쳐보기도 했다.

　멈추지 않고 흐르는 거대한 강철 강물처럼 달리는 도시를 나는 돌아다녔다. 러시아어를 할 줄 모르지만 그것이 무슨 상관인가? 나는 모든 종류의 방언과 소리를 들었고, 대도시에서 흔히 그렇듯 대부분의 사람들은 아무하고도 대화하고 있지 않다는 것을 발견했다. 승객들은 자기만의 고민거리와 몽상에 잠긴 채, 두

번 다시 만날 일이 없고 역시 자기만의 고민과 몽상을 마주하고 있는 낯선 이들과 어쩔 수 없이 같은 객실을 공유하고 있을 따름이었다. 아무리 비참하거나 외로운 기분을 느끼더라도, 마침내 쟁취한 행복과 숨막히는 슬픔을 나누고 싶더라도, 차라리 침묵을 지키는 편이 더 낫고 안전한 것이다.

나는 누군가에게 접근해보기로 했다. 내 또래로 보이는 여인이었다. 그녀에게 지금 우리가 어디를 지나고 있는지 물었다. 야오가 통역하려 했지만, 나는 그를 제지했다. 이 여행을 홀로 하고 있다고 상상하고 싶었고, 그렇다면 과연 내가 이 여행을 끝까지 해낼 수 있었을지 궁금했다. 여인은 고갯짓으로, 기차 소리가 너무 커서 내가 한 말을 못 알아들었다는 시늉을 해보였다. 나는 다시 똑같은 질문을 했고, 이번에는 그녀가 내 말을 듣긴 했지만 한 마디도 이해하지는 못했다. 아마 내가 헛소리를 한다고 생각한 게 분명했다. 그녀는 제 갈 길을 가버렸다.

나는 두번째, 세번째 사람에게 계속 시도했다. 이번에는 질문을 바꿔 물었다. 여행 목적이 무엇이냐고, 기차에서 무엇을 했느냐고. 아무도 내가 하는 질문을 이해하지 못했고 나는 그것이 마냥 재미있었는데, 내가 한 질문이 너무 바보 같았기 때문이다. 그들은 모두 자신이 무엇을 하는지, 어디로 가고 있는지 알고 있다. 나 역시 알고 있다. 비록 원하는 바로 그곳에 아직 도착하지는 못했지만. 어떤 이가 좁은 통로에서 우리 사이를 슬그머니 비집고 지나가다가 내가 영어로 말하는 것을 듣고 멈춰 서더니 내게 조용히 물었다.

"도와드릴까요? 혹시 길을 잃으셨나요?"

"아니요, 길을 잃은 건 아닙니다. 우리는 지금 어디를 지나고 있나요?"

"지금은 중국과의 국경 근처에 있고, 곧 남쪽으로 방향을 틀어 블라디보스토크로 향할 겁니다."

그에게 고맙다는 인사를 하고 계속 걸어나갔다. 나는 대화하기에 성공한 것이고, 혼자서 이 기차를 타고 여행할 수 있을 것이다. 이렇게 도와주려는 사람들이 있으니, 결코 길을 잃는 일은 없을 것이다.

끝이 없을 것 같던, 이 달리는 도시를 다 돌아본 후 나는 다시 출발점으로 돌아왔다. 웃음들과 시선들과 입맞춤들과 음악과 온갖 다른 언어들과 차창 밖으로 지나가던, 다시는 볼 수 없겠지만 언제까지나 나와 함께, 내 망막과 마음속에 남아 있을 숲을 내 안에 담은 채.

그리고 우리 우주의 중심이었던 테이블로 돌아와 몇 줄의 글을 써서, 야오가 매일의 경구를 써 붙이던 자리에 붙여놓았다.

* * *

어제 기차 안을 돌아본 후 내가 쓴 글을 다시 읽어본다.

　무사히 집에 돌아가게 해달라고 기도하지 않았으므로, 내 집, 내 식탁, 내 침대의 내 자리를 상상하며 시간을 낭비하지 않았으므로, 나는 이방인이 아니다. 우리 모두가 여행자이고, 같은 질문, 같은 피로, 같은 두려움, 같은 이기심과 같은 너그러움을 갖고 있으므로 나는 이방인이 아니다. 내가 구했을 때 얻었으므로 나는 이방인이 아니다. 내가 두드리자 문이 열렸다. 내가 찾아나서자, 나는 구하던 것을 발견했다.

내가 기억하기로 이것은 샤먼이 한 말이었다. 곧 이 객차는 출발한 곳으로 돌아갈 것이다. 이 종이는 청소부가 객차를 청소하러 들어오는 대로 없어질 것이다. 하지만 나는 내가 쓴 글을 결코 잊지 못할 것이다. 왜냐하면 나는 이방인이 아니고, 앞으로도 이방인이 아닐 것이기 때문이다.

* * *

힐랄은 대부분의 시간을 자기 객실에 틀어박혀 필사적으로 바이올린을 연주했다. 내게는 그녀가 천사들과 대화하는 것처럼 느껴질 때도 종종 있었지만, 다른 이에게는 그저 실력과 테크닉을 유지하기 위한 반복으로만 들릴 수도 있었다. 이르쿠츠크로 돌아오는 동안, 나는 바이칼의 독수리와 함께 비행한 것이 나 혼자가 아니었음을 확신하게 되었다. 그녀와 나, 우리의 영혼은 함께 그 경이로운 광경을 보았음이 분명했다.

어젯밤 나는 그녀에게 다시 한번 나와 함께 자달라고 부탁했다. 나 혼자서 빛의 고리 수련을 시도해보았지만, 내 뜻과는 달리 19세기 프랑스 작가였던 생으로 갔을 뿐 다른 결과는 얻을 수가 없었다. 그(혹은 나)는 이런 문장을 마치고 있었다.

꿈을 꾸기 직전의 순간은 죽음과 유사하다. 우리는 무의식 상태에 빠지고, '나'가 언제 다른 형태로 존재하기 시작하는지 인지하는 것이 불가능하다. 우리의 꿈은 우리의 두번째 생이다. 나는 보이지 않는 세계로 우리를 인도하는 그 문을 통과할 때면 어찌할 도리 없이 전율을 느낀다.

그날 밤 그녀는 내 옆에 누웠고, 나는 그녀의 가슴에 머리를 기댔다. 우리는 침묵 속에 있었다. 마치 아주 오래전부터 우리 영혼이 서로를 알아왔고, 더이상의 말은 필요 없이 육체적 접촉만으로도 충분하다는 듯이. 마침내 황금빛 고리는 내가 가고자 하는 바로 그 장소로 나를 데려갔다. 코르도바 근교에 있는 그 마을로.

판결문은 대대적인 축제행사인 양 마을 광장 한가운데서 공식적으로 발표된다. 발목까지 내려오는 흰 옷을 입은 여덟 명의 소녀는 추위에 떨고 있다. 그러나 그들은 곧 뜨거운 불길을, 천국의 이름으로 행동하고 있다고 믿는 남자들이 지피는 지옥의 불을 맞게 될 것이다. 나는 내 상급자에게 교회의 일원들이 앉는 자리를 먼저 떠나도 될지 양해를 구했다. 그를 굳이 설득할 필요도 없었다. 그는 여전히 나의 비겁함에 분노하고 있고, 등을 돌리는 내 모습을 보는 것이 기쁠 테니까. 나는 깊은 수치심을 느끼며 도미니크회 수사복의 두건을 머리에 푹 눌러쓰고 군중 속에 섞여 있다.

인근 마을의 호기심 많은 구경꾼들까지 몰려들어 오후가 되기도 전에 광장은 인산인해를 이루었다. 귀족들은 가장 화려한 옷차림을 하고 앞줄에 마련된 특별석에 앉아 있다. 여자들은 공들여 머리를 손질하고 화장을 하고 나타나 모두에게 아름다움이란 이런 것이라고 과시하고 있다. 모여든 군중의 눈빛에 단순한 호기심 이상의 것이 있다. 가장 많이 보이는 감정은 복수심인 듯하다. 그것은 마침내 죄인들이 처벌을 받게 되었다는 안도감이 아니다. 저 소녀들이 아름답고 젊고 관능적인, 부잣집 딸들이라는 사실에 대한 보복의 감정이다. 그녀들은 거기 모인 사람들 대부분이 젊은 시절에 잃어버렸거나 한 번도 누려본 적 없는 것들을 가졌다는 이유로 처벌받아 마땅하다. 말하자면 우리는 아름다움에 대해 복수하고 있는 것이다. 행복과 웃음과 희망에 대해 복수하는 것이다. 이따위 세상에는 우리의 진짜 모습, 우리 모두가 비참하고 좌절하고 무기력하다는 것을 증명해줄 감정이 설 자리가 없다.

심문관이 라틴어로 집전하는 미사가 거행중이다. 이단의 죄를 범한 이들에게 내려질 끔찍한 형벌을 나열하는 그의 설교가 한창인데, 누군가 울부짖는 소리가 들린다. 이제 곧 화형에 처해질 소녀들의 부모들이다. 그들은 그때까지 광장에 들어오지 못하고 있었는데, 경비를 뚫고 들어온 것이었다.

심문관은 설교를 중단하고, 군중은 야유를 퍼붓고, 경비병들이 그들을 다시 끌고 나간다.

소들이 끄는 수레가 도착한다. 소녀들은 뒤로 손이 묶여 있어서 도미니크 수사들이 그녀들이 수레에 오를 수 있도록 돕는다. 경비병들은 수레 주위에 안전선을 만들고 사람들의 접근을 막는다. 군중이 뒤로 물러나고, 죽음의 화물을 실은 수레는 화형대가 준비된 가까운 들판을 향해 움직이기 시작한다.

소녀들은 고개를 숙이고 있다. 내가 있는 곳에서는 그녀들의 눈에 깃든 것이 공포인지 눈물인지 알 수가 없다. 그중 한 명은 야만적인 고문을 당해 다른 이의 도움 없이는 제대로 서지도 못한다. 그녀들을 향해 웃고 욕설을 퍼붓고 물건들을 던지는 군중을 통제하느라 병사들은 애를 먹는다. 수레가 내가 서 있는 곳 가까이로 지나가게 될 것을 알고 그쪽으로 빠져나가려 해보지만, 이미 늦었다. 내 뒤로 남자, 여자, 어린아이들로 꽉꽉 들어차 옴짝달싹도 할 수가 없다.

수레가 가까이 다가온다. 그녀들이 입은 흰 옷은 이제 달걀과 맥주, 포도주와 감자 껍질로 더러워져 있다. 주여, 자비를 베푸소서. 화형대에 불이 붙는 순간, 나는 저 소녀들이 자신의 죄, 언젠가는 미덕으로 간주될 날이 있으리라고 여기 있는 누구도 상상할 수 없는 그 죄에 대해 용서를 구하기를 간절히 바란다.

그녀들이 고해를 요청한다면 수도사 한 명이 그들의 고백을

366

다시 한번 듣고, 그들의 영혼을 신께 의탁할 것이다. 고해한 소녀들은 교수형에 처해지고, 불에 태워지는 것은 그녀들의 시체일 뿐이다.

하지만 그들이 결백을 주장한다면 산 채로 불태워질 것이다.

나는 오늘 저녁에 하는 것과 같은 처형식을 본 적이 있다. 저소녀들의 부모들이 집행인들에게 돈을 건네두었기를 간절히 바란다. 그랬다면 장작에 미리 기름을 좀 부어놓아 불이 빨리 붙을 테고, 불길이 머리칼과 발과 손과 얼굴과 다리를 거쳐 마침내 온몸을 태우기 전에 그들은 연기에 질식할 것이다. 그렇지 않고 집행인들에게 뇌물을 줄 기회가 없었다면, 소녀들은 필설로 묘사할 수 없는 고통을 겪으며 천천히 타죽으리라.

수레가 지금 내 앞에 있다. 얼른 고개를 숙이지만 그중 한 명이 나를 본다. 그러자 소녀들이 일제히 나를 본다. 나는 욕설을 듣고 비난받을 준비가 되어 있다. 나는 그래 마땅하다. 단 한 마디 말로 모든 것을 바꿀 수 있었음에도 나는 그들의 손을 놓아버린, 가장 죄 많은 자이니까.

소녀들이 내 이름을 부른다. 주위에 있는 사람들이 저 마녀들을 아느냐는 듯 놀란 눈으로 나를 쳐다본다. 내가 입고 있는 도미니크회 수사복이 아니었다면 이 자리에서 두들겨맞았을 것이다. 내 주위 사람들은 이내 내가 그녀들에게 판결을 내린 교회 사람들 중 하나임을 깨닫는다. 어떤 이는 축하의 인사를 건네듯 내 등을 두드리고, 한 여인은 내게 이렇게 말한다. "형제님의 고귀한 신앙에 축복이 내리소서."

소녀들은 계속 내 이름을 부른다. 비겁자가 되기에도 이미 지쳐버린 나는 마침내 고개를 들어 그녀들을 응시하기로 작정한다.

그리고 그 순간, 모든 것이 멈추고 더는 아무것도 보이지 않는다.

힐랄을 데리고 바로 가까이에 있는 알레프로 갈까도 생각했다. 하지만 그것이 정말 이 여행의 의미였을까? 나를 사랑하는 사람을 이용해 나를 괴롭히는 문제의 답을 얻는 것이? 또 그런다고 해서 내가 진정으로 내 왕국의 왕으로 돌아가게 될 것인가? 지금 답을 얻지 못한다면 다음에 얻으면 될 일이다. 다른 세 명의 여성이 나의 길에서 나를 기다리고 있을 것이다. 그 길의 끝까지 따라갈 용기만 내게 있다면 말이다. 분명 나는 그 답을 찾지 못하고 이번 생을 마감하지는 않을 것이다.

　　　　　　　　　　* * *

　날이 밝았다. 대도시의 풍경이 차창 밖으로 지나가고, 사람들
은 마침내 도착했다는 흥분이나 즐거움 없이 자리에서 일어난
다. 어쩌면 우리의 여행은 이제부터 정말 시작인지도 모른다.

　강철로 만든 도시, 기차가 천천히 멈춘다. 이번에는 완전하게.
나는 힐랄 쪽으로 몸을 돌리고 말한다.

　"나와 함께 내립시다."

　그녀는 내 옆에서 같이 내린다. 사람들이 밖에서 기다리고 있
다. 커다란 눈망울의 아가씨 한 명이 브라질 국기와 포르투갈어
로 환영 인사가 쓰여 있는 커다란 피켓을 들어올린다. 기자들이
몰려들고, 나는 거대한 아시아 대륙을 가로질러오는 동안 러시
아인들이 보여준 친절에 감사를 표한다. 나는 꽃다발을 받아들
고, 사진기자들은 머리가 두 개 달린 독수리가 꼭대기에 앉아 있
는 거대한 청동 기둥 앞에서 포즈를 취해달라고 내게 요구한다.
그 기둥의 받침대에는 이렇게 쓰여 있다.

　9288.

　'킬로미터'라는 단어를 뒤에 붙일 필요는 없다. 그곳에 도착한
모든 이들은 그 숫자가 무엇을 의미하는지 잘 알고 있으니까.

전화통화

도시가 자리잡은 언덕 너머로 해가 지는 동안, 배는 태평양 위를 천천히 나아간다. 기차가 역에 도착할 때 내 여행 동료들에게서 보았다고 느낀 슬픔은 격렬한 도취감에 자리를 내주었다. 우리 모두는 마치 태어나서 처음으로 바다를 본 사람들처럼 들떠 있다. 이제 곧 헤어져야 한다는 것을 아무도 인정하고 싶지 않아 하면서 멀지 않은 시일 안에 곧 만날 것을 약속한다. 이 약속은 단지 이별의 서운함을 덜어주기 위한 것임을 다 알면서도.

여행은 끝나가고, 모험은 막바지에 이르고 있고, 사흘 후면 우리 모두 각자의 집으로 돌아갈 것이다. 식구들과 얼싸안고, 자식들의 얼굴을 보고, 그동안 쌓인 우편물을 확인하고, 여행지에서 찍은 수백 장의 사진들을 보여주고, 기차와 방문했던 도시들과 길에서 만난 사람들에 대한 이야기를 들려줄 것이다.

그 모든 것은 우리 자신에게 그 여행이 실제로 있었던 일이라는 사실을 확인시키기 위한 것이다. 매일의 일상으로 돌아가 사흘만 지나면, 떠난 적조차 없고 그렇게 멀리 간 적이 없는 것 같은 느낌이 든다. 물론 사진이니, 티켓이니, 길에서 사온 기념품들은 남지만, 유일하고 절대적이며 우리 삶의 영원한 주인인 시간은 우리에게 말할 것이다. 너는 이 집, 이 방, 이 컴퓨터 앞을 떠난 적이 없다고.

두 주일? 인생 전체에서 그까짓 게 무어란 말인가? 거리에는 아무것도 변한 것이 없고, 이웃들은 여전히 똑같은 화제를 가지고 이야기하고 있고, 아침에 산 신문에는 어김없이 똑같은 뉴스가 실려 있다. 독일에서 열릴 예정인 월드컵, 이란이 핵무기를 보유하도록 용인해야 할 것인가에 대한 논쟁, 이스라엘과 팔레스타인의 갈등, 유명 인사들의 스캔들, 정부가 약속해놓고 실행하지 않은 일들에 대한 불만들.

아무것도, 아무것도 변한 게 없다. 오직 우리만이, 자신의 왕국을 찾아 떠나서 한 번도 발 디뎌본 적 없는 땅을 발견한 우리만이 알고 있다. 우리가 달라졌다는 것을. 하지만 더 설명하려고 애쓸수록, 우리는 이 여행이 이전의 모든 여행들과 마찬가지로 단지 우리 기억 속에만 존재한다는 사실을 확인하게 되는 셈이다. 어쩌면 이다음에 손자들에게 들려줄 수 있을 것이고, 아니면 우연찮게 그 이야기로 책을 한 권 쓸 수도 있을 것이다. 하지만 정확히 무슨 이야기를 할 수 있을까?

아무것도 없다. 어쩌면 외부에서 일어난 일들에 대해서는 이야기할 수 있을 것이다. 하지만 우리 안에서 일어난 변화에 대해서는 이야기하지 못할지도 모른다.

우리는 두 번 다시 만나지 못할 것이다. 아마도. 지금 이 순간 수평선을 바라보고 있는 사람은 힐랄 혼자다. 이 문제를 어떻게 해결할 것인지 생각하고 있는 중이리라. 아니다, 그녀에게 시베리아 횡단열차는 여기서 끝나지 않는다. 그럼에도 그녀는 자신의 감정을 드러내지 않고, 사람들이 말을 걸어오면 정중하고 상냥하게 응대하고 있다. 우리가 함께 여행하는 동안에는 한 번도 보지 못한 모습이다.

* * *

야오가 그녀와 대화를 해보려고 애를 쓴다. 이미 두세 번 시도했지만, 그때마다 힐랄은 몇 마디만 주고받은 후 자리를 비켰다. 마침내 야오가 포기하고 내 쪽으로 온다.

"어떻게 해야 할까요?"

"그녀의 침묵을 존중해주세요."

"나도 그렇게 생각합니다만, 알다시피⋯⋯"

"네, 압니다. 하지만 그보다는 선생 자신의 문제를 생각하는 게 어떨까요? 샤먼이 한 말을 기억하시죠, '당신은 신을 죽였다' 고요. 만일 신을 당신 삶 속으로 다시 불러올 이번 기회를 놓친 다면, 이번 여행은 아무 의미가 없었던 것이 될 겁니다. 나는 그 저 자신의 문제에서 눈을 돌리기 위해 다른 사람들을 돕는 사람 들을 많이 알고 있어요."

야오는 "알아들었다"고 말하듯 내 등을 토닥거리더니, 나 혼 자 바다를 바라보게 두고 가버린다.

나는 지금 여행의 끝에 이르렀고, 내 곁에 있는 아내의 존재 를 느낀다. 오후에는 독자들을 만났고, 늘 하던 대로 그들과 함 께 파티를 열었고, 시청을 방문했고 시장 집무실에 있는 칼라시 니코프 소총을 생전 처음 손에 쥐어봤다. 그곳을 떠나는데 그 방 탁자 위에 놓여 있는 신문이 눈에 띄었다. 러시아어는 한 마디도 모르지만 사진만으로도 알 수 있었다. 축구선수들.

며칠 후면 월드컵이 시작되는 것이다! 아내가 뮌헨에서 나를 기다리고 있다. 우리는 곧 그곳에서 만날 것이고, 나는 그동안 그녀가 무척 보고 싶었다는 것을, 그리고 힐랄과 나 사이에 일어 난 모든 일을 이야기해줄 것이다.

그러면 그녀는 말할 것이다. "제발, 그 이야기는 벌써 네 번이나 들었어요." 그리고 우리는 근처 맥주홀로 한잔하러 가리라.

나는 내 생에서 빠져 있던 단어 몇 개를 찾기 위해서가 아니라, 다시 내 세계의 왕이 되기 위해 이 여행을 떠나온 것이다. 그 왕은 지금 여기에 있고, 나는 나 자신과, 나를 둘러싸고 있는 마법의 세계와 다시 연결되었다.

물론 브라질을 떠나지 않고도 같은 결론에 이를 수도 있었으리라. 하지만 내 책의 주인공 양치기 산티아고가 그랬던 것처럼, 가까이에 있는 무언가를 찾기 위해 때로는 먼 길을 떠날 필요가 있다. 비는 대지로 돌아올 때면 빗방울과 함께 대기중에 떠도는 것들을 가져온다. 마법과 일상 너머의 특별한 것들은 항상 내 곁에 있고 우주 만물과 함께 있지만, 가끔 우리는 이를 잊어버리고 살기 때문에 다시 깨달을 필요가 있다. 설사 세계에서 가장 큰 대륙의 한 끝에서 다른 끝까지 가로질러야 한다 하더라도. 우리는 보물을 들고 돌아오고, 그 보물이 다시 땅에 묻히면 또 한 번 보물을 찾아 길을 떠나야 하는 것이다. 생을 흥미롭게 하는 것은 이런 것들이다. 보물과 기적을 믿는 것.

"축하를 합시다. 배에 보드카가 있소?"

배에는 보드카가 없다. 힐랄이 화난 눈으로 나를 쏘아본다.

"뭘 축하하죠? 이제 내가 여기서 혼자 남아 있다가 다시 저 기차를 타고, 우리가 함께 겪은 모든 것을 생각하면서 끝도 없이 밤낮으로 달려가야 하는 걸 축하하자는 건가요?"

"그게 아니오. 내가 경험한 것을 축하하고, 나 자신에게 건배를 하고 싶어요. 그리고 당신은 당신의 용기에 축배를 들어야 하고. 모험을 찾아 떠났고 그걸 찾았잖아요. 잠깐 슬픔의 시간을 견디고 나면 누군가 당신을 위해 가까운 산에 불을 피워줄 거요.

당신은 그 불꽃을 볼 것이고, 그곳으로 가서 당신이 온 생애를 다해 기다려온 남자를 만날 거요. 당신은 젊어요. 지난밤 나는 바이올린을 켜는 것이 당신의 손이 아니라 신의 손이라는 걸 깨달았어요. 신께서 당신 손을 쓰시도록 해줘요. 비록 이 순간은 슬프겠지만 당신은 행복해질 겁니다."

"당신은 내가 무얼 느끼고 있는지 전혀 모르는군요. 당신은 세상이 당신에게 많은 빚을 졌다고 생각하는 이기주의자일 뿐이에요. 나는 나 자신을 온전히 내려놓았는데, 다시 한번 길 한가운데에 홀로 남겨져 있어요."

더 말해봐야 소용없으리라. 하지만 결국 내가 말한 대로 될 것임을 나는 안다. 나는 쉰아홉 살이고, 그녀는 스물한 살이다.

* * *

우리가 숙박할 장소로 돌아온다. 이번에는 호텔이 아니고 1974년 당시 소비에트 공산당 서기장 레오니트 브레즈네프와 미합중국 대통령 제럴드 포드 대통령의 군비축소 협약 회동을 위해 지은 어마어마한 게스트하우스다. 전부 흰 대리석으로 지은 게스트하우스는, 중앙의 커다란 홀과 그에 이어지는 수많은 방들이 있다. 과거에는 정치사절단의 숙박 장소로 쓰였지만 오늘날에는 가끔씩 찾아오는 방문객들이 사용하고 있다.

우리는 샤워를 하고 옷을 갈아입은 후 곧바로 나와서 그곳의 썰렁한 분위기에서 멀리 떨어진 시내에서 저녁을 먹을 계획이다. 그런데 그 홀 한가운데서 한 남자가 우뚝 서 있다. 편집자들이 그에게 다가간다. 야오와 나는 적절한 거리를 유지하고 기다린다.

남자가 휴대전화를 꺼내 번호를 누르더니 남자 편집자에게 전화기를 건넨다. 통화중인 남자 편집자는 예의바르게 말하고, 그의 눈은 기쁨으로 반짝인다. 여자 편집자도 미소를 짓는다. 통화중인 남자 편집자의 목소리가 대리석 벽에 부딪혀 울린다.

"무슨 일이 있는 겁니까?" 내가 묻는다.

"네, 곧 알게 될 겁니다." 야오가 대답한다.

남자 편집자가 전화를 끊더니 만족스런 미소를 지으며 내게 다가온다.

　"우리는 내일 모스크바로 돌아갈 겁니다." 그가 말한다. "내일 오후 다섯시까지는 도착해야 합니다."

　"여기서 이틀 더 있을 계획이 아니었나요? 도시를 둘러볼 시간도 없었는데요. 게다가 비행기로 아홉 시간이나 걸리잖아요. 어떻게 내일 오후 다섯시까지 갈 수 있죠?"

　"일곱 시간의 시차가 있잖습니까. 내일 정오에 출발하면 현지 시각으로 오후 두시에는 도착할 수 있어요. 충분합니다. 식당 예약은 취소하고 여기서 저녁식사를 하도록 부탁하겠습니다. 준비할 일이 아주 많아서요."

　"그런데 왜 이렇게 서두르는 겁니까? 독일로 출발하는 내 비행기는 며칠 있어야……"

　그는 내 말을 끊고 말한다.

　"블라디미르 푸틴 대통령이 선생님의 이번 여행에 대해 읽은 거 같아요. 직접 만나보고 싶답니다."

터키의 영혼

"그럼 나는요?"

남자 편집자가 힐랄 쪽으로 돌아선다.

"당신은 오고 싶어서 왔잖아요. 그러니 원할 때 원하는 방법으로 돌아가요. 우리와는 상관없어요."

휴대전화를 들고 있던 남자는 이미 가고 없다. 출판사 사람들이 밖으로 나가고, 야오도 뒤따라 나갔다. 힐랄과 나 둘만이 그 거대하고 숨 막힐 것 같은 하얀 홀 한가운데 남았다.

모든 일이 너무 빨리 일어나는 바람에 우리는 아직 충격에서 회복되지 못하고 있다. 푸틴 대통령이 내 여행에 대해 알 줄은 몰랐다. 힐랄은 이렇게 갑작스럽고 급하게 다가온 결말이 믿기지 않는 눈치다. 내게 사랑한다고 말하고, 이 모든 것이 우리 인생에 얼마나 중요했는지를 설명하고, 내가 비록 기혼자임에도 우리의 관계가 더 멀리 나아가야 한다는 말을 할 기회도 없이 이대로 헤어져야 하는 상황을 받아들이지 못하는 것이다. 최소한 내가 보기에는 그렇다.

"나한테 이럴 수는 없어요! 나를 그냥 여기 내버려둘 수는 없어요! 당신은 아니라고 말할 용기가 없어서 나를 죽였어요. 이제 다시 한번 나를 죽이게 될 거예요!"

그녀는 자기 방으로 달려가고, 나는 최악의 사태를 걱정한다. 그녀가 진심이라면 이 순간 무슨 일이든 일어날 수 있다. 편집자에게 전화해서 그녀 몫의 비행기표도 한 장 사라고 해야 한다. 그러지 않으면 비극이 일어날 거고, 푸틴과의 만남도 왕국도 구원도 정복도 없이 내 커다란 모험은 자살과 죽음으로 끝나고 말 것이다. 삼층에 있는 그녀의 방으로 달려갔지만 그녀는 이미 방의 창문을 열어놓은 상황이다.

"그만둬요! 이 높이에서는 떨어져봐야 죽지 않아요. 기껏해야 평생 불구자로 살게 될 뿐이오!"

그러나 그녀의 귀에는 내 말이 들리지 않는다. 나는 침착하게 이 상황을 제어해야 한다. 바이칼에서 자신의 벗은 몸을 보지 못하게 움직이지 말라고 명령하면서 그녀가 보여준 그 위엄을, 이제는 내가 보여줄 차례다. 이 순간 온갖 생각들이 내 머릿속을 스쳐지나간다. 그리고 나는 가장 쉬운 해결책에 매달린다.

"나는 당신을 사랑해요. 절대로 당신을 여기 홀로 두지 않아요."

그녀는 사실이 아니라는 것을 알지만 사랑이라는 단어는 언제나 즉각 효과를 나타낸다.

"당신은 나를 강물처럼 사랑하죠. 하지만 나는 여자로서 당신을 사랑해요."

힐랄은 죽고 싶어하지 않는다. 정말 죽고 싶다면 아무 말도 하지 않았을 것이다. 하지만 힐랄의 목소리는 지금 소리내어 한 말 너머에서 이렇게 말하고 있다. '당신은 내 일부예요, 가장 소중한 일부. 그런데 그 일부가 내게서 떨어져나가고 있어요. 나는 이제 결코 예전의 나로 돌아갈 수 없을 거예요.' 그녀는 완전히 잘못 생각하고 있지만, 지금은 그녀가 납득할 수 없는 것을 설명하고 있을 때가 아니다.

"나는 당신을 여자로서 사랑해요. 과거에도 그랬고 세계가 계속되는 한 앞으로도 그럴 것이오. 당신에게 여러 차례 설명했잖소. 시간은 흘러가는 것이 아니라고. 전부 다시 얘기해줘야겠소?"

그녀가 돌아본다.

"거짓말이에요. 생은 한낱 꿈이에요. 죽음에 이르러서야 깨어나는 꿈. 시간은 우리가 살아가는 동안 흘러가요. 나는 음악가고, 늘 음표의 시간을 다뤄요. 시간이 존재하지 않으면 음악은 존재하지 않아요."

그녀는 이제 이성적으로 말하고 있다. 나는 그녀를 사랑한다. 여자로서는 아니지만, 나는 그녀를 사랑한다.

"음악은 음표들의 나열이 아니오. 음이 소리와 침묵 사이에서 계속하는 움직임이지. 당신도 그걸 알고 있어요." 나는 그녀의 말에 대꾸한다.

"당신이 음악에 대해 뭘 알아요? 당신 말이 맞다고 한들, 그게 지금 뭐가 중요한데요? 당신이 당신 과거에 갇힌 죄수라면, 나도 마찬가지라는 걸 알아둬요! 내가 한 생에서 당신을 사랑했다면 앞으로도 언제까지나 사랑할 거예요!

나한테는 마음도 육체도 영혼도, 아무것도 없어요! 내가 가진 건 사랑뿐이에요. 당신은 내가 존재한다고 생각하지만, 그건 그저 당신 눈에 비친 환상에 불과해요. 당신이 보고 있는 것은 순수한 상태의 사랑이에요. 자신을 드러내고 싶어하지만 드러낼 시간도 공간도 존재하지 않는 사랑이요."

힐랄은 창가에서 떨어져 방 안을 서성이기 시작한다. 창밖으로 몸을 던질 생각은 없었던 것이다. 나무 마룻바닥을 걸어다니는 그녀의 발소리 말고 내 귀에 들리는 것은, 내가 틀렸다는 걸 증명하고 있는 시계의 사악한 초침 소리뿐이다. 시간은 존재하고, 지금 이 순간 우리를 집어삼키고 있다. 야오가 여기 있다면,

그의 영혼에는 아직도 외로움의 검은 바람이 불고 있지만 다른 사람을 도울 때면 언제나 기쁨을 느끼는 그 불쌍한 남자가 있다면, 나를 도와 그녀를 진정시켜줄 텐데.

"당신 아내에게 돌아가요! 기쁠 때나 슬플 때나 항상 당신 곁에 있는 그 여자에게 돌아가라고요! 그 여자는 너그럽고, 다정하고, 이해심이 넘치겠죠. 나는 당신이 싫어하는 그 모든 것들인데 말예요. 복잡하고, 공격적이고, 집착이 강하고, 무슨 일이든 벌일 수 있고!"

"내 아내에 대해서 말하지 마요!"

나는 다시 한번 상황에 대한 통제권을 잃고 있다.

"나는 내가 말하고 싶은 대로 말해요! 당신은 나를 제어할 수 없고, 앞으로도 그럴 수 없어요!"

침착하자. 내가 계속 말을 하면 그녀는 가라앉을 것이다. 하지만 나는 이런 상태에 있는 사람을 본 적이 없다.

"그렇다면 당신을 제어할 사람이 없음을 기뻐하도록 해요. 그리고 당신이 용기를 가지고 자기 경력을 걸고 모험을 찾아 떠났고, 결국 그것을 발견했다는 사실을 축하하시오. 내가 배에서 한 얘기를 기억하도록 해요. 누군가 당신을 위해 성스러운 불을 피워줄 거요. 이제 바이올린을 켜는 손은 당신 손이 아니에요. 천사들이 내려와 당신을 돕고 있어요. 신께서 당신 손을 쓰시도록 허락해요. 아픔은 조만간 사라질 거고, 운명이 당신의 길에 예비해놓은 누군가가 마침내 나타나 행복으로 당신을 이끌 것이고, 모든 것이 잘될 거요. 그렇게 될 거예요. 지금 이 순간은 절망스럽고 내 말이 다 거짓말처럼 들릴 테지만."

너무 늦었다.

실언을 해버렸다. "철 좀 들어라"라는 단 세 단어로 요약될 수 있는 말을 해버린 것이다. 내가 알아왔던 모든 여자들 중 이런 바보 같은 조언을 받아들일 여자는 한 명도 없을 것이다.

힐랄은 무거운 금속 스탠드를 집어들고 콘센트에서 코드를 뽑더니 나에게 돌진한다. 나는 그녀가 내 얼굴을 맞히기 전에 가까스로 스탠드를 잡아채지만, 곧바로 그녀는 모든 힘과 분노를 다 쏟아 나를 때리기 시작한다. 나는 스탠드를 안심할 만한 거리에 던져놓고 그녀의 팔을 잡으려고 하지만 쉽지 않다. 그녀의 주먹이 내 코를 때리고, 피가 사방으로 튄다.

그녀와 나 모두 내 코피를 뒤집어썼다.

터키의 영혼이 당신 남편에게 자신이 가진 모든 사랑을 바칠 겁니다. 하지만 그녀는 자신이 찾고 있는 것이 무엇인지 밝혀내기 전에 그가 피를 흘리게 할 겁니다.

"따라와요!"

* * *

내 목소리는 완전히 바뀌어 있다. 그녀는 나를 때리던 것을 멈춘다. 나는 그녀의 팔을 잡고 방 밖으로 끌어낸다.

"나를 따라와요!"

설명할 시간이 없다. 이제는 화가 나 있기보다는 겁먹은 힐랄을 끌고 계단을 뛰어내려간다. 심장이 터질 듯이 뛴다. 우리는 서둘러 건물을 나선다. 원래 저녁식사 자리에 나를 데려갈 예정이었던 차가 거기 기다리고 있다.

"기차역으로 갑시다!"

운전사는 나를 보지만 무슨 말인지 알아듣지 못한다. 나는 문을 열고 그녀를 밀어넣고 나도 차에 오른다.

"기차역으로 지금 당장 가자고 말해요!"

그녀가 러시아어로 말을 전하고 운전사가 차를 출발시킨다.

"속도제한 무시하고 달리라고 말해요. 나중에 내가 다 보상할 테니까. 지금 빨리 그곳으로 가야 해요!"

운전사는 그 말을 듣고 좋아하는 눈치다. 차는 쏜살같이 달리고, 커브를 돌 때마다 차바퀴는 비명을 지르고, 다른 차들은 관용차 번호판을 보고 멈춰 선다. 놀랍게도 차 안에는 경광등이 있고, 운전사는 그걸 차 지붕에 얹는다. 힐랄의 팔을 움켜쥔 내 손가락에 힘이 들어간다.

"아프잖아요!"

나는 손에서 힘을 풀고 신께 기도드린다. 나를 도와달라고, 시간 안에 도착하게 해달라고, 모든 것이 제자리에 있게 해달라고.

힐랄은 나더러 진정하라고, 자기가 그런 식으로 행동하지 말았어야 했다고, 아까 방에서 정말로 자살할 생각은 아니었다고, 그건 그저 연기였다고 말한다. 누군가를 진정으로 사랑하는 사람은 타인을 파괴하지도 스스로를 파괴하지도 않는다. 절대로 또 한 번의 생에서 내가 괴로워하며 자신을 학대하게 하지 않을 것이다. 그런 고통은 한 번으로 족하다. 이미 과거에 일어난 일로 내게 죄책감을 주지도 않을 것이다. 그녀에게 대답하고 싶지만, 그녀가 하는 말에 제대로 집중할 수가 없다.

십 분 후, 차가 기차역 앞에 멈춘다.

나는 차에서 내려 힐랄을 끌고 역 안으로 들어간다. 그러나 플랫폼으로 통하는 개찰구가 닫혀 있어 통과할 수가 없다. 나는 어떻게든 지나가려 하지만 덩치 큰 경비원들이 나타난다. 힐랄은 나만 내버려둔 채 어디론가 가버리고, 이번 여행을 떠나온 후 처음으로 나는 어찌할 바를 모른 채 막막한 상태에 빠진다. 그녀가 옆에 있어야 한다. 그녀 없이는 무엇도, 아무것도 가능하지 않을 것이다. 나는 바닥에 주저앉는다. 경비원들은 피투성이가 된 내 얼굴과 옷을 보고는, 다가와 일어나라고 손짓하면서 질문을 던지기 시작한다. 나는 러시아어를 할 줄 모른다고 말하려 하지만 그들은 점점 험악해진다. 다른 사람들도 무슨 일인지 구경하러 몰려든다.

힐랄이 운전사와 함께 다시 나타난다. 운전사가 흥분한 경비원들에게 목소리도 높이지 않고 러시아어로 뭐라고 말하자, 그들은 금세 표정을 풀고 내게 인사를 한다. 그러나 내겐 지체할 시간이 없다. 가야 한다. 경비원들이 우리 주위에 몰려든 사람들을 밀어낸다. 이제 길이 뚫렸고, 나는 그녀의 손을 잡고 플랫폼으로 뛰어들어가 모든 것이 어둠에 묻혀 있는 막다른 곳까지 달려간다. 어스름 속에서, 나는 마지막 객차를 겨우 알아본다.

그렇다. 아직 거기에 있다!

나는 가쁜 숨을 고르려 애쓰면서 힐랄을 끌어안는다. 달려오느라 쏟은 힘과 혈관을 타고 흐르는 아드레날린 때문에 내 심장은 터져나갈 것처럼 뛰고 있다. 점심 때 적게 먹어서 어지럽지만 지금 쓰러질 수는 없다. 터키의 영혼이 내가 보아야 할 것을 보여줄 것이다. 힐랄은 마치 내가 자기 아이인 양 나를 쓰다듬는다. 그리고 진정하라고, 자신이 곁에 있으니 나쁜 일은 절대로 일어나지 않을 거라고 말해준다.

심호흡을 하자 심장박동이 점차 정상으로 돌아온다.

"와요. 나와 같이 갑시다."

기차 문은 그대로 열려 있다. 러시아에서는 아무도 감히 무언가를 훔치기 위해 기차역 안으로 들어오지 못한다. 우리는 객차 사이의 공간으로 들어간다. 그리고 나는 그녀를 벽 앞에 세운다. 끝나지 않을 것 같던 여행이 시작되던 그때, 지금은 아득히 먼 옛날인 것 같은 그날 그랬던 것처럼. 마치 입맞춤을 하려는 것처럼 우리의 얼굴은 아주 가까이 있다. 어떤 먼 빛이, 아마도 플랫폼에 밝혀진 하나뿐인 전구에서 오는 듯한 빛이 그녀의 눈동자 속에서 빛난다.

칠흑 같은 어둠 속에 있더라도 그녀와 나는 서로를 볼 수 있었으리라. 여기 알레프가 있다. 시간의 맥박이 달라지고, 우리는 엄청난 속도로 검은 터널 안으로 빠져들어간다. 그녀는 무슨 일이 일어나는지 이미 겪어보았으니 두려워하지 않을 것이다.

"내 손을 잡아요. 나와 함께 다른 세계로 갑시다, 지금!"

낙타와 사막과 비와 바람이 나타나고, 피레네산맥의 마을에 있는 샘물이, 피에트라 수도원 근처의 폭포가, 아일랜드의 해변이, 런던임에 틀림없는 도시의 길모퉁이가, 오토바이를 탄 여자들이, 성스러운 산기슭에 서 있는 예언자가, 산티아고 데 콤포스텔라 대성당이, 제네바 거리에서 손님을 기다리는 창녀들이, 모닥불 주위에서 나체로 춤을 추는 마녀들이, 아내와 아내의 정부에게 막 총을 발사하려는 남자가, 아름다운 카펫을 짜며 남편이 돌아오기를 기다리는 여인이, 그 여인이 사는 아시아 어느 나라의 초원이, 정신병원의 환자들이, 모든 종류의 물고기들이 유영하는 바다와 모든 별들이 떠 있는 우주가 나타난다. 태어나는 아기들의 소리, 죽어가는 노인들의 소리, 자동차가 멈추는 소리, 여자들의 노랫소리, 남자들이 욕설을 퍼붓는 소리, 그리고 문, 문, 또다른 문들.

나는 내가 살았고, 살 것이고, 지금 살고 있는 모든 생을 향해 간다. 나는 한 여자와 함께 기차 안에 있는 남자이고, 19세기 중반 프랑스에 살았던 작가이고, 나였던 모든 사람이자 내가 될 모든 사람이다. 우리는 지금 내가 원했던 문 안으로 들어간다. 내가 잡고 있던 그녀의 손이 사라진다.

내 주위에는 맥주와 포도주 냄새를 풍기는 수많은 사람들이 웃음을 터뜨리고, 욕설을 퍼붓고, 고함을 지르고 있다.

소녀들의 목소리가 나를 부른다. 수치스럽다. 그들을 보고 싶지 않지만 그들은 계속 내 이름을 부른다. 주위의 사람들이 내게 인사를 건넨다. 내가 이 모든 일에 책임이 있는 자인가, 그런가? 마을을 이단과 죄악으로부터 구한 자! 소녀들의 목소리는 계속해서 내 이름을 부르고 있다.

나는 이미 오늘뿐 아니라 남은 평생 동안 저지르고도 남을 비겁한 짓을 저질렀다. 나는 천천히 고개를 든다.

수레는 이제 거의 지나갔고, 일 초 후면 그 소리를 더 듣지 않아도 된다. 하지만 나는 소녀들을 바라보고 있다. 그 모든 수모에도 불구하고 지금 저들은 침착하고 고요해 보인다. 마치 그대로 철이 들고 어른이 되어 결혼하고, 자식들을 낳고, 모든 인간 존재의 종착지인 죽음으로 자연스레 나아가는 사람들인 것처럼. 할 수 있는 한 저항했으나 어느 순간 그것이 운명이라는 것을, 이미 그들이 태어나기 전부터 정해진 일이라는 것을 받아들인 사람들인 것처럼. 오직 두 가지만이 생의 위대한 신비를 드러내 보인다. 고통과 사랑만이. 그들은 이 두 가지를 겪었다.

내가 그들의 눈에서 본 것은 사랑이다. 우리는 함께 놀았고, 함께 왕자와 공주가 되기를 꿈꾸었고, 어린아이라면 누구나 그러듯이 미래에 대한 계획을 세웠다. 삶은 우리를 갈라놓았다. 나는 신을 섬기는 길을 택했고, 그들은 다른 길을 따라갔다.

나는 열아홉 살이다. 내가 고개를 들자 고마움의 눈빛으로 나를 바라보는 저 소녀들보다 조금 더 나이가 많다. 내 영혼은 무거운 짐에 짓눌려 있다. 어리석은 규율에 복종하느라 "아니요"라고 말할 용기가 없었다는 죄책감과, 그런 복종이 진실하고 논리적이라고 믿고 싶어하는 내 마음 사이에서 일어나는 자가당착 때문에.

소녀들이 여전히 나를 보고 있다. 이 순간이 영원처럼 느껴진다. 그중 한 명이 다시 내 이름을 부른다. 나는 소리 없이 입술을 움직여 그녀들만이 볼 수 있는 말을 한다.

"용서해줘."

"그럴 필요 없어요." 그중 한명이 내게 대답한다. "그래요. 우리는 영들과 이야기했어요. 그 영들은 우리에게 무슨 일이 일어날지 보여줬어요. 두려움의 시간은 지나갔고, 이제는 희망의 시간만 남아 있어요. 우리가 죄인이라고요? 언젠가 세상이 심판을 내리게 될 날, 부끄러움을 느껴야 하는 이들은 우리가 아닐 거예요.

우리는 언젠가 미래에, 당신이 오늘 이해받지 못하는 사람들에게 당신의 모든 생과 작업을 바칠 때에 다시 만나게 될 거예요. 당신의 목소리는 드높게 울려퍼질 것이고, 많은 이들이 거기에 귀 기울일 거예요."

수레가 멀어져간다. 경비병들이 마구 떠미는데도 나는 그 옆을 따라 달리기 시작한다.

"사랑이 미움을 이길 거예요." 다른 소녀가 말한다. 마치 함께 놀던 어린 시절의 그 숲속에 있기라도 한 것처럼 차분한 목소리다. "때가 되면, 오늘 불태워지는 이들은 고귀하게 될 거예요. 마법사와 연금술사가 돌아오고, 여신이 환영받고, 마녀는 축복받을 거예요. 그리고 그 모든 것들은 신의 위대함을 위해서지요. 자, 이것이 세상이 끝날 때까지 우리가 당신 머리 위에 내리는 축복이에요."

경비병 한 명이 내 배에 주먹을 날리고, 나는 숨이 턱 막혀 앞으로 고꾸라지지만 다시 고개를 치켜들고 올려다본다. 수레는 멀어져가고, 나는 다시는 저 수레를 따라잡지 못하리라.

힐랄을 옆으로 밀어낸다. 우리는 다시 기차 안에 있다.

"제대로 못 봤어요." 그녀가 말한다. "많은 사람들이 마구 소리를 지르고 있었고, 두건을 쓴 남자가 있었어요. 당신인 것 같았는데 확실하지는 않아요."

"걱정하지 마요."

"구하던 답을 얻었나요?"

나는 말하고 싶었다. '그래요. 마침내 나의 운명을 이해했어요.' 하지만 목이 메어 말이 나오지 않는다.

"나를 여기 이 도시에 홀로 남겨놓지 않을 거죠? 그렇죠?"

나는 그녀를 끌어안는다.

"절대로 그러지 않을 거요."

모스크바, 2006년 6월 1일

그날 밤 호텔로 돌아왔을 때, 야오는 모스크바행 비행기표를 가지고 힐랄을 기다리고 있었다. 나와 힐랄은 같은 비행기의 다른 등급 좌석에 앉아 모스크바로 돌아갈 것이다. 푸틴 대통령과의 대담에 내 편집자들은 참석할 수 없지만, 내 언론인 친구 하나가 나와 동행하게 되었다.

비행기가 착륙한 후, 나와 힐랄은 다른 문을 통해 나온다. 나는 특별실로 안내되었는데, 거기에 두 명의 남자와 언론인 친구가 기다리고 있다. 나는 일반 승객들이 나오는 터미널로 가서 내 친구와 편집자들에게 작별인사를 하고 싶다고 요청한다. 그중 한 남자가 그럴 시간이 없다고 하자, 언론인 친구가 이제 겨우 두시일 뿐이라며 대통령 접견은 다섯시에나 있지 않느냐고 지적

한다. 그리고 대통령이 보통 이 시기에 업무를 보는 모스크바 외곽의 관저에서 나를 기다린다 하더라도 거기까지 가는 데 오십 분이 채 안 걸릴 것이라고 설득한다.

"그래도 안 될 것 같으면 경광등을 켜고 달리면 되잖습니까……" 친구가 농담조로 말한다.

우리는 다른 터미널까지 걸어간다. 가는 길에 나는 꽃가게에 들러 장미 열두 송이를 산다. 그리고 승객들이 나오는 게이트 앞으로 가서 거기 둘러서 있는, 멀리서 오는 누군가를 마중 나온 사람들을 살펴본다.

"여기 영어 하는 분 계십니까?"

내가 큰 소리로 묻자, 사람들이 놀라서 바라본다. 나와 함께 있는 건장한 체격의 세 남자 때문이리라.

"여기 누구 영어 하는 분 안 계신가요?"

몇 명이 손을 든다. 나는 장미 꽃다발을 보여준다.

"잠시 후 내가 무척 사랑하는 한 아가씨가 도착할 겁니다. 나를 도와서 이 꽃을 그녀에게 건네줄 열한 분의 자원자를 구합니다."

곧 내 주위에 열한 명이 모인다. 나는 한 줄로 서달라고 부탁한다. 중앙 게이트에서 나온 힐랄이 나를 발견하고는 활짝 웃으며 내게로 걸어온다. 한 명 한 명 사람들이 그녀에게 다가가 장미를 건넨다. 그녀는 어리둥절해하면서도 기뻐하는 모습이다.

마침내 내 앞에 섰을 때 그녀에게 열두번째 장미를 건네고 이 세상의 모든 애정을 담아 그녀를 끌어안는다.

"나를 사랑한다고 말하지 않을 건가요?" 그녀가 침착하려고 애쓰며 묻는다.

"할 거요. 나는 당신을 강물처럼 사랑합니다. 잘 가요."

"잘 가라고요?" 그녀가 웃는다. "그렇게 쉽게 나한테서 빠져나갈 수 없을 걸요."

나를 대통령에게 데려가기 위해 기다리고 있는 두 남자가 러시아어로 뭐라고 말한다. 내 친구가 웃는다. 그들이 무슨 말을 하는 거냐고 내가 묻자, 힐랄이 말한다.

"이 공항에서 이렇게 로맨틱한 장면은 처음 본다고 말하네요."

2010년 성 게오르기우스 축일에

작가 노트

힐랄을 다시 만난 것은 2006년 9월, 오스트리아 멜크 수도원에서 열리는 학회에 내가 그녀를 초대했을 때였다. 우리는 그곳에서 바르셀로나로, 그리고 팜플로나와 부르고스로 함께 여행을했다. 그 도시들 가운데 한 곳에 갔을 때, 그녀는 내게 음악학교를 그만두었고 바이올린 연주를 그만두었다고 말했다. 그에 대해 내 의견을 말하고 싶었지만 그러지 않았다. 이제 그녀는 자기왕국의 여왕이 되었고 왕국을 스스로 지배할 때가 되었다는 것을 내 마음 깊이 이해하고 있었기 때문이다.

이 책을 쓰는 동안, 힐랄은 내게 두 통의 이메일을 보냈고, 내가 우리의 이야기를 책으로 쓰는 꿈을 꾸었다고 말했다. 나는 그녀에게 기다려달라고 말했고, 탈고를 한 후에야 그녀에게 이 책에 대해 말해주었다. 그녀는 전혀 놀란 것 같지 않았다.

나는 자문한다. 만약 힐랄과의 기회를 놓쳤다면 세 번의 기회가 더 있었을 거라고 생각한 것이 과연 옳은 일이었는지(어쨌든 그날 처형당한 소녀는 여덟 명이었고, 나는 그중 이미 다섯 명을 만났으니까). 오늘 나의 생각은, 결코 그 답을 알 수 없으리라는 것이다. 죽임을 당한 그 여덟 명 중 진정으로 나를 사랑한 소녀는 단 한 명, 내가 이름을 알지 못하는 한 명뿐이었다.

이제는 함께 일하고 있지 않지만, 레나와 유리 스미르노프와 소피아 출판사에 감사하고 싶다. 그들 덕분에 러시아를 기차로 가로지르는 특별한 경험을 할 수 있었다.

노보시비르스크에서 힐랄이 읊었던 용서의 기도문은 이미 많은 이들과 함께 공유된 것이다. 내가 이 책에서 그 기도문을 브라질에서 들었다고 언급한 것은, 어린 소년 안드레 루이스의 영혼을 두고 말한 것이다.

마지막으로, 빛의 고리 수련에 대해 경고하고 싶다. 앞서 말했듯, 절차에 대한 최소한의 지식 없이 과거로 돌아가는 것은 매우 끔찍하고 재앙에 가까운 결과를 가져올 수 있다.

지은이 **파울로 코엘료**
전세계 168개국 73개 언어로 번역되어 1억 3천5백 만 부가 넘는 판매를 기록한 우리시
대 가장 사랑받는 작가. 1986년, 산티아고 데 콤포스텔라 순례에 감화되어 첫 작품 『순
례자』를 썼고, 이듬해 자아의 연금술을 신비롭게 그려낸 『연금술사』로 세계적 작가의 반
열에 오른다. 이후로 『베로니카, 죽기로 결심하다』 『피에트라 강가에서 나는 울었네』 『악
마와 미스 프랭』 『11분』 『오 자히르』 『포르토벨로의 마녀』 『승자는 혼자다』 『브리다』 등 발
표하는 작품마다 세계적으로 엄청난 반향을 불러일으켰다. 2009년 『연금술사』로 기네스
북에 '한 권의 책이 가장 많은 언어로 번역된 작가'로 기록되었고, 프랑스 정부로부터 '레
지웅도뇌르' 훈장을 받았다.

옮긴이 **오진영**
서울대 인류학과를 졸업하고 브라질 상파울로 주립대학교(UNICAMP)에서 인류학 석사
과정을 수료했다. 현재 프리랜서 기자, 포르투갈어 번역가로 활동중이고, 『결혼식 전날
생긴 일』을 우리말로 옮겼다.

문학동네 세계문학
알레프

초판인쇄 2011년 9월 15일 | 초판발행 2011년 9월 23일

지은이 파울로 코엘료 | 옮긴이 오진영 | 펴낸이 강병선
책임편집 김지연 | 편집 염현숙 오동규 | 디자인 송윤형 이원경 | 저작권 김미정 한문숙 박혜연
마케팅 정민호 김도윤 박보람 정진아 | 온라인마케팅 이상혁 한민아 장선아
제작 안정숙 서동관 김애진 | 제작처 영신사(인쇄) 경일제책사(제본)

펴낸곳 (주)문학동네
출판등록 1993년 10월 22일 제406-2003-000045호
주소 413-756 경기도 파주시 문발동 파주출판도시 513-8
전자우편 editor@munhak.com | 대표전화 031) 955-8888 | 팩스 031) 955-8855
문의전화 031) 955-3576(마케팅) 031) 955-8860(편집)
문학동네카페 http://cafe.naver.com/mhdn

ISBN 978-89-546-1612-6 03890

www.munhak.com

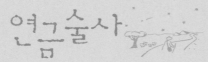

연금술사

연주여행을 위해 비행기에서 긴 시간을 보낼 때면 이 책을 거듭 손에 잡게 된다. 성악가로서 세계를 떠돌다보니 왜 난 이렇게 집시처럼 떠돌아다녀야 하는지 생각을 많이 했다. 그런데 연금술사를 읽고 나서 인생은 자아를 발견하기 위한 영원한 여행이라는 생각에 위안을 얻게 됐다. 내가 찾아 헤매던 답을 찾아준 책이라고나 할까. **조수미(성악가)**

인생에서 진정 찾고자 하는 것이 무엇인지 차분히 생각해볼 기회를 주는 책. 주인공 산티아고의 여정을 통해 그동안 잊고 지내던 인생을 살아가는 진리를 다시한번 되새기게 된다. **한완상(대한적십자 총재)**

학창시절, 비겁했던 나의 여고시절에 이 책을 접했더라면 얼마나 좋았을까.
추상미(영화배우)

아름다운 문체, 결 고운 이야기, 마음을 움직이는 감동… 코엘료는 혼탁한 생의 현실 속에서도 참 자아를 지켜갈 수 있는 힘을 보여준다.
정진홍(서울대 종교학과 명예교수)

자신의 생에 성공한 사람들, 자신의 길에 존재를 건 사람들이 왜 연금술사를 추천하는지를 알겠다. **차승재(영화사 싸이더스 대표이사)**